Victoria Lundt
Der Kuss der Schmetterlinge

PIPER

Zu diesem Buch

Hedwig Kindler erreicht mit ihren beiden Töchtern Amelie und Helene nach einer langen Bahn- und Schiffsreise, die in Berlin ihren Ausgang nahm, endlich Tsingtau, den an der ostchinesischen Küste gelegenen Hauptort von Kiautschou. Hedwigs Vater ist es zusammen mit seinem Sohn Fritz gelungen, in Tsingtau mit »Kindler Import & Export« ein so erfolgreiches Geschäft aufzubauen, dass er seine übrige Familie jetzt nachholen kann. Er und seine Frau hoffen, dass ihre Töchter in Tsingtau eine gute Partie machen, herrscht hier doch Mangel an europäischen Frauen. Und tatsächlich, schon bald macht der erfolgreiche Kaufmannssohn Erich Schweiger Amelie den Hof. Doch dann lernt Amelie einen anderen Mann kennen, den Chinesen Liu Tian, der von Anfang an eine große Faszination auf sie ausübt. Doch Mischbeziehungen sind in Tsingtao ein striktes Tabu – ein Tabu, vor dem Amelie und Liu Tian nicht zurückschrecken …

Victoria Lundt wurde in Schanghai als Tochter eines dänischen Diplomaten und einer deutschen Cellistin geboren. Von ihrem Vater erbte sie das Interesse für ferne Länder, von ihrer Mutter die künstlerische Ader. Erst mit ihren Eltern und später in ihrem Beruf als Journalistin und Auslandskorrespondentin hat sie viele Teile der Welt bereist, sich aber immer eine besondere Zuneigung zu ihrem Geburtsland China bewahrt. Wenn sie nicht auf Reisen ist, lebt sie mit ihrem Mann, einem Hund und drei Katzen auf einem ehemaligen Bauernhof an der Ostsee.

Victoria Lundt

Der Kuss der Schmetterlinge

Piper München Zürich

Mehr über unsere Autoren und Bücher:
www.piper.de

Originalausgabe
Juli 2013
© 2013 Piper Verlag GmbH, München
Umschlaggestaltung und -motiv: Johannes Wiebel, punchdesign, unter Verwendung von Motiven von Shutterstock
Satz: Fotosatz Amann, Aichstetten
Gesetzt aus der Fairfield
Papier: Pamo Super von Arctic Paper Mochenwangen GmbH, Deutschland
Druck und Bindung: GGP Media GmbH, Pößneck
Printed in Germany ISBN 978-3-492-30297-5

Was eine Raupe das Ende des Lebens nennt, nennt der Weise einen Schmetterling.

(Chinesisches Sprichwort)

Prolog

Sonntag, 9. September 2012.

Christas Worte waren ein Schock für Bernhard, wie ein Schlag vor den Kopf. Gleichzeitig klangen sie unwirklich. Sie wollten nicht zu der fröhlichen Umgebung passen, zu all den Schmetterlingen, die ihn und seine Tante in bunter Pracht umflatterten.

»Ich werde sterben, Bernhard, das hat mein Arzt mir klipp und klar gesagt. Ich muss davon ausgehen, dass ich längstens noch ein Jahr zu leben habe.«

»Nur noch ein Jahr zu leben?«, brachte er stockend, fassungslos, hervor. »Aber warum?«

»Na, woran sterben die meisten Leute heutzutage wohl; Nachbarn, Freunde, Verwandte? Was frisst sie – und mich – von innen auf? Vielleicht ist es die ganze Chemie, die wir ohne Unterlass einatmen und anfassen, vielleicht sind es elektrische Strahlung und Funkwellen oder Tschernobyl und Fukushima.« Sie seufzte kurz, lächelte dann aber gleich wieder. »Sei's drum, meine Uhr läuft ab, und da kommst du ins Spiel. Nicht als mein Neffe oder gar mein Haupterbe – dir geht's finanziell ja wohl blendend –, sondern als mein Anwalt und Testamentsvollstrecker.«

Bernhard nickte nur, zutiefst betroffen über das eben Gehörte.

»Fein«, sagte Christa und betrachtete einen farbenfroh schillernden Schmetterling, der dicht vor ihrem Gesicht tanzte. »Ich wusste, du würdest es verstehen. Ich habe mir nämlich einen Erben ausgesucht, den man als etwas ungewöhnlich bezeichnen könnte.«

»Als dein Neffe wäre es mir lieber, du bräuchtest gar keinen Erben«, sagte er leise. »Aber als dein Rechtsanwalt muss ich wohl danach fragen, wer die Person ist, der du dein nicht ganz unbeträchtliches Vermögen hinterlassen möchtest.«

»Kein Mann und keine Frau. Wie sagt ihr Rechtsverdreher doch gleich? Es handelt sich um eine juristische Person: dieser Schmetterlingspark.«

»Wie?«, fragte er, weil er glaubte, sich verhört zu haben. Er erinnerte sich an seine Verwunderung darüber, als seine Tante ihn gebeten hatte, mit ihr zu diesem neuen Schmetterlingspark rauszufahren. Seiner Ansicht nach war das eher etwas für Kinder und für Rentner, beides passte nicht zu ihr. Auch mit ihren weit über sechzig Jahren war Christa keineswegs der Oma-Typ. Weder ihre äußerliche Erscheinung – sie ging mit ihrer schlanken Figur und ihrer rotblonden Kurzhaarfrisur für zehn Jahre jünger durch – noch ihr geistiges Auftreten deuteten darauf hin. Die Gespräche mit ihr empfand er anregender als mit so manchem Gleichaltrigen, und nicht zuletzt deshalb schätzte er ihre gemeinsamen monatlichen Treffen. Außerdem war sie seit dem frühen Unfalltod seiner Eltern seine engste Familie. An Politik und Kultur immer interessiert, besuchte Christa mit ihm häufig Ausstellungen, Museen oder Diskussionsrunden.

Sie erklärte ihm alles ausführlich, während sie durch die große Freiflughalle gingen, die mit ihren tropischen Pflanzen, kleinen Wasserfällen und einer Hängebrücke wie ein

Miniatur-Urwald anmutete. Aber nicht das tropische Klima trieb ihm den Schweiß auf die Stirn. Eine große Last, scheinbar fast schwerer als einer der Felsen, die als Auflockerung zwischen all dem Grün aufragten, lag auf ihm, seit Christa ihm von ihrer Diagnose erzählt hatte. Verstohlen schaute er sie von der Seite an, aber er konnte keine Anzeichen der tödlichen Krankheit bei ihr erkennen. Sie wirkte so munter und lebensfroh wie immer.

»Für mich begann alles vor mehr als fünf Jahrzehnten, als meine Großeltern väterlicherseits noch lebten, deine Urgroßeltern«, begann Christa, auf deren Handrücken sich ein bunter Falter zutraulich niedergelassen hatte, zu erzählen. »Noch heute, nach so vielen Jahren, denke ich an jenen Sonntagnachmittag im Juni zurück, als ich den Schmetterling fing. Meine Eltern hatten mich zu den Großeltern am Stadtrand gebracht, weil meine Mutter ins Krankenhaus musste. Es war der Tag, an dem mein Bruder, dein Vater, geboren wurde. Aber darüber machte ich mir damals keine Gedanken. Ich war neun Jahre alt, und der riesige Garten meiner Großeltern war für mich ein herrlicher Spielplatz, eine eigene Welt für sich.«

Sonntag, 13. Juni 1954.

»Gib das her!«

Die raue Stimme von hinten ließ Christa zusammenfahren. Beinah hätte sie das Marmeladenglas mit dem auffallend roten Schmetterling fallen lassen. Sie hatte ihren Großvater niemals zuvor so zornig gesehen.

»Gib das Glas her, Christa!«, herrschte er sie an, die

Stirn in Falten gelegt, den Mund zusammengekniffen – es war angsteinflößend.

Christa stand starr vor Schreck, da entriss ihr der Großvater das Marmeladenglas. Als er den Deckel öffnen wollte, kehrte das Leben in sie zurück. Blitzschnell griff Christa mit beiden Händen zu.

»Das ist mein Schmetterling, ich habe ihn gefangen!«, rief sie mit aller Widerborstigkeit, derer sie trotz ihrer Angst fähig war.

Sie drückte das Glas an sich und lief auf das Haus zu, wo ihre Großmutter in der Hintertür erschienen war. Erwachsene waren stärker als Kinder, und deshalb, das war ihr klar, brauchte sie einen anderen Erwachsenen als Verbündeten. Sie flüchtete sich in die schützenden Arme der Großmutter und ließ ihren Tränen freien Lauf.

Großmutters Hand strich tröstend über Christas Hinterkopf, und sie sagte mit sanfter Stimme: »Dein Großvater hat es nicht böse gemeint.«

Christa schaute über die Schulter zu ihrem Großvater, der jetzt hinter ihr stand. Er schien nicht länger wütend, sondern vielmehr erschrocken über sich selbst – und vielleicht sogar ein bisschen traurig.

Trotzdem krampften sich ihre kleinen Hände noch fester um das Glas, als sie ihre Großmutter schluchzend fragte: »Warum hat er mich dann angeschrien? Es ist doch nur ein Schmetterling.«

»Nein, es ist nicht nur ein Schmetterling.« Ihre Großmutter blickte andächtig auf das gefangene Insekt, das reglos auf dem Boden des Glases saß. »Es ist vielleicht die Seele eines Menschen, eine tapfere Seele. Wenn ich dir seine Geschichte erzähle, wirst du es verstehen.«

»Die Seele eines Menschen?«, wiederholte Christa ungläubig und vergaß dabei ihre Tränen.

Die Großmutter nickte. »Er war sehr stark, und das musste er auch sein, weil er viel zu erdulden hatte. Sein Name war Erich …«

Erster Teil:

Ankunft in Tsingtau

1

September 1908.

Die Luft in China roch nach Honig, süß und verlockend, zugleich fremd und geheimnisvoll. Der Wind, der von den Bergen herüberwehte, sang ein Lied, das von fernen Ländern und unbekannten Gebräuchen erzählte – und von neuen, aufregenden Erfahrungen. Amelie, die an Deck des Postdampfers stand und auf die vor ihr liegende Bucht hinausblickte, lauschte andächtig jeder Strophe dieses Liedes, jeder Zeile und jedem Wort. Ihr war, als müssten alle Passagiere an Bord der *Goeben*, die zum ersten Mal diese fremde Küste erblickten, ebenso ergriffen sein wie sie selbst. Aber auf viele ihrer Mitreisenden, die das breite Promenadendeck bevölkerten, schien die Bucht von Kiautschou keinen besonderen Eindruck zu machen. Männer und Frauen in überwiegend heller, leichter Kleidung sahen nur beiläufig auf das hinüber, was doch ihre neue Heimat sein sollte, und ergingen sich dabei in munterem Geplauder, wie sie es die ganze Überfahrt hinweg getan hatten. Amelie achtete nicht weiter auf die Menschen um sie herum. Sie konzentrierte sich ganz auf das wundervolle Lied, das mit jeder Brise erklang, die durch ihre dunkelblonden Locken wehte, und das einen verheißungsvollen Namen trug: China!

Sie hatte in den vergangenen Monaten viel über dieses fremde, große Land gelesen; alles, was ihr in die Finger gekommen war. Reiseberichte, geografische Beschreibungen, Erzählungen aus dem Boxerkrieg, einfach alles, aber das hatte ihre Wissbegier nicht gestillt. Im Gegenteil, ihre ohnehin rege Phantasie war durch all das Gelesene noch befeuert worden, und sie war zum Bersten neugierig auf jenes Land, in dem die Männer lange Zöpfe trugen, in dem die Frauen als begehrenswert galten, wenn sie ihre Füße zusammenbanden, sodass sie kaum laufen konnten, und in dem die Menschen sogar ihr Gesicht verlieren konnten.

Und sie hatte alle Landkarten studiert, derer sie habhaft werden konnte. Die Geografie dieser Region stand ihr so deutlich vor Augen wie vielleicht sonst nur den Seeoffizieren auf der Brücke des großen Dampfers. Das deutsche Pachtgebiet Kiautschou mit der Hafenstadt Tsingtau lag in der chinesischen Provinz Schantung, die wie ein ausgestreckter Finger ins Gelbe Meer hineinzeigte, ungefähr fünfhundert Kilometer südöstlich der chinesischen Hauptstadt Peking und sechshundert Kilometer nördlich von Schanghai, das die *Goeben* gestern verlassen hatte. Nur kurz dachte sie an diesen letzten Zwischenhalt zurück. So stark der Eindruck auch gewesen war, den die umtriebige Handelsstadt an der Mündung des Jangtsekiang auf Amelie gemacht hatte, jetzt waren ihre Gedanken ganz und gar auf Tsingtau gerichtet, auf ihre neue Heimat.

Der Reichspostdampfer hatte in langsamer Fahrt die kleinen vorgelagerten Felsinseln passiert. Dann lief er durch eine schmale Einfahrt in die große Kiautschou-Bucht ein und umrundete zur Rechten – oder an Steuerbord, wie man auf See sagte – eine Landzunge, auf der eine Geschützbatterie über die Einfahrt wachte. Dahinter war ein Hafenbecken zu erspähen, und eine helle Stimme hinter Amelie sagte: »Da legen wir gleich an, endlich!«

Die Stimme gehörte ihrer Schwester Helene, die nun auch an Deck gekommen war, aber ein Stück von der Reling entfernt blieb, als fürchte sie, bei all dem Gedränge ins Wasser gestoßen zu werden.

»Da legen wir nicht an«, beschied Amelie, als könne sie darüber bestimmen. »Das ist der Kleine Hafen, in dem vorzugsweise die Chinesen mit ihren kleinen Booten anlegen. Wir steuern den Großen Hafen an, dort.«

Sie streckte den rechten Arm aus und zeigte voraus, nach Norden.

»Woher weißt du das alles?«, staunte Helene.

»Aus Büchern, woher sonst«, sagte Amelie, ohne ihre Schwester anzusehen.

Eine andere Stimme erklang hinter ihr, es war die ihrer Mutter: »Du solltest nicht so viel lesen, Amelie. Das verdirbt die Augen und verwirrt den Verstand. Und wenn überhaupt, dann nimm dir lieber Bücher für junge Damen vor!«

»Welche denn?«, fragte Amelie müde. »Etwa Marlitt, Werner und Heimburg?«

»Warum nicht, keine schlechte Wahl«, befand ihre Mutter.

Obwohl sie diese Autorinnen auch schon gelesen hatte, seufzte Amelie leise: »Dann lieber Karl May.« Ihr war mehr nach Exotik und Abenteuern als nach schwülstigen Liebesgeschichten zumute, während sie den Großen Hafen betrachtete, auf den die *Goeben* jetzt zulief.

Dort lagen etliche Schiffe vor Anker, längst nicht alle so groß wie der einlaufende Reichspostdampfer, der zur Feldherren-Klasse des Norddeutschen Lloyd gehörte. Überall wurde gearbeitet, wurde Fracht verstaut oder gelöscht, besserten schwielige Hände Schiffsteile aus, wurden Güterwaggons be- oder entladen. Ein Teil der Fracht, die sich im Hafen in Kisten und Fässern ohne Ende stapelte, war wohl für die *Goeben* bestimmt, für Yokohama oder Schanghai, für Genua oder Bremerhaven. Amelies Blick glitt über die Dächer der großen Lagerhallen und Hafengebäude hinweg, über die qualmenden Schornsteine der Fabriken und Werkstätten zu den landeinwärts auf höherem Gelände erbauten Villen, die ebensogut in Berlin hätten stehen können. Dahinter erhoben sich die Berge, die im Licht der allmählich sinkenden Sonne rotgrau schimmerten. Sie hatte sich die Anhöhen viel grüner vorgestellt, bedeutete der Name Tsingtau auf Deutsch doch Grüne Insel. Aber das konnte ihren Enthusiasmus nicht schmälern. Sie hoffte, spürte, wusste, dass sie sich hier wohlfühlen würde. Ab heute hieß ihre Heimatstadt nicht länger Berlin, sondern Tsingtau.

»Wie viele Menschen hier wohl leben?«, überlegte Helene laut.

»Fast sechzigtausend«, sagte Amelie, ohne eine Sekunde nachdenken zu müssen.

»Wirklich? Ich hätte nicht gedacht, dass sich so viele Deutsche hier angesiedelt haben.«

»Haben sie ja auch nicht. Die meisten sind selbstverständlich Chinesen, dazu kommen ungefähr dreieinhalbtausend Deutsche, das hier stationierte Militär eingerechnet, und einige andere Fremdstämmige: Briten, Franzosen, Russen, Japaner und so weiter.«

»Ah, das wusste ich nicht«, sagte Helene fast ein wenig entschuldigend.

»Das muss man auch nicht wissen«, meinte ihre Mutter.

»Schließlich kann man es jederzeit in Büchern nachlesen.«

»Jedenfalls, solange man sich dabei nicht die Augen verdirbt«, murmelte Amelie so leise, dass niemand sonst es verstehen konnte.

Manchmal fragte sie sich, ob ihre Mutter wirklich alles so meinte, wie sie es sagte. Aber wenn sie dann länger darüber nachdachte, kam sie zu dem Schluss, dass es nicht anders sein konnte.

Für Hedwig Kindler war die Welt ein festes Gefüge, und alles hatte gefälligst so zu bleiben, wie es schon immer gewesen war. Frauen hatten in ihren Augen nur eine Bestimmung: zu heiraten, dem Ehemann möglichst viele Kinder zu schenken und für die Familie zu sorgen. Ihre Lektüre hatte aus Kochbüchern und Fibeln zur besseren Haushaltsführung zu bestehen, zur Erbauung durfte es allenfalls noch *Die Gartenlaube* oder ein ähnlich harmloses Familienblatt sein. Amelie fragte sich, ob sich Mutter in Tsingtau eingewöhnen würde. Auch wenn im deutschen Pachtgebiet deutsche Regeln das Leben bestimmten, würde doch gewiss einiges anders sein als zu Hause.

Amelies Mutter ahnte das zumindest, und nur widerstrebend hatte sie mit ihren beiden Töchtern die Reise angetreten. Aber das Geschäft, das Heinrich Kindler und sein Sohn Fritz aufgebaut hatten, florierte, und so hatte Vater beschlossen, den Rest der Familie nachzuholen. »In Tsingtau werdet ihr ein ganz neues Leben finden, meine Lieben«, hatte in seinem letzten Brief gestanden, doch Mutter hatte den Kopf geschüttelt und gesagt: »Was sollen wir mit einem neuen Leben? An dem jetzigen gibt es doch nichts auszusetzen.« Sie hatte in einem Eilbrief an Vater darauf bestanden, die Villa am Wannsee noch eine Weile zu behalten »für den Fall, dass es uns in China doch nicht gefällt. Wir müssen erst einmal schauen, Heinrich, ob es wirklich etwas für die Mädchen ist. Sie müssen schließlich eine gute Partie machen, und dort gibt es ja wohl hauptsächlich Chinesen.«

Vermutlich war Amelie die Einzige der drei weiblichen Familienmitglieder, die sich aus vollem Herzen auf China freute. Und jetzt, während des Anlegemanövers, das kein Ende nehmen wollte, wurde sie regelrecht ungeduldig.

An Land versammelten sich mehr und mehr Menschen, im Hintergrund waren es viele Chinesen in ihren zumeist blauen oder schwarzen Kleidern, im Vordergrund eher Europäer, wohl überwiegend Deutsche, die auf Besuch, Nachrichten oder Fracht aus der Heimat warteten. Vergeblich hielt sie nach Vater und Bruder Ausschau. Stattdessen erspähte sie eine Militärkapelle, die mit flottem Schritt aufmarschierte und auch schon begann, zur Begrüßung des Postdampfers *Das Wandern ist des Müllers Lust* zu spielen. Warum der Kapellmeister ausgerechnet dieses Lied ausgewählt hatte, erschloss sich Amelie nicht. So laut das Blech der tüchtigen Musikanten auch tönte, gegen das hundertfache Stimmengewirr aus Zurufen und Kommandos, das lang gezogene ›Tuut-Tuut‹ der Schiffssirenen, das Rasseln von Ketten und das Fauchen von Dampfwinden kam es nicht an. Amelie konnte nicht anders, als über die Bemühungen der Musiker, denen aufgrund der großen Hitze bald dicker Schweiß auf die geröteten Stirnflächen trat, zu lachen.

Als die *Goeben* schließlich fest angelegt hatte, konnte sie gar nicht früh genug an Land gelangen. Männer, Frauen und Kinder strömten in einem unablässigen Drängeln zu den Gangways, und Amelie war mittendrin. Dabei hätten jene Passagiere, die schon in Bremerhaven an Bord gegangen waren und folglich geschlagene eineinhalb Monate auf See verbracht hatten, es noch eiliger haben müssen als sie. Die Kindlers hatten den Hauptteil ihres Gepäcks in Bremerhaven an Bord schaffen lassen, waren selbst aber mit der Eisenbahn nach Genua gefahren und erst dort zugestiegen, was die Reisezeit um zwei Wochen verkürzte. Doch ein ganzer Monat mit ihrer Mutter und ihrer Schwester in einer Vierbettkabine der zweiten Klasse genügten ihr voll und ganz, auch wenn das vierte Bett – zum Glück – nicht belegt gewesen war und ein Steward ihr versichert hatte, dass die entsprechenden Kabinen auf anderen Schiffen viel enger seien.

Während Amelie unablässig nach vorn drängte, um endlich mehr von dieser neuen Welt zu sehen, hatten ihre Mutter und Helene alle Mühe, nicht den Anschluss an sie zu verlieren. Mehrmals hörte sie hinter sich Mutters schrille Stimme, die ihren Namen rief, aber mitten in dem großen Menschenstrom war ein Anhalten und Warten gar nicht möglich. Erst an der Einreise- und Zollkontrolle löste sich das Gewirr langsam auf, was Helene und Mutter nutzten, um zu ihr aufzuschließen. Mutter sagte etwas, das sich vorwurfsvoll anhörte, aber Amelie achtete nicht darauf, denn jenseits des Kontrollpunkts hatte sie zwei bekannte Gesichter entdeckt: Vater und Fritz. Fritz winkte ihnen eher verhalten zu, aber Heinrich Kindler strahlte über sein ganzes Vollmondgesicht, zwirbelte die Spitzen seines Kaiser-Wilhelm-Barts und rief ihnen aus Leibeskräften etwas zu, das aber im allgemeinen Gelärm unterging.

Dann waren sie endlich vereint. Hände wurden kräftig geschüttelt, Amelie und Helene küssten Vater und Bruder auf die Wangen, und Heinrich Kindler drückte seine Frau an sich, um sie vom Boden hochzuheben und sich einmal im Kreis mit ihr zu drehen.

»Lass das, Heinrich!«, ermahnte Mutter. »Uns können doch all die Leute hier sehen!«

»Ja, das können sie wohl«, lachte Vater und hielt sie noch immer hoch. »Aber die sind mit sich selbst beschäftigt.«

Er setzte seine Frau ab, die aufatmete und ihr verrutschtes Tropenkleid glatt strich. Heinrich Kindler legte ihr derweil mit einer Geschicklichkeit, die man ihm angesichts seiner leicht korpulenten Statur und seiner kräftigen Hände kaum zugetraut hätte, eine silberne Kette mit einem grünen Anhänger um den Hals.

»Was ist das?«

»Ein Begrüßungsgeschenk für dich, Hedwiglein. Der Anhänger ist aus Jade, dem die Chinesen heilende Kräfte zuschreiben.«

Amelies Mutter sah ihren Mann besorgt an. »Ich hoffe doch sehr, es gibt hier deutsche Ärzte.«

»Aber ja, und auch deutsche Krankenhäuser und deutsche Apotheken.«

Das beruhigte sie, und sie betrachtete den kleinen Anhänger. »Das ist ja eine Ziege.«

Heinrich Kindler nickte. »Weil du im Jahr der Ziege geboren bist, Hedwiglein. Sieh es nicht als persönliche Anspielung. Wer im Jahr der Ziege geboren ist, gilt in China als besonders charmant.«

»Na dann«, sagte Mutter nur.

Auch Helene hängte der Vater einen Jadeanhänger um,

einen Hund, und er erklärte ihr: »Wer im Jahr des Hundes auf die Welt kam, wird hierzulande als sehr klug, gewissenhaft und vertrauenswürdig angesehen.«

Das passte zu ihrer stets zurückhaltenden, in sich gekehrten Schwester, fand Amelie, aber da war sie auch schon selbst an der Reihe, und ihr Vater legte ihr eine Kette mit einem Affen aus Jade um.

»Und welche Eigenschaften habe ich, wenn es nach den Chinesen geht?«

»Du bist kreativ und großzügig, und es fällt dir schwer, deine Gefühle zu verbergen.« Ihr Vater tippte mit der Fingerspitze auf Amelies Nase. »Und das nicht nur, wenn es nach den Chinesen geht. Ach ja, und du bist schnell verliebt.«

Amelie hielt die Figur in ihrer Handfläche und betrachtete sie eingehend. »Obwohl der Affe so klein ist, sieht er sehr natürlich aus, beinah lebendig.«

Ihr Vater nickte eifrig. »Jen Bo ist ein echter Künstler auf seinem Gebiet. Die Figuren sind Unikate, eigens für euch angefertigt. Auf der Rückseite hat er eure Namen eingraviert.«

Amelie drehte den Affen um und las ihren in winzig kleinen Buchstaben geschriebenen Vornamen.

Auch Mutter hatte die Rückseite ihres Anhängers angesehen. »Das ist so klein, das kann man kaum lesen. Immerhin scheint dieser Jen Irgendwas die deutschen Namen zu kennen.«

»Mehr oder weniger«, lachte Heinrich Kindler. »Sagen wir, er gibt sich Mühe. Sicherheitshalber habe ich ihm eure Namen sehr deutlich aufgeschrieben. Aber darauf kommt es nicht an. Wichtig ist, dass er gute Arbeit leistet.«

»Wieso ist das wichtig?«, fragte Mutter.

Fritz gab die Antwort: »Weil wir den Jadeschmuck nach Deutschland exportieren wollen, wir versprechen uns sehr viel davon.«

»Reden wir jetzt nicht übers Geschäft, dafür ist noch Zeit genug«, winkte Vater ab. »Ihr seid bestimmt neugierig auf unser Haus und vielleicht auch hungrig. Lasst uns aufbrechen!«

»Und unser Gepäck?«, fragte Mutter mit einem zweifelnden Blick auf das Gewimmel aus Europäern und Asiaten rund um die *Goeben*.

»Darum wird sich Fritz kümmern, er kommt dann später nach. Nicht wahr, Fritz?«

Amelies Bruder grinste und salutierte übertrieben. »Jawoll, Herr Papa!«

»Kindskopf«, murmelte Vater, bevor er Frau und Töchter durch die Menge bugsierte.

Einige Herren zogen den Hut vor ihnen und grüßten, was Heinrich Kindler manchmal mit ein paar kurzen Worten, oft aber auch nur mit einem knappen Kopfnicken quittierte.

»Du scheinst hier viele Bekannte zu haben, Heinrich«, sagte Mutter.

»Die meisten meinen nicht mich, sondern unsere beiden Schönheiten. Deutsche Frauen sind in Tsingtau nämlich Mangelware.«

»Oh«, erwiderte Mutter lediglich, aber es genügte Amelie, um einen erfreuten Unterton herauszuhören. Wenn es nach Mutter ging, gehörte Amelie mit ihren zweiundzwanzig Jahren schleunigst unter die Haube, und für die drei Jahre jüngere Helene wurde es auch langsam Zeit. Da ließ

Mutter nicht mit sich reden. Und wenn Amelie einzuwenden wagte, dass Fritz fünf Jahre älter sei als sie und auch noch nicht verheiratet, hieß es bloß: »Bei Fritz ist das etwas anderes, er ist ein Mann.«

Heinrich Kindler führte seine Familie zu einem großen Platz voller zweirädriger droschkenähnlicher Karren, die meisten von ihnen so klein, dass nicht mehr als eine Person darin sitzen konnte. Zugtiere suchte man vergebens. Etliche Chinesen standen auf dem Platz und überboten einander an lauten Zurufen. Amelie begriff schnell, dass die Chinesen auf Kundenfang waren. Ihr Vater winkte vier von ihnen zu sich heran.

»Wollen wir etwa damit fahren?«, fragte Mutter zweifelnd. »Die Droschken haben ja gar keine Pferde!«

»Die Kulis sind Kutscher und Zugtier zugleich.«

»Und es sind keine Droschken, sondern Rikschas«, ergänzte Amelie, die Abbildungen solcher kleiner Wagen in einem Band mit Fotografien aus dem Fernen Osten gesehen hatte.

Auch wenn Mutter sich etwas zierte, bald saß jeder von ihnen in einer Rikscha, und die bezopften Männer, von denen sie gezogen wurden, suchten sich mit erstaunlicher Wendigkeit einen Weg durch die Reisenden, die Empfangskomitees und die Chinesen, die das Gepäck der Ankömmlinge trugen oder auf klobigen Schubkarren transportierten. Mutter und Helene hätten wohl, ihren verkniffenen Gesichtern nach zu urteilen, eine Pferdedroschke vorgezogen. Amelie hingegen genoss die Fahrt sehr. Diese neue, unbekannte Art der Fortbewegung erschien ihr die einzig angemessene in diesem neuen, unbekannten Land.

Sie befanden sich noch im Hafenviertel, rechts von ihnen

die Kaianlagen und dahinter die vor Anker liegenden Schiffe, links die endlosen Reihen der Lagerhäuser, zwischen denen Dutzende und Aberdutzende Kulis, beladen mit Kisten, Paketen und Fässern, wie große Ameisen hin und her liefen, als vor ihnen ein Unfall geschah. Die vorderste Rikscha, in der Heinrich Kindler saß, geriet ins Schlingern, weil direkt vor ihr ein mit mehreren Kisten beladener Schubkarren umstürzte. Die Bänder, mit denen die Kisten festgezurrt waren, rissen, und die Fracht fiel polternd auf den Fahrweg. Eine Kiste zerplatzte beim Aufprall, und ihr Inhalt verteilte sich auf dem schmutzigen Boden. Es waren kleine, einfache Schuhe, wie sie wohl von den Chinesinnen oder von einheimischen Kindern getragen wurden.

Trotz aller Anstrengungen, die der vorderste Rikschaläufer unternahm, um sein Gefährt vor einem Umkippen zu bewahren, fiel sein Passagier schließlich heraus und landete auf allen vieren inmitten der Schuhe. Das Bild ihres Vaters, der wie ein auf den Rücken gefallener Riesenkäfer zwischen all den Schuhen lag und mit Armen und Beinen strampelte, war so komisch, dass Amelie ein Kichern nicht unterdrücken konnte. Mutter warf ihr einen tadelnden Blick zu, bevor sie sich ihrem Mann zuwandte und ihn fragte, ob er sich etwas getan habe. Der rappelte sich mithilfe des untröstlichen Fahrers auf, klopfte seinen hellen Baumwollanzug ab und versicherte, dass es ihm gut gehe.

Aus dem Schatten eines Vorbaus war ein alter Chinese getreten, den Rücken leicht gebeugt, das Gesicht von tausend Falten durchzogen und von einem grauen Bart geziert, dessen wenige Haare rund um den Mund und am Kinn wie die Borsten einer Drahtbürste abstanden. Er hielt auf die hinterste Rikscha zu, in der Amelie saß, und sagte in einem hellen Singsang: »Junge Frau aus Deutschland ist neu in meinem Land.« Es war eine Feststellung, keine Frage.

»Ja, ich bin eben erst mit dem Postdampfer angekommen«, sagte Amelie, weniger überrascht als gebannt von der seltsamen Ausstrahlung des Fremden. Seine schmalen Augen, die fast schwarz waren, blickten derart intensiv, dass sie meinte, er könne ihre Gedanken lesen.

Er streckte seine großen, knöchrigen Hände nach ihr aus. »Du zeigst mir deine Hände, ich sage dir deine Zukunft.«

Ein Wahrsager also, dachte Amelie, mittlerweile leicht amüsiert. Einer, der den Neuankömmlingen auflauerte, um ihnen zu erzählen, sie würden in Tsingtau Glück und Reichtum finden. Vielleicht war der Unfall mit dem Schubkarren sogar inszeniert gewesen, damit der alte Chinese an seine Kundschaft kam. Und doch, obwohl die Situation gegen ihn sprach, wirkte er auf sie nicht wie ein billiger Gaukler. Seine verblichene Kleidung war alt und mehrfach geflickt, aber sie war ebenso sauber wie seine Hände und sein Gesicht. Fast wie unter einem hypnotischen Bann streckte sie ihre Hände aus. Der Chinese nahm sie, drehte die Handflächen nach oben und betrachtete sie eingehend.

Schließlich öffneten sich die Lippen zwischen den grauen Bartfäden, und er sagte: »Du bist nach Tsingtau gekommen, um hier das zu finden, was dir fehlt in deinem Land. Dein Haus dort ist voller schöner Dinge, aber dein Herz ist leer. Hier wird dein Herz voll sein und im Einklang mit dem eines Mannes schlagen.« Wahrscheinlich war das die Prophezeiung, die er jeder jungen Frau machte, und sie wollte ihre Hände schon enttäuscht zurückziehen, doch er hielt sie mit sanfter Gewalt fest. »Aber sei auf der Hut, Tochter des Affen. Der helle Tag ist nicht ohne die finstere Nacht, der warme Sommer ist nicht ohne den kalten Winter, und die Glück bringende Liebe ist nicht ohne den Verderben bringenden Hass. Sei auf der Hut vor dem Hass, denn er wird dich verfolgen!«

Der alte Chinese sprach mit solchem Ernst, mit so großer Eindringlichkeit, dass Amelie erschrocken ihre Hände zurückriss. Sie starrte den Mann fragend an, aber er schien sich keinen Spaß mit ihr zu erlauben. Im Gegenteil, in seinen dunklen Augen las sie tiefe Besorgnis.

Amelies Vater war hinzugekommen, drängte den Chinesen von der Rikscha weg und drückte ihm eine silberne Münze in die Hand, einen mexikanischen Peso, der in Tsingtau und ganz China unter der Bezeichnung ›Silberdollar‹ ein beliebtes Zahlungsmittel war. »Nimm das, aber jetzt lass uns in Ruhe, alter Mann!« Heinrich Kindler blickte seine Familie und die Rikschaläufer an. »Wir fahren weiter.«

Die Fahrbahn vor ihnen war inzwischen freigeräumt. Vater nahm wieder in der vordersten Rikscha Platz, und schon setzten sich die Kulis in Bewegung. Amelie schaute sich nach dem alten Chinesen um, aber er war nicht mehr zu sehen. Vermutlich hatte der Schatten des Vorbaus ihn verschluckt. Sie versuchte, nicht mehr an seine Worte zu denken, doch es wollte ihr nicht gelingen. Die Weissagung lag über ihrer eben noch so heiteren Ankunft in Tsingtau wie ein bedrohlicher Schatten.

2

Die kleine Rikschakolonne verließ den betriebsamen Hafen, hielt sich landeinwärts und fuhr durch ein hauptsächlich von Chinesen besiedeltes Gebiet. Die Straßen waren breit und gerade wie in deutschen Städten, der Baustil teils europäisch, teils asiatisch. Die überwiegend zweigeschossigen Gebäude schienen zugleich Wohn- und Geschäftshäuser zu sein. Unter den gestreiften Markisen hockten die chinesischen Schneider, Schuster und Barbiere, die Verkäufer von Seiden, Stickereien und Kuriositäten allerdings im Freien. Einige blickten kurz zu den Rikschas auf, widmeten sich aber rasch wieder ihrer Arbeit, sobald sie erkannten, dass hier kein Geschäft zu machen war.

Heinrich Kindler ließ die Rikschas anhalten, stieg aus und erklärte: »Wir sind in der Schantungstraße, mitten im Chinesenviertel Tapautau. Um die dreißigtausend Chinesen leben hier, die meisten von ihnen sehr fleißig, wie man sieht. Man muss sie nur ordentlich anleiten.«

Amelie deutete auf einen kleinen Asiaten, der kurz geschorenes Haar und einen Anzug europäischen Zuschnitts trug. Er wartete vor einem Uhrmacherladen offenbar auf Kundschaft. »Ist das da ein Japaner? Ich habe gehört, hier sollen sich viele von ihnen niedergelassen haben.«

Vater sah kurz zu dem Mann hinüber. »Ein Japaner, ganz

recht, mein Kind. Man findet hier auch einige Inder und Koreaner.«

Der Uhrmacher hatte das Interesse der Deutschen bemerkt und rief zu ihnen herüber: »Der Herr will kaufen schöne Uhren für seine schönen Frauen?«

Vater schüttelte den Kopf. »Nein, vielen Dank, heute nicht.« Zu den Seinen gewandt, fügte er leiser hinzu: »Nicht minder geschäftstüchtig als die Chinesen, diese Japaner. Klein, aber zäh. Sie kommen gern hierher, wissen sie doch, dass unter deutscher Ordnung alles prächtig wächst und gedeiht. Japan hätte auf diesem herrlichen Flecken Land gern eine eigene Niederlassung errichtet, aber wir Deutschen waren eben fixer.«

Sie fuhren weiter und ließen das Chinesenviertel hinter sich, was Amelie auch an den Straßenschildern ablesen konnte. Die Schantungstraße ging in die Friedrichstraße über, und diese wurde von Straßen mit Namen wie Bremer Straße, Berliner Straße und Kronprinzenstraße gekreuzt. Hier gab es nur wenige Chinesen, Dienstboten zumeist, und alles wirkte so deutsch, dass Amelie sich für einen Augenblick in Berlin wähnte und glaubte, die Reise nach Tsingtau nur geträumt zu haben. Vater grüßte hin und wieder einen Passanten, bis er plötzlich erneut anhalten ließ und ausstieg.

Den Anlass gab ein großer, breitschultriger Mann im hellbraunen Leinenanzug, dessen untere Gesichtshälfte von einem auffallend roten Bart verdeckt wurde. Die beiden begrüßten sich sehr herzlich, und Vater sagte anschließend: »Wilhelm, darf ich dir meine Frau und meine Töchter vorstellen? Sie sind eben mit dem Postdampfer eingetroffen.«

Der Mann trat zu ihnen, verbeugte sich und zog den Hut. Auf dem Kopf war er fast kahl, nur ein spärlicher Haarkranz war übrig geblieben. Der war von einem ähnlich kräftigen Rot wie der Bart, an vielen Stellen mit grauen Flecken gesprenkelt.

»Das ist Wilhelm Schweiger, ein guter Freund und tüchtiger Geschäftsmann«, erklärte Heinrich Kindler.

»Willkommen, meine Damen, willkommen in Tsingtau, der Perle am Gelben Meer«, sprudelte es aus einem enthusiastischen Wilhelm Schweiger hervor. »Einer Perle, die durch Ihre Anwesenheit noch mehr Glanz erhält. Sie müssen mit diesem Glanz unbedingt auch mein Haus erhellen. Heinrich, wie wäre es gleich morgen zum Abendessen, die Damen, Fritz und du?«

»Sehr gern.«

»Dann ist es abgemacht, fein, wunderbar.« Schweiger strahlte über das ganze Gesicht, verbeugte sich noch einmal vor Amelie, Helene und ihrer Mutter und ging dann seines Wegs.

Während Amelie ihm noch amüsiert hinterhersah, sagte Mutter: »Du lieber Himmel, Heinrich, ist der Mann wirklich ein Freund?«

»Ist er, und ein erfolgreicher Geschäftsmann noch dazu. Seine Firma Schweiger & Sohn beliefert das hier stationierte Militär und macht dabei hervorragende Geschäfte. Ich würde mich sehr gern daran beteiligen. Also zieht morgen Abend eure schönsten Kleider an.«

»Schweiger & Sohn?«, wiederholte Mutter.

»Der Sohn heißt Erich und ist unverheiratet.«

Hedwig Kindler lächelte von einer Sekunde zur anderen. »Ich freue mich schon sehr auf den morgigen Abend.«

Amelie zwinkerte ihrer Schwester zu und formte mit den Lippen die unhörbaren Worte: »Merkst du was?«

Helene, offenbar erschöpft von den Anstrengungen dieses Tages, nickte nur müde.

Die Fahrt ging weiter, und die Rikschas bogen nach links in die Prinz-Heinrich-Straße ein, fuhren an zahlreichen Geschäftshäusern und dem Postamt vorbei, bis Heinrich Kindler erneut das Zeichen zum Halten gab.

»Was ist denn nun schon wieder?«, fragte seine Frau. »Noch ein guter Freund?«

»Nein, aber unser Geschäft. Hier!«

Stolz zeigte er auf ein lang gezogenes zweigeschossiges Haus, an dessen fast blütenweißer Fassade ein großes Schild mit der Aufschrift »Kindler Import & Export« prangte.

»Das sehen wir uns bei Gelegenheit an«, entschied Mutter. »Zeig uns jetzt bitte unser neues Heim, Heinrich, wir sind alle ein wenig müde.«

Etwas mürrisch gab Vater nach und wies die Rikschaläufer an, sich auf kürzestem Weg ins Villenviertel zu begeben, wo die wohlhabenden Europäer und ein paar Amerikaner wohnten. Die Bebauung wurde spärlicher, und zwischen den häufig in Hanglage errichteten Häusern standen Kiefern, Pappeln und Eichen. Viele der Bäume waren noch nicht sehr groß, offenbar befand sich das Gebiet im Zustand der Aufforstung. Die Fahrt endete vor einem zweistöckigen gelben Haus, das etwas abseits der Straße recht malerisch zwischen etlichen Kiefern stand, die fast schon einen kleinen Wald bildeten. Die Rikschaläufer zogen ihre Gefährte über den gepflegten Kiesweg, und bald las Amelie über der doppelflügeligen Eingangstür in großen gusseisernen Buchstaben »VILLA HEDWIG«.

»Na, Hedwiglein, ist das eine Überraschung?«, fragte Vater feixend. »Ich habe unser Haus nach dir benannt.«

Die Geehrte rang sich ein pflichtschuldiges Lächeln ab, während sie mit einem Spitzentaschentuch ihre Stirn betupfte. »Kommt mir das nur so vor, oder ist die Luft hier sehr feucht?«

Vater winkte ab. »Ach, das ist die Nachwirkung der Regenzeit, da ist es reichlich schwül. Aber es ist schon gar nicht mehr so schlimm, und bald wird die Luft noch besser werden. Tsingtau hat das gesündeste Klima von ganz China und ist ein beliebter Kur- und Badeort. Der Badestrand in der Auguste-Viktoria-Bucht liegt übrigens nicht weit von hier. Er ist sehr hübsch angelegt, ihr werdet ihn mögen.«

»Alles zu seiner Zeit«, sagte Mutter, während sie das Taschentuch sorgfältig zusammenlegte.

Als die Familie mithilfe der Kulis aus den Rikschas stieg, sah Amelie, dass die Villa mehrere Anbauten nach hinten heraus hatte und damit größer war, als sie zuerst angenommen hatte. Aus der Eingangstür traten drei Chinesen und stellten sich nebeneinander auf. Der älteste von ihnen war um die vierzig und hatte ein auffallend rundliches Gesicht. Der Mann neben ihm war etwa zehn Jahre jünger und zeichnete sich durch einen sehr kräftigen Körperbau aus. Der dritte Chinese war mit Abstand der jüngste und mochte fünfzehn oder sechzehn Jahre zählen. Er wirkte neben den beiden anderen eher schmächtig.

»Das ist unsere Dienerschaft«, sagte Vater, nachdem er die Rikschaläufer bezahlt hatte. »Fang De, der Koch und die gute Seele des Hauses« – ein Lächeln überzog das rundliche Gesicht –, »Lu Wei, unser Kuli für die schweren Arbeiten und den Garten« – der kräftige Chinese verneigte sich –, »und Jen Schi, unser Hausboy.« Der junge Chinese verneigte sich ebenfalls und murmelte in paar Worte, die Amelie nicht verstand.

Mutter schlug die Hände vor sich zusammen. »Mein Gott, was für Namen! Die kann sich doch niemand merken. Ich werde sie Franz, Ludwig und Jens nennen. Und wo sind die Mädchen, Heinrich?«

»Welche Mädchen?«

»Die Dienstmädchen.«

»Es gibt keine. Dienstbotinnen sind hierzulande nicht üblich, es sei denn als Amah.«

»Als was?«

»Als Kindermädchen.« Heinrich Kindler blickte seine Töchter an und fügte mit einem verschmitzten Lächeln hinzu: »Aber noch sind wir ja nicht so weit.«

»Und wer macht die Betten, wenn es keine Dienstmädchen gibt?«

»Jen Schi ist sehr fleißig, du wirst dich wundern.«

»Du meinst, er macht auch die Betten in unserem Schlafzimmer und in denen von Amelie und Helene?«

»Selbstverständlich, meine Liebe«, sagte Heinrich Kindler in jenem ihm zuweilen eigenen Tonfall, der zwar weiterhin freundlich klang, aber doch anzeigte, dass jegliche Diskussion beendet war. »Und jetzt hinein, damit ihr euer neues Heim bewundern könnt.«

Es war ein schönes Haus, das überwiegend europäisch ausgestattet war, dessen Einrichtung aber nicht ganz verleugnete, dass es in China stand. Immer wieder gab es asiatische Verzierungen, und Amelie, der das gut gefiel, beschloss insgeheim, ihr Zimmer nach und nach mit chinesischen Einrichtungsgegenständen auszustatten. Es lag neben Helenes

Zimmer im Obergeschoss, und durch das große Fenster konnte sie, wenn sie sich auf die Zehenspitzen stellte und ein wenig vorbeugte, einen Zipfel blauen Wassers sehen. Das musste die Auguste-Viktoria-Bucht sein, die Vater erwähnt hatte. Sie brannte darauf, die Bucht und den Badestrand zu erkunden. Kein Zweifel, sie würde sich hier wohlfühlen!

Als sie mit dem Rundgang durchs Haus fertig waren, stand Fritz in der Eingangshalle, und ein paar Kulis trugen das Reisegepäck, drei große Überseekoffer, herein.

»Das ist die erste Fuhre«, rief Fritz ihnen entgegen. »Das schwere Gepäck kommt wohl erst morgen. Du scheinst ja den halben Hausstand nach China eingeschifft zu haben, Mutter.«

»Du weißt besser als ich, was deutsche Waren hierzulande kosten, Fritz.«

»Da hast du allerdings recht, schließlich ist das unser täglich Brot«, lachte Fritz und wandte sich an Vater. »Apropos, Gleiches gilt für die Warenlieferung, die mit der *Goeben* für uns eingetroffen ist. Sie gehört zu dem Teil der Ladung, der zuletzt gelöscht wird. Ich habe veranlasst, dass man sie in unser Lagerhaus am Hafen bringt.«

Mutter wurde hellhörig. »Wir besitzen auch ein Lagerhaus am Hafen?«

»Das ist angemietet«, erklärte Vater.

»Sind das nicht unnötige Kosten, wo wir doch das Geschäftshaus in der Stadt haben?«

»Für einen reibungslosen Warenumschlag ist ein Lager am Hafen unumgänglich. Zusätzlicher Lagerraum kann außerdem niemals schaden. Platz hat man zu haben, hat mal ein weiser Mann gesagt. Überlass das Geschäftliche ruhig Fritz und mir, Hedwiglein, und kümmere du dich um Haus und Herd.«

»Das werde ich tun«, sagte Mutter und steuerte die Küche an. »Ich will doch mal sehen, wie weit Franz mit dem Abendessen ist.«

Franz, der ja eigentlich Fang De hieß, schien über dieses Eindringen in den Bereich, über den er bislang allein die Herrschaft ausgeübt hatte, alles andere als angetan. Jedenfalls machte er, als er gemeinsam mit Jen Schi das Essen servierte, ein missmutiges Gesicht.

Amelie ahnte nichts Gutes, als Mutter nach der deftigen Gemüsesuppe sagte: »Ich muss mit Franz dringend über die Verwendung der Gewürze reden.«

Später, als Amelie in ihrem neuen Bett lag, konnte sie einfach nicht einschlafen. Und das, obwohl ein langer Tag mit vielen neuen Eindrücken hinter ihr lag. Oder vielleicht gerade deshalb? Alles, was sie gesehen und gehört hatte, seitdem sie in Tsingtau an Land gegangen war, ging ihr im Kopf herum, und das meiste davon bestärkte die freudige Erwartung, die sie schon befallen hatte, bevor sie mit Helene und ihrer Mutter in Berlin in den Zug gestiegen war. Aber da war noch etwas anderes, etwas Düsteres, das jetzt, da die Ablenkungen des Tages sie nicht länger beanspruchten, in den Vordergrund trat. Noch einmal durchlebte sie die Szene am Hafen mit dem Wahrsager und hörte seine Worte: »Aber sei auf der Hut, Tochter des Affen. Der helle Tag ist nicht ohne die finstere Nacht, der warme Sommer ist nicht ohne den kalten Winter, und die Glück bringende Liebe ist nicht ohne den Verderben bringenden Hass. Sei auf der Hut vor dem Hass, denn er wird dich verfolgen!«

Wer sollte sie hassen und warum? Sosehr sie auch hin und her überlegte, sie konnte keinen rechten Sinn in den Worten finden. Aber gab es überhaupt einen? Oder war es hierzulande Sitte, dass die Wahrsager den Menschen Angst einjagten, so wie sie einem in Deutschland alles Glück dieser Erde versprachen? Doch das passte nicht zu dem seltsamen Ernst, den sie in den Augen des alten Mannes gesehen hatte. Es schien aufrichtige Anteilnahme an jenem Schicksal gewesen zu sein, das er in ihren Händen gesehen hatte. Oder das er *angeblich* gesehen hatte, versuchte sie sich zu beruhigen. Vielleicht war der Alte einfach überspannt gewesen.

Ihr war schrecklich warm, die Luft in ihrem Zimmer kam ihr auf einmal stickig vor, und das Nachthemd klebte an ihrem Leib. Sie stand auf und ging zum Fenster. Der Mond schien hell genug, um ihr den Weg zu weisen. Sie stieß das Fenster auf und atmete die frische Luft in vollen Zügen ein.

Vergeblich spürte sie nach jenem Honigduft, den sie an Bord der *Goeben* wahrgenommen hatte, als der Wind von den Bergen Kiautschous zu ihr herübergeweht war. Jetzt kam der Wind vom Meer und roch nach Salz, so stark, dass sie es auf der Zunge zu schmecken glaubte. Der Wind frischte auf, beugte die Kiefern vor dem Haus und schlug einen Fensterflügel mit lautem Krach gegen den Rahmen. Für einen Augenblick glaubte sie, das Glas sei zersprungen, aber da hatte sie sich getäuscht.

Rasch schloss sie das Fenster wieder, nicht nur aus Vorsicht, sondern auch, weil ihr plötzlich kalt statt warm war. Sie spürte eine Gänsehaut auf ihren Oberarmen und wollte schnell zurück ins Bett huschen, da klopfte jemand leise an ihre Tür. Sie blieb stehen und lauschte. Es klopfte erneut.

»Ja?«, fragte sie halblaut.

Die Tür wurde einen Spalt geöffnet, und im blassen Mondlicht erkannte sie das Gesicht ihrer Schwester, das ihrem eigenen so ähnlich war.

»Darf ich hereinkommen?«, fragte Helene und flüsterte dabei fast.

»Ja, komm nur. Ich bin froh, dass du da bist.«

Helene, die einen Schlafrock übergezogen hatte, trat ein und schloss die Tür vorsichtig hinter sich. Als sie Amelie anblickte, wirkte sie besorgt: »Ich habe irgendetwas gehört und bin davon aufgewacht.«

»Tut mir leid, ich wollte dich nicht wecken. Ich hatte das Fenster geöffnet, weil mir zu warm war.«

»Ich finde es gar nicht so warm.«

»Ich jetzt auch nicht mehr.« Amelie zuckte mit den Schultern. »Ich kann einfach nicht einschlafen. Bleibst du ein bisschen bei mir?«

Helene nickte, streifte den Schlafrock ab und huschte zu Amelie unter die Bettdecke, ganz so, wie sie es als Kinder oft getan hatten. Die Anwesenheit der Schwester wirkte beruhigend auf Amelie.

Schon immer hatte sie eine größere Nähe zu Helene verspürt als zu ihrem Bruder Fritz. Vielleicht lag es daran, dass er ein Junge war, jetzt ein Mann. Vielleicht spielte auch der Altersunterschied eine Rolle, der fünf Jahre zu Fritz und nur drei zu Helene betrug. Zwei Jahre mehr oder weniger, das hörte sich zwar nicht dramatisch an, aber gerade in der Kindheit machte das viel aus. Der eigentliche Grund war aber wohl die Empfindsamkeit, die Helene zu eigen war, ihre Fähigkeit, mit anderen Menschen mitzufühlen.

Fritz dagegen offenbarte seine Gefühle anderen gegenüber kaum, und er zeigte auch kein Mitgefühl für die Menschen um ihn herum. Amelie erinnerte sich noch gut an jenen Sommertag vor vielen Jahren, als sie noch nicht draußen am Wannsee, sondern mitten in Berlin gewohnt hatten. Der Nachbarsjunge und Spielkamerad Johannes König war von dem schweren Lieferwagen einer Brauerei angefahren worden. Sein linkes Bein wurde unter den Rädern regelrecht zermalmt und war danach nur noch eine unförmige Masse aus aufgerissenem blutigen Fleisch und Knochensplittern. Johannes hatte vor Schmerzen so laut geschrien, wie sie noch nie einen Menschen hatte schreien hören. Starr vor Schreck hatten Amelie und Helene nur wenige Schritte entfernt gestanden und auf den armen Jungen gestarrt. Fritz aber, der kurz zuvor mit Johannes noch Streiche ausgeheckt hatte, hatte sich abgewandt und gesagt: »Lasst uns nach Hause gehen, ich habe Hunger.«

Eine ganze Weile lagen die Schwestern still nebeneinander, bis Helene unvermittelt fragte: »Liegt es an dem Wahrsager, dass du nicht schlafen kannst? Geht er dir nicht aus dem Kopf?«

»Ich muss immer und immer wieder an ihn denken. Es war wirklich unheimlich, findest du nicht?«

Helene überlegte kurz. »Ein guter Wahrsager muss überzeugend wirken, sonst ist er sein Geld nicht wert.«

»Der Chinese am Hafen wirkte mir *zu* überzeugend. Er war so ernsthaft, als er mich ansah.«

»Das wird er wohl lange genug geübt haben«, seufzte Helene.

»Aber warum sagt er mir so etwas Düsteres voraus, wenn alles nur Schwindel ist?«

»Was weiß ich.« Helene seufzte erneut. »Du hast doch

all die Bücher über China gelesen. Vielleicht ist das hier so Sitte.«

»Ja, vielleicht.« Amelies Worte klangen wenig überzeugt, das merkte sie selbst, dabei hätte sie gern daran geglaubt. Etwas anderes kam ihr in den Sinn: »Der Chinese hat mich ›Tochter des Affen‹ genannt. Wie konnte er wissen, dass ich im Jahr des Affen geboren bin?«

»Er war zwar alt, aber nicht blind, und da hat er das hier gesehen.« Helene zeigte auf Amelies Silberkette mit dem Smaragdanhänger, die auf dem Nachttisch lag. »Lass uns den Vorfall einfach vergessen. Wir sollten lieber überlegen, womit wir den morgigen Tag verbringen.«

»Du meinst, bevor wir abends bei Herrn Perlenglanz-Willkommen-Willkommen eingeladen sind?« Ihre Schwester begann zu kichern, und Amelie fiel dankbar darin ein, bevor sie vorschlug: »Falls die Sonne scheint, sollten wir zum Badestrand gehen.«

»Das wäre schön. Aber Papa wird uns wohl das Geschäft zeigen wollen.«

»Wir sollten gleich beim Frühstück darauf drängen, dann haben wir es hinter uns und den restlichen Tag zum Baden.«

»Das ist eine gute Idee«, fand Helene.

Sie unterhielten sich noch eine ganze Weile über Tsingtau, ohne noch einmal auf den Wahrsager zu sprechen zu kommen. Als Helene schließlich in ihr eigenes Zimmer zurückkehrte, fühlte sich Amelie wohler. Jetzt würde sie gewiss schlafen können. Dankbar kuschelte sie sich in das Kissen, das noch die Wärme ihrer Schwester ausstrahlte, und stellte sich vor, wie es morgen und an den folgenden Tagen sein würde, was sie und Helene unternehmen und sehen würden. Sie wurde müde, und die Bilder verschwammen vor ihrem inneren Auge, da klopfte es erneut an ihrer Tür.

»Komm nur herein, Helene«, rief sie halblaut. »Kannst etwa du jetzt nicht schlafen?«

Die Tür wurde ganz langsam, fast Zentimeter um Zentimeter, aufgeschoben, und es war nicht Helene, die sich im Türspalt zeigte. Ein schmales, asiatisch geschnittenes Gesicht lugte herein, und Amelie setzte sich überrascht im Bett auf.

»Jen Schi! Was tust du hier?«

Der junge Chinese hätte um diese Zeit gar nicht mehr im Haupthaus sein dürfen. Die drei Dienstboten schliefen in einem rückwärtigen Anbau und hatten die Anweisung, sich nach Verrichtung aller Arbeiten für die Nacht dorthin zurückzuziehen.

Der Hausboy trat zögernd zwei Schritte näher, schloss lautlos die Tür und legte mahnend den Zeigefinger vor den Mund. »Fräulein Amelie, schimpfen Sie nicht mit mir«, sagte er in einem erstaunlich guten Deutsch. »Ich bin hergeschickt worden, um Sie zu holen.«

»Um – mich – zu – holen?«, wiederholte sie stockend, weil ihr die ganze Szene so unwirklich vorkam. »Jetzt, mitten in der Nacht?«

»Ja, Fräulein Amelie«, sagte Jen Schi ernst.

»Wer hat dich geschickt?«

»Ich kenne seinen Namen nicht. Er wartet im Garten auf Sie.«

»Ein Mann?«

Der Boy nickte.

»Ein Deutscher?«

»Nein, ein Chinese.«

»Was will er von mir?«

»Er will Sie sprechen, Fräulein Amelie. Mehr weiß ich nicht.«

»Ich kenne niemanden in Tsingtau. Fremde haben um diese Uhrzeit kaum etwas auf unserem Grundstück zu suchen. Warum hast du ihn nicht weggeschickt?«

Jen Schis schmale Augen weiteten sich, er schien allein bei diesem Gedanken zu erschrecken. »*Ihn* schickt man nicht weg.«

»Warum nicht?«

Er zog die Stirn kraus, schien nach den richtigen Worten zu suchen und schüttelte dann, als er sie nicht fand, einfach nur den Kopf.

Auch Amelie begann eifrig nachzudenken. Das Naheliegende wäre gewesen, Jen Schi fortzuschicken oder nach ihrem Vater und Fritz zu rufen. Aber sie fühlte sich nicht bedroht, spürte, dass der Boy nichts Böses plante. Doch traf das auch auf den Unbekannten zu, der ihn zu ihr gesandt hatte? Vielleicht war dieser Mann gar kein Unbekannter, schoss es ihr durch den Kopf, und dann stieg ein vager Verdacht in ihr auf.

Jen Schi bekräftigte ihre Vermutung, als er sagte: »Bitte, kommen Sie mit, Fräulein Amelie! Der Mann hat gesagt, ich soll unbedingt die Tochter des Affen zu ihm bringen.«

Jetzt ahnte, ja, wusste sie, wer der Mann war. Sie stieg aus dem Bett, schlüpfte in Schlafrock und Pantoffeln und wollte schon mit dem Boy das Zimmer verlassen, da hielt sie inne, nahm die Silberkette von ihrem Nachttisch und legte sie um.

»Jetzt bring mich zu dem Mann, Jen Schi.«

Der Boy nickte und wirkte erleichtert. »Wir müssen leise sein und dürfen kein Licht anmachen.«

In ihren Filzpantoffeln ging Amelie ebenso leise wie der junge Chinese in seinen einfachen, gleichfalls mit Filz besohlten Schuhen. Sie hielt sich dicht hinter ihm, der sich auch bei dem wenigen Mondlicht, das durch die Fenster fiel, so sicher bewegte, als sei helllichter Tag. Entweder konnten die Chinesen im Dunkeln besser sehen als die Europäer oder er kannte sich hier hervorragend aus. Wahrscheinlich Letzteres, aber Amelie schloss auch die erste Annahme nicht aus. Sie befand sich in einer seltsamen Stimmung, in der sie wahrscheinlich sogar an Geister geglaubt hätte.

Jen Schi führte sie durch die Hintertür in den Garten. Der Rasen und die Beete mit Blumen, Gemüse und Kräutern schimmerten milchig im Mondlicht. Weiter hinten, wo die Kiefern eng zusammenstanden, war es dunkel. Und genau dorthin wies der Boy mit ausgestrecktem Arm.

»Da, Fräulein Amelie. Da wartet er auf Sie.«

Sie nickte leicht und ging langsam auf die Bäume zu. Etwas anderes kam ihr gar nicht in den Sinn. Es war, als handele sie unter dem Einfluss eines fremden Willens, der jede eigene Überlegung und Entscheidung ausschloss. Erst als sie die Kiefern fast erreicht hatte, kam ihr das Seltsame der Situation zu Bewusstsein. Sie fröstelte, als der Wind auffrischte, und zog den Schlafrock enger zusammen.

Wo war Jen Schi? Sie blieb stehen und blickte sich nach ihm um, aber er war verschwunden. Ihr Blick wanderte zu dem flachen Anbau, in dem die chinesischen Diener wohnten, aber auch dort konnte sie ihn nicht entdecken. Und nirgends brannte ein Licht.

Eine helle Stimme, die leise sprach und doch mit jedem Wort Aufmerksamkeit einforderte, drang an ihre Ohren: »Ich danke dir, dass du gekommen bist, Tochter des Affen. Du magst dich wundern, dass ich dich um diese Stunde zu mir bitte, ist das Licht des Mondes doch nur schwach und der Wind kühl, aber ich hatte keine Ruhe, auf den nächsten Tag zu warten. Oft ist das Warten eine Tugend, doch manchmal ist jede Stunde, die man wartet, auch eine Gelegenheit, die man vergibt. Wer kann sagen, was morgen ist, wo wir morgen sind, ob unsere Wege sich noch einmal kreuzen?«

Im Schatten der Kiefern stand der alte Chinese und blickte sie mit Augen an, die schwärzer erschienen als die Nacht.

Als die Stimme erklang, hatte Amelie sich erschrocken, aber jetzt riss sie sich zusammen und entgegnete: »Können Sie das nicht sagen? Ich dachte, Sie seien ein Wahrsager oder etwas in der Art.«

Er schien schwach zu lächeln. »Ich kann die Wege des Schicksals sehen, die Menschen beschreiten werden, aber meinen eigenen Weg sehe ich nicht. Darüber bin ich sehr froh. Übergroße Vorfreude kann einen Menschen ebenso vom rechten Weg abbringen wie die Furcht vor dem, was kommen wird. Seinem Schicksal entfliehen zu wollen, heißt, es herauszufordern.«

»Dann kann ich meinem Schicksal nicht entfliehen?«, fragte sie zögernd. »Dem Hass, von dem Sie am Hafen gesprochen haben?«

»Du musst keine Angst vor deinem Schicksal haben, auch nicht vor den Schatten, die es bereithält, denn es wartet genauso viel Licht auf dich. Das eine ist nicht ohne das andere.«

»Na, ich weiß nicht. Auf Schatten und Hass könnte ich gut verzichten.«

»Ein Leben nur voller Glück und Freude ist unmöglich, wäre es doch ein Leben in Eintönigkeit. Wer den Schatten nicht kennt, sieht nicht das Licht. Wer den Schmerz nicht kennt, labt sich nicht an der Linderung. Wer den Hass nicht kennt, kann die Liebe nicht spüren.«

»Soll mich das trösten? Sind Sie deshalb gekommen?«

»Ich bin gekommen, um dir das hier zu geben.«

Er trat auf Amelie zu und legte etwas Kleines, Metallisches in ihre rechte Hand. Sie drehte die Handfläche so, dass das Mondlicht darauf fiel, und erkannte eine silbrig schimmernde Münze mit dem Bild eines Adlers und dem Schriftzug ›estados unidos mexicanos‹ darum herum. Sie drehte die Münze um, und die andere Seite zeigte einen aus dem Himmel kommenden Strahlenkranz und darunter die Aufschrift ›un peso‹.

»Der mexikanische Dollar, den mein Vater Ihnen heute gegeben hat?«, fragte sie ungläubig.

Der Chinese nickte. »Du schuldest mir keinen Lohn, Tochter des Affen. Was du für mein Volk tun wirst, ist mehr als genug.«

»Wovon sprechen Sie? Was werde ich tun?«

»Gutes, viel Gutes. Du wirst eine wahre Freundin werden.«

»Ich hätte es gern ein bisschen genauer gewusst – und auch das mit dem Hass, der mich verfolgen wird.«

»Ich sehe nur gewisse Dinge, aber keine Einzelheiten. Nicht alles ist vorherbestimmt, und vieles hängt von deinen Entscheidungen ab. Hab keine Furcht, du wirst deinen Weg gehen!«

Damit drehte er sich um und schritt auf die Kiefern zu. Sie wollte ihn zurückhalten, hatte noch so viele Fragen, aber keine einzige kam über ihre Lippen. Sie wusste nicht einmal, wie sie ihn ansprechen sollte. Und dann, bevor sie auch nur eine einzige Silbe hervorbringen konnte, war er auch schon zwischen den Bäumen verschwunden, eins geworden mit den Schatten der Nacht.

Amelie starrte noch eine kleine Ewigkeit auf die Bäume, aber alles blieb ruhig. Nur die Zweige raschelten im Wind, und in der Ferne schrie eine Eule. Hieß es nicht, die Eule sei ein Teufelsvogel und ihr Schrei sei der Vorbote großen Unglücks? Sie schloss die rechte Hand fest um die Silbermünze und kehrte zum Haus zurück. Kurz bevor sie die Tür hinter sich schloss, erklang abermals der lang gezogene Schrei der Eule.

3

Erst spät fand Amelie Schlaf, und auch dann schlief sie sehr unruhig, sah im Traum das Gesicht des alten Chinesen vor sich, und seine unwirklich schwarzen Augen starrten sie durchdringend an. War es eine Warnung? Sie verstand nicht, was er von ihr wollte.

Als das helle Morgenlicht sie weckte, fühlte sie sich kaum erholt. Die vergangene Nacht erschien ihr als ein untrennbares Geflecht aus Traum und Wirklichkeit.

Wirklichkeit? War sie tatsächlich nachts im Garten gewesen und hatte mit dem Wahrsager – oder was immer er auch sein mochte – gesprochen?

Sie schüttelte den Kopf, dass ihre schulterlangen Haare von einer Seite zur anderen wehten, und lachte leise in sich hinein. So ein Unsinn, natürlich war das alles nur ein Traum gewesen. Sie wollte schon erleichtert aufatmen, da fiel ihr Blick auf ihre Pantoffeln, an denen Erde klebte, und auf die mexikanische Silbermünze, die auf ihrem Nachttisch lag.

Beim Frühstück sagte Mutter: »Amelie, du siehst gar nicht gut aus. Hast du schlecht geschlafen?«

Sie nickte müde. »Wahrscheinlich war ich noch zu aufgeregt von unserer Ankunft. All das Neue, das uns in Tsingtau erwartet, ist mir durch den Kopf gegangen.«

Amelie hatte beschlossen, ihren Eltern nichts von dem

nächtlichen Ausflug in den Garten zu erzählen. Mutter hätte sich unnötig aufgeregt. Außerdem hätte es ernste Konsequenzen für den alten Chinesen bedeuten können, dass er nachts das Anwesen eines Europäers betreten hatte. Und auch für Jen Schi, der ihm, warum auch immer, geholfen hatte.

Der Hausboy ließ sich nichts anmerken, als er gemeinsam mit dem Koch das Frühstück auftrug, aber ihr fiel auf, dass er jeden Blickkontakt mit ihr vermied. Sie war froh, als Helene das Gespräch auf die Besichtigung des Geschäftshauses in der Prinz-Heinrich-Straße brachte und fragte, ob sie Vater und Fritz gleich nach dem Frühstück begleiten durften. Vater war einverstanden, aber Mutter wollte im Haus bleiben, »um den Haushalt ein wenig auf Vordermann zu bringen«. Amelie hoffte, dass die Dienstboten nicht zu sehr unter ihr zu leiden hatten.

Als sie aus dem Haus traten, verzogen sich die letzten Wolken, und die Sonne breitete ihre wärmenden Strahlen über das Villenviertel und ganz Tsingtau aus. Diesmal fuhren sie nur mit drei Rikschas. Die beiden Schwestern teilten sich ein Gefährt, was dem Kuli nichts auszumachen schien. Die drei Chinesen waren nicht die Einzigen, die ihre zweirädrigen Droschken in Richtung Geschäftsviertel zogen. Viele der wohlhabenden Europäer, die sich im Villenviertel niedergelassen hatten, waren in dieselbe Richtung unterwegs. Amelie genoss die Fahrt, die die meiste Zeit über an der Bucht entlangführte. Der Blick auf das blaugrün schimmernde Wasser mit den vielen Dampfbarkassen und chinesischen Dschunken, die geschäftig hin und her fuhren, lenkte sie von den Gedanken an die vergangene Nacht und den Wahrsager ab.

Bis H
»Wie len Militäreffekten kriegen wir keinen Fuß auf die
»Heut
Zimmer g aber dein guter Freund, der Herr Schweiger«,
dachte ich lie leicht süffisant.
Aber heute Wilhelm.« Ihr Vater seufzte. »Es wäre schön,
schen vor me das Militärgeschäft einsteigen könnte. Ich
loch hinaussa cht heute Abend einen guten Eindruck auf
auf dem Gang den Engel!«
»Man merkt,
Holmes gelesen werden wir heute Abend einen guten Ein-
zählte ihr nächt n Schweiger machen?«, fragte Helene ihre
Fritz in den Riks ar Stunden später, als sie am Badestrand
men konnten. »A Nachmittagssonne auf den Bauch schei-
dich der Fluch der
»Warum?« n Handtuch über dem Gesicht, schon
»Ich möchte nich or sich hin gedöst. Das Plätschern der
»Weshalb wohl ha aufenden Wellen, die hellen Rufe der
»Darüber habe ic wieder das lang gezogene Signal einer
chen, ohne eine Antw hatten sie fast in den Schlaf gesun-
oder aus Furcht, obw bilder zeigten ihr ein seltsames Ge-
erschien, eher wohlwo und Matrosen, von Dampfschiffen
»Oder verrückt«, sa e ihrer Schwester holte sie in die
kommt schon auf den
mitten in der Nacht aus n weg, setzte sich auf und blinzelte
Silberdollar in die Hand er Wellengang ließ das Wasser in
»Jemand, der keine S ht zu weißer Gischt werden, und
Amelie nachdenklich. ich mit wonnigem Jauchzen in
Sie fuhren auf dem Kai g war, herrschte nicht sonder-
die Bucht, rechts das Gesc n der aus Holz oder leichtem
Treiben. Immer mehr Liefe n, die den gelben Sandstrand
Reihen säumten, waren leer.

Den Kindlers gehörte eine große Fachwerkhütte, und Amelie fand, dass ihr Vater damit eine höchst sinnvolle Investition getätigt hatte.

Sie sah an ihrem marineblauen Badekostüm hinab und wandte sich dann Helene zu, die rot-weiß gestreifte Badekleidung trug. »Wenn wir in diesem Aufzug erscheinen, machen wir bestimmt Eindruck bei Herrn Schweiger, aber wohl kaum den richtigen.«

»Auwei!«, lachte Helene. »Das wäre ein harter Schlag für Papa. Er möchte doch so gern in das Geschäft mit den Militäreffekten einsteigen.«

»Und das, obwohl er doch schon führend beim Import medizinischer Apparate ist.«

»Ich fürchte, in Tsingtau gibt es entschieden mehr Soldaten als Ärtze. Was sagen deine klugen Bücher dazu, Amelie?«

»In den hiesigen Kasernen liegen bestimmt um die zweitausend Mann Militär. Aber Ärzte? Das weiß ich im Moment gar nicht. Ein paar Dutzend allenfalls, zählt man die Missionsstationen im Umland mit, mehr werden es nicht sein.«

»Dann scheint Herr Schweiger tatsächlich das bessere Geschäft zu machen. Jeder Soldat braucht ein paar Stiefel, ein Koppel, einen Tornister und wer weiß nicht was noch alles. Aber nicht jeder einzelne Arzt benötigt einen Sauerstoff-Chloroform-Apparat.«

»Oder einen Sauerstoffkoffer zu Wiederbelebung bei drohendem Ersticken«, ergänzte Amelie. »Da werden wir unserem Papa wohl heute Abend ein wenig unter die Arme greifen und wirklich einen guten Eindruck bei seinem Freund Wilhelm Schweiger hinterlassen müssen.«

»Wohl nicht nur bei ihm, sondern auch bei seinem Sohn. Wie hieß der doch? Ernst?«

»Nein, Erich, glaube ich. Wenn es nach Papa und Mama geht, können die Hochzeitsglocken nicht früh genug läuten.«

»Tja, dann halt dich ran, Schwesterherz!«

»Wieso ich?«, fragte Amelie.

»Weil du die Ältere bist.«

»Na, wenn Erich Schweiger nach seinem Perlenglanz-Vater kommt, überlasse ich ihn gern dir. Wahrscheinlich hat er auch schon eine Glatze.«

Später, als sie ihre Badehauben aufgesetzt hatten und im flachen Wasser herumplanschten, sagte Helene: »Vielleicht ist dieser Erich ja gar nicht so schlimm, wie wir befürchten.«

Amelie wischte sich ein paar Wassertropfen aus den Augen und blickte zum Iltisberg hinüber, an dessen grünen Hang sich die Villen der wohlhabenden Kaufleute und der höheren Beamten schmiegten. »Das Leben ist kein *Gartenlaube*-Roman. Ich fürchte, Schweiger junior wird sich als richtiges Ekel entpuppen.«

Aber so ein Ekel schien Erich Schweiger gar nicht zu sein, und auch sein Äußeres war ein mehr als angenehmer Anblick. Das ging Amelie durch den Kopf, als die Familien Schweiger und Kindler abends in der Villa der Schweigers, die größer war als ihr eigenes Haus und einen ungehinderten Ausblick auf die Auguste-Viktoria-Bucht bot, eine sehr schmackhafte Fischsuppe einnahmen. Erich war noch größer als sein Vater und hatte dessen breite Schultern, aber zum Glück nicht dessen stark zurückgegangene Haarpracht geerbt. Was er mit dem Vater gemeinsam hatte, war die Haarfarbe. Das Rot wirkte bei dem Sohn sogar noch kräftiger, wohl weil keine grauen Sprenkel es durchsetzten. Sein bartloses Gesicht schien aufgeschlossen, aber sein Wesen eher etwas zurückhaltend zu sein, was ihn von der fast schon leidenschaftlichen Mitteilungsbedürftigkeit seines Vaters – in Amelies Augen angenehm – unterschied. Sie musterte ihn eingehend und schätzte sein Alter auf Ende zwanzig.

»Habe ich mich nicht richtig rasiert, Fräulein Amelie?«, fragte er plötzlich.

»Wie?« Sie hustete, weil sie sich, von der Frage überrascht, fast an der Suppe verschluckt hätte.

»Sie betrachten mich so intensiv, als stoße Ihnen etwas unangenehm an mir auf. Habe ich mich nun unzulänglich rasiert oder mich sogar mit Suppe bekleckert? Oder sehe ich sonst irgendwie schlecht aus?«

»Nein, nein«, beeilte sich Amelie zu sagen. »Im Gegenteil, Sie sehen wundervoll aus.«

Als neben ihr Fritz anfing zu kichern, ging ihr erst auf, was sie da eben gesagt hatte, und sie spürte, wie ihr die Schamesröte ins Gesicht schoss.

Erich lächelte, schien sie aber nicht auszulachen. »Das höre ich natürlich gern, auch wenn es eigentlich an den Männern ist, den Damen Komplimente zu machen.«

»Das war kein Kompliment, sondern die Wahrheit«, sagte Amelie, und abermals wurde ihr peinigend bewusst, dass sie die unpassenden Worte gewählt hatte.

»Bring das arme Fräulein Amelie nicht weiter in Verlegenheit, Erich«, ermahnte ihn seine Mutter. »Halt dich lieber an deine eigenen Worte, dass die Herren den Damen

Komplimente zu machen haben, statt erst so schweigsam am Tisch zu sitzen und unsere Gäste dann mit dummen Fragen zu verwirren!«

»Dein Wunsch ist mir Befehl, Mama«, sagte Erich in ernstem Ton, aber in seinen graublauen Augen blitzte es schelmisch auf. Er wandte sich an Amelies Mutter. »Frau Kindler, Sie haben zwei äußerst reizende Töchter, eine hübscher als die andere.«

Fritz konnte nicht länger an sich halten und sagte laut auflachend: »Jetzt fragt sich nur, wer für Erich die andere und wer die eine ist.«

Erich blickte Fritz an. »Da schweigt des Sängers Höflichkeit.«

»Das will ich mir auch erbeten haben«, sagte Frau Schweiger.

Um nicht Erich anschauen zu müssen und noch mehr zu erröten, richtete Amelie ihren Blick auf seine Mutter. Annemarie Schweiger war eine kleine, zierliche Frau von eher unscheinbarem Äußeren. In ihr aschblondes Haar mischten sich erste graue Fäden. Das schmale Gesicht konnte streng dreinschauen, aber die von winzigen Fältchen umgebenen Augen strahlten auch Güte aus.

Den restlichen Abend über bemühte sich Amelie, nicht erneut ins Fettnäpfchen zu treten. Das allgemeine Gespräch, das sich um Dinge wie das hiesige Klima oder die Entwicklung von Zöllen und Steuern drehte, bot dazu auch kaum Gelegenheit. Beim Dessert, einer köstlichen Schokoladen-Karamel-Creme, hielt der Herr des Hauses in seiner ihm eigenen überschwänglichen Art eine Lobrede auf die Entwicklung, die das Kiautschou-Gebiet unter deutscher Herrschaft genommen hatte.

»Wir haben aus einem belanglosen Fischerdorf eine florierende Handelsstadt gemacht, nicht wahr, mein lieber Heinrich?« Natürlich war die Frage rhetorisch, und ohne Pause fuhr Wilhelm Schweiger fort: »Deutscher Fleiß und Pioniergeist haben aus einem kargen Zipfel Erde eine blühende Landschaft werden lassen. Unser Beispiel wird den Chinesen den Weg ins moderne Zeitalter weisen, und das ist eine Leistung, auf die wir Deutsche stolz sein können. Jeder anständige Chinese sollte ein Loblied darauf singen, dass wir uns hier niedergelassen haben!«

Vater wollte ihm gerade beipflichten, da platzte es aus Amelie heraus: »Wenn ich nicht irre, war das ganze Gebiet auch schon vorher sehr fruchtbar und ergiebig für die Landwirtschaft.«

Ihr Gastgeber schaute sie einen Augenblick verblüfft an, als habe er diesen Einwand nicht erwartet, schon gar nicht von einer Frau. Er fing sich schnell und erwiderte: »Aber ja, niemand will den Chinesen absprechen, dass sie fleißige Bauern sind. Aber wir bringen ihnen die Industrie, den internationalen Handel und die Eisenbahn. Jetzt können sie ihre Waren überall anbieten, und die Schantung-Bergbaugesellschaft fördert die Bodenschätze dieses Landes zutage.«

»Sie meinen die Förderung von Kohle, Herr Schweiger?«, fragte Amelie nach.

»Selbstredend, meine Liebe.«

»Aber heißt es nicht, die Kohle aus der Fangtse-Grube sei von minderwertiger Qualität und weder für die Schifffahrt noch für die Eisenbahn zu gebrauchen?«

»So? Wer sagt das?«

»Ich habe erst kürzlich einen Artikel darüber gelesen, an Bord der *Goeben*.«

»Die Presse schreibt oft nur die halbe Wahrheit. Zum Heizen von Häusern ist die Fangtse-Kohle nämlich sehr gut geeignet, und die neue Kohlengrube in Hungschan liefert Kohle von ausgezeichneter Qualität für die Eisenbahn und den Schiffsverkehr.«

»Dann können wir ja beruhigt sein«, sagte Amelie und konnte einen leichten Anflug von Ironie nicht unterdrücken.

Sie bemerkte die warnenden Blicke ihrer Eltern, aber Schweigers großsprecherische Art forderte sie heraus.

»Es geht doch nicht um Kohle«, sagte dieser. »Es geht um unsere Kultur, unsere westliche Zivilisation. Die Chinesen können viel von uns lernen und sollten dankbar dafür sein, dass sie dieses Land vor zehn Jahren an uns verpachtet haben.«

»Das geschah wohl nicht ganz freiwillig«, wandte Amelie ein. »Im Jahr davor hatte unsere Marineinfanterie die Bucht doch bereits besetzt.«

Schweigers Züge waren im Verlauf der Diskussion immer ernster geworden, und jetzt blickte er Amelie mit einer oberlehrerhaften Strenge an. »Mein liebes Fräulein, unsere Truppen sind hier nicht zu ihrem Vergnügen an Land gegangen. Zwei deutsche Missionare der Steyler Mission waren von Chinesen grausam ermordet worden. Das verlangte das Eingreifen unserer Soldaten.«

»Wieso? Die Missionare waren da doch schon tot.«

»Das spielt doch gar keine Rolle!«, ereiferte sich Schweiger, und rote Flecke zeigten sich auf seinen Wangen, fast passend zum Rot seines Vollbarts. »Wir Deutsche können doch nicht dulden, dass die Chinesen unsere Landsleute einfach abschlachten!«

»Gewiss«, sagte Amelie ohne jede Überzeugung. »Außerdem kam uns der Zwischenfall ja auch gelegen, weil wir schon länger nach einem geeigneten Handels- und Flottenstützpunkt an der chinesischen Küste Ausschau gehalten hatten.«

Schweiger schnappte nach Luft und suchte nach einer passenden Erwiderung, aber sein Sohn war schneller und hob das Sektglas. »Ich möchte auf Fräulein Amelie anstoßen, auch wenn sie meinem Vater so vehement widersprochen hat. Ihr Widerspruchsgeist zeugt von echtem deutschen Mut. Wenn eine Frau schon so auftritt, wie tapfer müssen da erst unsere Soldaten sein. Trinken wir also auf Fräulein Amelie und darauf, dass eine deutsche Errungenschaft unser schönes Tsingtau noch nicht erreicht hat: die Sektsteuer!«

Erichs Ansprache wandelte die Stimmung binnen Sekunden, und alle stießen auf Amelie an, die sich kurz vorher noch böse Blicke zugezogen hatte.

Wilhelm Schweiger sagte sogar: »Erich hat recht, Fräulein Amelie, Sie kämpfen für Ihre Sache, mag es auch die falsche sein, mit dem Mut einer Löwin.«

»Das stimmt«, pflichtete sein Sohn ihm bei und strahlte Amelie an. »Und weil Sie so mutig sind, Fräulein Amelie, möchte ich Sie einladen, mit mir am nächsten Sonntag einen Rundflug über die Bucht zu machen.«

»Einen Rundflug? Wie das?«, fragte sie verwirrt.

Schweiger senior schlug seinem Sohn auf die Schulter. »Unser Erich ist ein begeisterter Flieger. Er hat eine Flugmaschine gebaut, mit der er schon über der Bucht geflogen ist.«

»Mit einem Freund zusammen habe ich sie gebaut. Er heißt …«

Erich konnte nicht weitersprechen, weil Amelies Mutter ihm ins Wort fiel: »Eine Flugmaschine? Das kommt gar nicht infrage, meine Amelie wird nicht in solch ein Teufelsgerät steigen!«

»Sie regen sich ganz umsonst auf, Frau Kindler«, sagte Erichs Vater. »Glauben Sie mir, es ist eine gute Flugmaschine, und Erich weiß mit ihr umzugehen.«

Amelies Mutter wollte ihren Widerspruch wohl bekräftigen, aber ein mahnender Blick ihres Mannes hielt sie zurück.

»Wenn du das sagst, Wilhelm, dann ist das auch so«, sagte Vater. »Aber letztlich liegt die Entscheidung bei Amelie.«

Alle Augen richteten sich auf Amelie, und sie hätte wohl keine andere Entscheidung treffen können. Aber das wollte sie auch gar nicht. Als ihr Blick sich mit dem Erichs kreuzte, fühlte sie ein grenzenloses Vertrauen zu ihm, und sie sagte aus vollem Herzen: »Ich fliege gern mit.«

»Er ist so ganz anders, als ich ihn mir vorgestellt habe«, sagte Amelie spätabends zu ihrer Schwester. Diesmal war sie zu Helene ins Bett gekrochen, weil sie abermals einfach nicht einschlafen konnte.

»Du sprichst von Erich?«, vergewisserte sich Helene.

»Ja, natürlich, von wem sonst? Zum Glück hat er außer der roten Haarfarbe und dem stattlichen Körperbau nicht viel mit seinem Vater gemein. War es nicht wunderbar, wie er mir beigesprungen ist, um einen Eklat zu vermeiden? So wie ein Ritter im Märchen angaloppiert kommt, um der bedrängten Prinzessin beizustehen.«

Helene stieß einen genervten Seufzer aus. »Spricht da

dieselbe Amelie, die mir vor ein paar Stunden gesagt hat, das Leben sei kein *Gartenlaube*-Roman?«

»Man kann seine Meinung doch auch mal ändern. Ich weiß gar nicht, was du hast. Wir sollten froh sein, dass Erich nicht nach seinem Vater geraten ist. Mir jedenfalls gefällt er sehr.«

»Das kann ich gut verstehen«, sagte Helene leise.

4

Den ganzen Sonntag über war Amelie aufgeregt, schon als sie erwachte. Der Flug, zu dem Erich Schweiger sie eingeladen hatte, sollte am Nachmittag stattfinden. Wie sollte sie es nur so lange aushalten? Nein, es war keine Angst, eher eine innere Anspannung, gepaart mit der ihr eigenen Neugier. Beim gemeinsamen Familienfrühstück hielt die Aufregung an und auch beim Gottesdienst in der evangelischen Kapelle, die unweit der Bismarckstraße lag und gut besucht war.

Die evangelische Gemeinde von Tsingtau hatte mit der Grundsteinlegung am letzten Osterfest den Bau einer größeren Kirche begonnen, aber bis zu deren Fertigstellung würden wohl noch gut zwei Jahre vergehen, wie Amelies Vater meinte. Am Ende des Gottesdienstes wurde für den Kirchenbau gesammelt, und auch Heinrich Kindler zückte demonstrativ seine Börse.

Beim Mittagessen bekam Amelie kaum etwas herunter, und als Mutter den Koch darauf hinwies, dass ihm der Kalbsbraten etwas zu zäh geraten sei, hätte sie das weder bestätigen noch verneinen können. Sie wollte sich ablenken und suchte das Gespräch mit Helene, aber ihre Schwester war seit dem Dinner bei den Schweigers seltsam einsilbig.

Nach dem Essen brach die ganze Familie zum nicht weit

entfernten Iltisplatz auf, wo das Abenteuer, dem Amelie entgegenfieberte, seinen Ausgang nehmen sollte. Er war eigentlich als Exerzierplatz für das in der nahen Iltiskaserne liegende Seebataillon errichtet worden, diente nun aber auch als Pferderennbahn und Festplatz für allerlei gesellschaftliche und sportliche Aktivitäten. Unterwegs trafen sie auf viele Menschen, kleine und größere Gruppen, zumeist ganze Familien, die zu Fuß oder in Rikschas in Richtung Iltisplatz strömten, und allmählich dämmerte es Amelie, dass sie alle kamen, um dem Flug beizuwohnen, dem »fliegerischen Spektakel«, wie es ein Fremder im Vorbeigehen nannte. Sie hatte nicht damit gerechnet, derart im Mittelpunkt zu stehen, und es war ihr überaus unangenehm.

Schon in der vergangenen Nacht hatte es sich zugezogen, und die Luft war etwas kühler geworden. Am Vormittag, als sie aus der Kirche gekommen waren, hatte sich die Sonne gezeigt, aber jetzt lugte sie nur noch hin und wieder verstohlen durch eine dicke Schicht grauer Wolken.

Hedwig Kindler warf einen besorgten Blick in den Himmel und sagte: »Das Wetter wird immer schlechter. Ich habe kein gutes Gefühl bei dieser Sache, wir sollten den Rundflug absagen.«

»Die Sonne wird schon wieder hervorkommen«, gab sich ihr Mann zuversichtlich. »Außerdem musst du dir keine Sorgen machen. Ich selbst war im Frühjahr dabei, als Erich Schweiger und sein Freund Winterkorn mit ihrem kolossalen Apparat bis hinaus aufs offene Meer und wieder zurückgeflogen sind. Sie wissen damit umzugehen. Und wer weiß, vielleicht wird unsere Amelie dadurch noch berühmt.«

»Wieso?«

»Ich habe bis jetzt noch nichts von Fliegerinnen gehört, nur von Fliegern wie diesen beiden Amerikanern, Wright heißen sie wohl. Und in Frankreich gibt es noch diesen Brasilianer, Santos Dumont. Vielleicht schreibt Amelie heute Geschichte als erste Frau, die solch einen Flug mitmacht.«

»Mir wäre lieber, ihr stößt nichts zu.«

Amelie fasste Mutter beruhigend am Arm. »Ich bin mir ganz sicher, dass alles gut gehen wird, Mama. Erich Schweiger weiß, was er tut.«

Diese Bemerkung bescherte ihr einen irritierten Blick von Mutter – und einen forschenden von ihrer Schwester, aber Letzteres bemerkte Amelie nur beiläufig.

»Woher willst du das wissen?«, fragte Mutter. »Du hast den jungen Schweiger doch erst einmal gesehen.«

»Genügt das nicht, um zu wissen, ob man jemandem vertraut?«, erwiderte Amelie.

»Wenn man jung ist, vielleicht«, seufzte ihre Mutter.

Sie erreichten den Iltisplatz, auf dem eine wahre Volksfeststimmung herrschte. Fliegende chinesische Händler verkauften Erfrischungen, Süßigkeiten und kleine Spielzeuge für die Kinder. Die Menschen standen in großen und kleinen Gruppen beieinander und unterhielten sich angeregt. Die Militärkapelle, die am Hafen die *Goeben* begrüßt hatte, marschierte gerade unter klingendem Spiel auf. Es war irgendein Marsch, dessen Titel Amelie nicht kannte, der aber ein paar anwesende Offiziere und Unteroffiziere augenblicklich eine geradere Haltung annehmen ließ.

Heinrich Kindler bugsierte seine Familie nach links und sagte: »Da vorn ist der Fliegerschuppen.«

Neben dem flachen Gebäude, auf das sie zuhielten, lagen große und kleine Metall- und Holzteile. Amelie vermochte nicht zu sagen, ob es sich um Ersatzteile oder womöglich nur um Schrott handelte. Es war das erste Mal, dass sie ein Fluggerät aus der Nähe sah. Kurz vor ihrer Abreise hatte sie in der *Berliner Illustrierten Zeitung* einen Artikel darüber gelesen, dass man in Berlin beabsichtigte, zwischen Adlershof und Johannisthal einen sogenannten Motorflugplatz zu errichten. Der Verfasser des Artikels hatte allerdings Zweifel daran geäußert, dass der motorisierte Flug eine Zukunft habe.

Wilhelm und Annemarie Schweiger traten aus dem Schuppen und begrüßten sie herzlich.

»Erich und Winterkorn sind da drin noch fleißig am Werkeln«, sagte Wilhelm Schweiger und lachte. »Das ist halt echter deutscher Pioniergeist, das macht uns kein Land nach!«

Amelie wollte erst einwenden, dass man doch auch in vielen anderen Ländern den Motorflug erprobte, aber dann hielt sie den Mund. Heute war ihr nicht nach einer Diskussion mit Herrn Schweiger. Sie wollte den Tag einfach genießen, und sie wollte ihn auch Erich nicht verderben.

Der kam, als er die Kindlers erspäht hatte, zu ihnen. Er trug einen fleckigen Overall, und auch in seinem Gesicht und an seinen Händen klebten Schmutz und Öl. Deshalb gab er ihnen nicht die Hand, sondern verneigte sich nur leicht. »Ich bin froh, dass Sie alle gekommen sind. Ganz besonders gilt das an diesem Tag natürlich für Sie, Fräulein Amelie. Ich hoffe, Sie haben sich warm angezogen. In der Luft kann es kühl und windig werden.«

»Ich denke, ich bin gut gerüstet«, sagte sie und blickte

kurz an ihrem blauen Wollkostüm hinunter, das sie sonst nur in der kalten Jahreszeit trug. »Sie hatten es mir ja ausrichten lassen.«

»Gut, gut, wir sind dann auch gleich so weit.« Erich, dem die Begeisterung über den bevorstehenden Flug ins Gesicht geschrieben stand, wandte sich um und rief ins Halbdunkel des Schuppens: »Jakob, wie sieht es aus?«

»Prächtig, mein Junge, prächtig«, rief eine raue Stimme mit leicht süddeutschem Akzent. »Der *Adler von Tsingtau* wird sich gleich in die Lüfte erheben und es allen Zweiflern zeigen.«

Der Mann, dem die Stimme gehörte, trat ins Freie, und Erich stellte ihn als Jakob Winterkorn vor, ein Schmied und Maschinenbauer, der eine eigene Fabrik am Kleinen Hafen besaß und ursprünglich aus Bamberg stammte. Er war Mitte vierzig, klein und stämmig, und sein gutmütiges Gesicht mit den listig funkelnden Augen wurde von einem gewaltigen schwarzen Schnauzbart beherrscht. Amelie fand ihn auf Anhieb sympathisch.

»Herr Winterkorn«, wandte sich Mutter an ihn, »sind Sie auch sicher, dass nichts Schlimmes geschehen wird?«

»Mir bestimmt nicht, ich bleibe ja heute am Boden«, antwortete er, schlug sich auf die Schenkel und brach in ein brüllendes Gelächter aus.

Mutter drehte sich mit zusammengekniffenen Lippen um und sah demonstrativ zu der Militärkapelle hinüber, die gerade mit einem weiteren strammen Marsch begann und eine große Zuhörerschaft um sich versammelt hatte.

»Wer wissen will, wie unsere Aussichten stehen, sollte die Herren da hinten fragen«, fuhr Winterkorn fort und zeigte mit dem Daumen auf eine in der Nähe des Schuppens stehende Gruppe von zehn oder zwölf Männern, die eifrig miteinander sprachen und etwas auf kleine Zettel schrieben.

»Was machen diese Männer?«, fragte Amelie.

»Sie wetten.«

»Worauf?«

»Die Hälfte von ihnen darauf, ob sich unser *Adler* überhaupt in die Lüfte erhebt.«

»Und die andere Hälfte?«

»Die wettet darauf, ob er wieder herunterkommt.«

»Das tut er doch auf jeden Fall«, sagte Amelie.

Winterkorn blinzelte in Richtung ihrer Mutter, während er sagte: »Ja, aber es geht darum, ob in einem Stück oder nicht.«

Mutter stöhnte auf, und der von dem Schnauzbart halb verdeckte Mund des Maschinenbauers verzog sich zu einem breiten Grinsen.

Er tat ein paar Schritte auf die Männer zu, die mit ihren Wetten beschäftigt waren, und rief: »He, macht euch mal ein bisschen nützlich. Wenn ihr schon Geld mit unserem Flug verdienen wollt, dann helft auch, den Vogel ins Freie zu schieben!«

Offenbar taten sie das nicht zum ersten Mal, denn ohne Murren kamen sie herbei, legten ihre Jacken und Hüte ab, krempelten die Hemdsärmel hoch und verschwanden mit Erich und seinem Freund im Schuppen. Als das Flugzeug ans Tageslicht kam, war Amelie erstaunt über die Größe dieser für sie fremdartigen Konstruktion aus Holz, Stoff und Draht. Erstaunt war sie auch darüber, dass sich an jeder Seite des Rumpfes nur ein Flügel befand. Auf den Abbildungen in der *Berliner Illustrierten* hatten alle Flugapparate zwei Flügel je Seite gehabt, und in den Bildunterschriften hatte etwas von sogenannten Doppeldeckern gestanden.

Als sie das zur Sprache brachte, sagte Erich: »Wir bevorzugen für unseren *Adler* den Typ Eindecker.«

»Ist das denn besser?«

Statt Erich antwortete Winterkorn, wobei er einen lauernden Blick in Richtung von Amelies Mutter warf: »Das kommt auf die Gesamtkonstruktion an. Wichtig ist, dass man rauf- und wieder runterkommt – in einem Stück.«

Bei seinen letzten Worten brach unter den Männern, die das Flugzeug ins Freie geschoben hatten, Gelächter aus.

Ein Fotograf und sein Gehilfe bauten ihren Apparat auf, um für die *Tsingtauer Neuesten Nachrichten* ein Foto von Erich und Amelie mit dem Flugapparat im Hintergrund zu machen. Keine fünf Minuten später saß Amelie auch schon auf dem hinteren Sitz des zweisitzigen Flugzeugs, auf dem Kopf eine lederne Kappe, um den Hals einen dicken Schal und vor den Augen eine riesige Brille aus Fensterglas; alles zum Schutz gegen den Wind.

Der ebenso ausgestattete Erich drehte sich zu ihr um und sagte: »Wenn wir in der Luft sind, drehen wir eine Runde über Stadt und Bucht. Ich denke, es wird ungefähr eine Viertelstunde dauern. Sollten Sie eher wieder landen wollen, zum Beispiel weil Ihnen unwohl ist, dann tippen Sie zweimal auf meine linke Schulter.«

Amelie beschloss, das ganz gewiss nicht zu tun, und erwiderte: »Und wenn ich länger in der Luft bleiben möchte?«

»Dann tippen Sie auf meine rechte Schulter«, sagte Erich mit einem verhaltenen Grinsen. »Ich bin schon gespannt.«

»Worauf?«

»Auf welche Schulter Sie tippen.«

Der Fotograf machte eine weitere Aufnahme, und die Kapelle mit ihrem seltsamen Sinn für Humor spielte die Melodie von *Alle Vögel sind schon da*. Dann gab Erich seinem Freund ein Zeichen, und Winterkorn warf den Propeller an. Das laute Brummen des Motors überraschte Amelie im ersten Augenblick, aber sie gewöhnte sich schnell daran. Winterkorn und die Helfer schoben den Flugapparat an, bis er genug Fahrt hatte und, schneller und schneller werdend, über den inzwischen weitgehend geräumten Platz rollte; die Schaulustigen hielten sich jetzt am Rand auf. Es holperte stärker, als Amelie gedacht hatte, aber das machte ihr nichts aus. Im Gegenteil, je schneller sie wurden, desto mehr wuchs ihre Euphorie. Und dann hörte das Holpern mit einem Mal auf. Sie benötigte zwei, drei Sekunden, um zu begreifen, dass der *Adler von Tsingtau* sich in die Luft erhoben hatte.

Sie flogen über den Badestrand hinaus und befanden sich schon über dem Wasser der Auguste-Viktoria-Bucht, wobei sie immer höher stiegen. Erich drehte sich kurz zu ihr um und sah sie fragend an. Als er Amelie lächeln sah, lachte auch er.

Jetzt glitten sie über die Kriegsschiffe im schneeweißen Tropenanstrich hinweg, die vor der kleinen Arkona-Insel auf Außenreede lagen. Die Matrosen blickten zu ihnen auf und winkten, und Amelie winkte zurück. Immer an der Küste entlang lenkte Erich seinen folgsamen *Adler* bis zu dem Leuchtturm, der die Einfahrt zur Kiautschou-Bucht markierte. Sie beschrieben eine Kurve nach rechts und flogen über Land auf den Kleinen Hafen zu, unter ihnen zahlreiche Fabriken, der Schlachthof und die Molkerei. Irgendwo da unten musste auch Jakob Winterkorns Fabrik liegen.

Weiter ging es über die Geschäftshäuser von Tsingtau, die Chinesenstadt und das Hafenviertel bis zum Großen Hafen, wo die Schiffe aus der Luft betrachtet nicht mehr so beeindruckend wirkten, eher wie Kinderspielzeuge in einer Badewanne. Erich flog abermals eine Rechtskurve und dann landeinwärts, über den Moltkeberg und den Diederichsberg; Letzteren nannten die Deutschen in Tsingtau auch Signalberg wegen der auf ihm thronenden Station, die einlaufende Schiffe durch Flaggensignale ankündigte. Von da an steuerte Erich das Flugzeug weiter landeinwärts, über Berge mit teilweise schroffen Felsformationen, dazwischen grüne Täler mit kleineren oder größeren chinesischen Ansiedlungen.

Staunend blickte Amelie auf die Landschaft, die unter ihr vorüberzog, und wenn es nach ihr gegangen wäre, hätte es ewig so weitergehen können. Sie beugte sich vor und tippte Erich zweimal auf die rechte Schulter. Als Antwort hob er die rechte Hand, und sein ausgestreckter Daumen wies nach oben.

Das war der Moment, in dem das Flugzeug heftig zu schlingern begann. Amelie war zunächst gar nicht erschrocken, nur überrascht. Nicht aus Furcht, sondern einem natürlichen Sicherheitsempfinden folgend, hielt sie sich an den Verstrebungen vor ihr fest. Auch wenn sie nichts von der Fliegerei verstand, begriff sie, dass Erich die starken Luftströmungen zu schaffen machten.

Sorge kam in ihr erst auf, als der *Adler*, wie ein verletztes Tier taumelnd, auf eine dicht bewaldete Anhöhe zusteuerte, fast schon stürzte. Erich versuchte alles Mögliche, um sein Flugzeug wieder in den Griff zu bekommen. Endlich, als die ersten Baumwipfel schon bedrohlich nah waren, konnte er es wieder in eine waagerechte Lage bringen. Trotzdem gab es ein starkes Rütteln, verbunden mit einem lauten Geräusch – der *Adler* hatte einen Baum gestreift.

Langsam gewannen sie zwar wieder etwas an Höhe, aber an einen ruhigen Flug war nicht mehr zu denken. Das Flugzeug schlingerte unentwegt, von einer Seite zur anderen, rauf und wieder runter. Offenbar war es beschädigt worden, als es den Baumwipfel berührt hatte.

Erich drehte sich zu ihr um und rief laut genug, um das tiefe Brummen des Motors zu übertönen: »Machen Sie sich keine Sorgen, Fräulein Amelie, wir haben nur gerade ein wenig Pech.«

»Inwiefern?«

»Wir stürzen ab.«

Sie stürzten tatsächlich ab – oder beinah jedenfalls. Es gelang Erich, das taumelnde Flugzeug lange genug in der Luft zu halten, bis unter ihnen das Land zurückwich. In einer weitgeschwungenen Bucht, in der sich ein paar wenige Fischerboote fast verloren, war ihr Flug zu Ende. Der *Adler* bohrte sich mit weit nach vorn geneigter Nase ins Wasser und überschlug sich, Holz zerbrach und splitterte, Drahtverspannungen rissen. Dann blieb der *Adler* schließlich kopfüber liegen, und es war plötzlich Ruhe.

Als Amelie später gefragt wurde, ob sie in der Zeit bis zum Absturz – waren es Minuten oder nur Sekunden gewesen, sie wusste es nicht – Todesangst verspürt hatte, musste sie das ehrlicherweise verneinen. Sie war angespannt, zum Zerreißen gespannt gewesen, aber es war keine die Kehle zuschnürende Angst um ihr Leben gewesen, sondern die bange Frage, wie dieses Abenteuer ausgehen würde. Selbst in dieser Situation hatte sie das Gefühl von Geschwindigkeit und Ungebundenheit bis zuletzt genossen, bis es im Wasser der Bucht ein jähes Ende gefunden hatte.

Amelie, eine recht gute Schwimmerin, war unter dem Flugzeug hinweggetaucht und kam ein paar Meter von der Absturzstelle entfernt an die Oberfläche. Sie spie das geschluckte Wasser aus, schnappte nach Luft und sah sich nach Erich um. Als sie ihn nirgends entdeckte, erschrak sie. Dafür gab es nur eine Erklärung: Er hing noch in seinem Sitz, unter Wasser, unfähig, sich zu befreien. Erst jetzt verspürte sie eine Angst, die alle anderen Empfindungen beiseitedrängte: Es war die Angst um Erichs Leben.

So schnell, wie ihr schweres Wollkostüm, das sich voll Wasser gesogen hatte, es zuließ, schwamm sie zu dem Wrack zurück, das vor Kurzem noch der stolze *Adler von Tsingtau* gewesen war, und tauchte. Erich hing tatsächlich kopfüber in seinem Sitz. Er war bei Bewusstsein und stemmte sich mit den Händen gegen den Flugzeugrumpf. Offenbar steckte er fest und versuchte vergeblich, sich zu befreien. Amelies Herz raste in Sorge um ihn, aber ihr Verstand arbeitete weiter, und sie fasste einen Plan.

Sie stieß zurück an die Wasseroberfläche, sog ihre Lunge voll Luft und tauchte sofort wieder nach unten. Jetzt, da sie ihr Ziel kannte, konnte sie es mit ein paar kraftvollen Schwimmzügen innerhalb weniger Sekunden erreichen. Das Ziel hieß Erich. Er zerrte an seinem rechten Fuß, der sich in gesplittertem Holz und verheddertem Draht verfangen hatte. Amelie erkannte, dass es ohne eine Drahtschere unmöglich gelingen konnte, den Fuß, der in einem schweren Lederstiefel steckte, aus diesem Konglomerat zu befreien. Es gab nur einen Weg: Der Fuß musste aus dem Stiefel heraus!

Es gelang ihr, die Verschnürung vorn am Unterschenkel ein Stück weit zu öffnen. Erich hatte verstanden, was sie bezweckte, und zog sein Bein an, während Amelie den Stiefel in die entgegengesetzte Richtung zog. Schon nach kurzer Zeit glückte das Vorhaben, und Erich kam frei!

Erleichtert zog sie ihn mit sich nach oben, wo inzwischen zwei chinesische Fischerboote das Flugzeugwrack umkreisten. Die Fischer streckten ihnen hilfreiche Hände entgegen, zogen Erich und Amelie jeweils in ein Boot, bevor sie Kurs auf die Küste nahmen.

Eine Stunde später saßen Amelie und Erich, vom Kopf bis zu den Füßen in dicke Wolldecken gehüllt, in der größten Hütte des Fischerdorfs, ganz dicht am wärmenden Herdfeuer. Ihre Kleider waren darüber zum Trocknen aufgehängt. Die Bewohner waren ebenso einfache wie freundliche Menschen, die sie mit heißem Tee und Kornschnaps, mit gebratenen Garnelen, mit Bohnenkäse und Hirsebrei versorgten.

Erich, der viel Wasser geschluckt hatte, war für einige Minuten, die ihr wie eine kleine Unendlichkeit vorgekommen waren, benommen gewesen. Jetzt ging es ihm besser, und vielleicht hatte auch der Schnaps, den die Chinesen ihm reichlich eingeflößt hatten, seinen Teil dazu beigetragen.

Er blickte Amelie mit einer Mischung aus Dankbarkeit und Scham an. »Ich muss mich bei Ihnen entschuldigen und zugleich bedanken, Fräulein Amelie.«

»Lassen Sie das Fräulein doch einfach weg, Erich«, schlug sie vor. »Und die großen Worte gleich mit.«

»So leicht dürfen Sie es mir nicht machen, Fräu… Amelie. Ich habe Sie in Lebensgefahr gebracht, als ich so weit ins Landesinnere geflogen bin. Dabei hätte ich damit rechnen müssen, dass die Luftströmungen über den Bergen dem *Adler* zu schaffen machen. Aber ich wollte einfach nur …«

»Was wollten Sie einfach nur, Erich?«, hakte sie nach, als er stockte.

»Ein bisschen vor Ihnen angeben, wahrscheinlich. Mich als der große Flugpionier hinstellen, der ich offensichtlich gar nicht bin.«

»Stellen Sie Ihr Licht bloß nicht unter den Scheffel. Ich verstehe zwar nichts davon, aber es war gewiss eine Meisterleistung, das beschädigte Flugzeug noch bis übers Meer zu bringen.«

Beschämt wich er ihrem Blick aus. »Eine Meisterleistung ist es gewesen, was Sie für mich da draußen in der Bucht getan haben, Amelie. Ohne Sie wäre ich elendig ertrunken, und meine Eltern hätten auch ihren zweiten Sohn verloren.«

»Ihren zweiten Sohn?«, wiederholte Amelie überrascht. »Ich habe gedacht, Sie seien ein Einzelkind.«

Erich schüttelte langsam den Kopf. »Ich hatte einen älteren Bruder, Anselm. Er starb vor acht Jahren, hier in China. Besonders für meinen Vater, der große Hoffnungen auf Anselm gesetzt hatte, war das ein harter Schlag. Seitdem heißt unsere Firma nicht mehr Schweiger & Söhne, sondern nur noch Schweiger & Sohn.«

Amelie trank ein paar Schlucke Tee und behielt die wärmende Teeschale in den Händen. »Wie ist er gestorben?«

»Anselm diente zu der Zeit in der Kriegsmarine, auf dem

Kreuzer *Hansa*, und gehörte zu dem fünfhundert Mann starken deutschen Kontingent unter Kapitän von Usedom, das im Juni 1900 die internationalen Truppen des britischen Vizeadmirals Seymour verstärkt hat, um das von den aufständischen Boxern belagerte Gesandtschaftsviertel in Peking zu entsetzen. Es waren insgesamt an die zweitausend Soldaten, die Briten und wir Deutsche als stärkste Abteilungen, dann noch Russen, Franzosen, Amerikaner, Japaner, Italiener und zwei Dutzend Österreicher.«

Sie kramte in ihrem Gedächtnis. In den letzten Monaten hatte sie so viel über China gelesen, auch über den Boxeraufstand, der zu den weniger erfreulichen Kapiteln der europäisch-chinesischen Beziehungen gehörte. Eine chinesische Geheimgesellschaft, von den Europäern vereinfachend Boxer genannt, hatte den Aufstand gegen die fremden Mächte in ihrem Land gewagt. Es war ein blutiger Aufstand gewesen, und er war nach einigen Anfangserfolgen ebenso blutig niedergeschlagen worden. Die detaillierten Schlachtberichte hatte sie zwar nur überflogen, aber einiges war doch hängen geblieben. »Diese Seymour-Expedition ist kläglich gescheitert, oder?«

»Ja, das kann man sagen. Sie traf auf unerwartet harten Widerstand, nicht nur seitens der Boxer, sondern auch durch die reguläre chinesische Armee. Als Seymour sich nach Tientsin zurückzog, waren mehr als fünf Dutzend Mann gefallen, darunter auch mein Bruder.«

Amelie sah die Bewohner des Fischerdorfs an, die in einem Halbkreis um sie herumstanden und nur darauf zu warten schienen, ihnen eine Gefälligkeit zu erweisen. »Dann haben Sie vermutlich keine allzu freundliche Einstellung zu den Chinesen.«

»Wieso?«, fragte Erich. »Schließlich war Krieg. Die Chinesen haben für ihre Sache gekämpft, wir Europäer für die unsrige.«

Erstaunt fragte sie: »Denkt Ihr Vater auch so?«

Er schwieg nachdenklich und sagte dann: »Nein, wenn es nach ihm geht, gilt Geibels Wort ›Am deutschen Wesen mag die Welt genesen‹. Das darf man ihm nicht verübeln. Viele seiner Generation denken so und auch viele Jüngere.«

Amelies Blick kreuzte sich mit seinem. »Ich verüble ihm das nicht, aber ich bin sehr froh, dass Sie anders denken.«

Unter den Chinesen entstand Unruhe, und einige liefen durch die offene Tür nach draußen. Als Amelie und Erich ihnen neugierig hinterhersahen, hörten sie das gleichmäßige Brummen eines Motors. Es war eine Barkasse der Kriegsmarine, eine von mehreren, die auf die Suche nach ihnen ausgeschickt worden waren.

Das erfuhren sie von Fritz, der den Suchtrupp begleitete und die beiden in Decken gehüllten Vermissten mit deutlichem Amüsement betrachtete. »Vier Barkassen suchen die Küste nach euch ab. Auf einer fährt unser Vater mit, auf einer anderen dein Vater, Erich, und Jakob Winterkorn auf einer weiteren. Ihr habt uns einen ganz schönen Schrecken eingejagt. Aber ich habe mir gleich gedacht, dass euch nichts passiert ist.« Er blickte Amelie an und feixte. »Ich habe unseren Eltern zur Beruhigung gesagt, Erich sei bestimmt mit dir durchgebrannt.«

Leise, sodass nur Amelie es hören konnte, sagte Erich: »Dazu hätte ich nicht übel Lust.«

Bei diesen Worten fühlte sie eine Wärme in sich aufsteigen, die nicht vom heißen Tee und auch nicht vom Herdfeuer herrührte. Aber dieses Gefühl währte nur kurz und wurde von einem kalten Schauer abgelöst, der über ihren Rücken rieselte, hervorgerufen durch die Erinnerung an die Weissagung des alten Chinesen. Warum musste sie ausgerechnet in diesem Augenblick daran denken?

Die Glück bringende Liebe ist nicht ohne den Verderben bringenden Hass.

Angst bemächtigte sich ihrer, eine mit dem Verstand nicht zu erklärende, tiefe Angst. Nicht um sich selbst. Es war die Angst, etwas zu verlieren, das sie gerade erst gefunden hatte. Sie hatte Angst um Erich.

5

In den folgenden Tagen war »Der letzte Flug des *Adlers von Tsingtau*«, wie die *Tsingtauer Neuesten Nachrichten* ihren großen Artikel überschrieben hatten, in aller Munde. Das Blatt lobte den »Unternehmungsgeist und Mut der beiden hiesigen Flugpioniere und ihres weiblichen Passagiers«, vertrat aber gleichzeitig die Auffassung, das »jähe Ende des Ganzen« zeige, dass der Mensch noch nicht bereit sei, sich in die Lüfte zu erheben.

Fast schämte sich Amelie, auf die Straße zu gehen, hatte sie doch beständig das Gefühl, von neugierigen Augen begafft zu werden. Richtig leid aber taten ihr Erich und sein Freund Winterkorn, die mittels einer gemieteten Barkasse vergeblich versucht hatten, das Flugzeugwrack zu bergen. Die Strömung, so hatte sie es in der Zeitung gelesen, hatte den vormals so stolzen *Adler* in mehrere Teile gerissen und fortgetrieben, und ein Teil des Fahrgestells war das ganze kümmerliche Ergebnis der Bergungsexpedition.

Amelies Geschwister und Eltern reagierten höchst unterschiedlich auf das »Glück im Unglück«, wie ihr Vater die Angelegenheit mit philosophischem Gleichmut bezeichnete. Ihre Mutter dagegen überhäufte jeden mit Vorwürfen und barschen Bemerkungen, der auch nur ansatzweise etwas Gutes über Erich Schweiger, den *Adler von Tsingtau* oder die Fliegerei im Allgemeinen zu sagen wagte, war sie doch der Meinung, »der Herrgott hätte uns Menschen schon Flügel gegeben, hätte er gewollt, dass wir fliegen wie die Vögel«. Darauf erwiderte Fritz, der die ganze Sache am leichtesten zu nehmen schien: »Dann dürften wir ja auch nicht mehr in der Auguste-Viktoria-Bucht schwimmen, weil der Herrgott uns keine Schwimmhäute gegeben hat.« Was Helene dachte, wurde Amelie nicht recht klar, gab sie sich doch weiterhin schweigsam. Vielleicht bedrückte sie etwas, ging es Amelie kurz durch den Kopf. Aber wahrscheinlicher war, dass ihre Schwester einfach nur in eine ihrer schwermütigen Stimmungen verfallen war.

Amelie dachte in diesen Tagen viel an Erich und an das, was er in der Fischerhütte gesagt hatte. Der Flug über Tsingtau und die Berge war trotz des unerwarteten und gefährlichen Ausgangs für sie nicht mit Schrecken verbunden. Sie sah es als ein großes Abenteuer, ein schicksalhaftes gemeinsames Erlebnis, das sie und Erich unleugbar einander nähergebracht hatte. Und in Erichs Nähe hatte sie sich auch im Augenblick der Gefahr sicher gefühlt.

Als sie das ein paar Tage nach dem Rundflug gegenüber Helene erwähnte, erntete sie als Antwort einen zweifelnden Blick.

»Was hast du?«, fragte Amelie. »Du scheinst mit meiner Ansicht nicht einverstanden zu sein.«

»Ich glaube, du hast eine nicht ganz nebensächliche Tatsache verdrängt. Nicht Erich hat dir das Leben gerettet, sondern du ihm, als du ihn aus dem Wrack befreit hast.«

»Aber ist es nicht wunderbar, wenn zwei Menschen sich aufeinander verlassen können?«

Helene wollte etwas erwidern, wurde aber durch das leicht schrille Läuten der Lieferantenglocke abgelenkt. Es war später Nachmittag, eine Zeit, zu der in der Regel keine Lieferanten mehr unterwegs waren. Neugierig liefen Amelie und Helene hinunter in die Eingangshalle, von wo sie Stimmen hörten, die Chinesisch miteinander sprachen. Jen Schi stand in der offenen Tür des Lieferanteneingangs und unterhielt sich mit einem anderen Chinesen, der ihm etwas überreichte. Um nicht zu neugierig zu erscheinen, gingen die beiden Schwestern, sobald sie den Flur zum Lieferanteneingang erreicht hatten, gemessenen Schrittes und fragten den Hausboy, der die Tür wieder schloss, wer das eben gewesen sei.

Jen Schi hielt ein Briefkuvert hoch. »Ein Bote von Herrn Schweiger mit einem Brief.«

»Ein Brief, für wen?«, fragte Amelie, und wie von selbst waren ihre Gedanken wieder bei Erich. »Ach, zeig doch her.«

Sie nahm Jen Schi das Kuvert aus der Hand und war ein wenig enttäuscht, als sie den Namen des Absenders las. Der Brief kam nicht von Erich, sondern von seinem Vater, und war nicht an Amelie gerichtet; die Adresse lautete »Herrn Heinrich Kindler und Familie«.

Während der Boy sich in Richtung Küchentrakt zurückzog, spielte Amelie mit dem Kuvert in ihren Händen.

»Du wirst den Brief doch nicht öffnen wollen?«, fragte Helene. »Er ist an Papa adressiert.«

»Und Familie«, sagte Amelie spitz. »Das sind ja wohl wir, oder?«

»Wer seid ihr?«, hörten sie Mutter, deren Kommen sie nicht bemerkt hatten. »Und wer war da eben an der Tür?«

»Ein Bote von Herrn Schweiger mit einem Brief für Papa«, antwortete Helene.

»Und an uns«, ergänzte Amelie.

»Etwa von Erich Schweiger?«, fragte ihre Mutter leicht ungehalten.

»Nein, von seinem Vater«, erklärte Helene.

»So? Das ist etwas anderes.«

Mutters Gesicht hellte sich auf, als sie das Kuvert an sich nahm und ohne weitere Umschweife öffnete. Während sie den Brief las, bemühte sich Amelie vergebens, ihr dabei über die Schulter zu blicken.

»Was schreibt Erichs Vater?«, fragte sie, sobald Mutter die Lektüre beendet hatte.

»Er entschuldigt sich bei eurem Vater und unserer ganzen Familie für den Vorfall am letzten Sonntag und lädt uns für morgen Abend zum Essen ein. Das ist aber auch nur recht und billig!«

»Dass er uns zum Essen einlädt?«, fragte Helene.

»Nein, dass er sich entschuldigt. Es hätte schließlich Gott weiß was passieren können.«

»Nicht mit Erich«, widersprach Amelie. »Bei ihm war ich vollkommen sicher.«

»Gestatte, dass ich lache«, sagte Mutter, tat es aber nicht. »Ich überlege allen Ernstes, ob wir die Einladung nicht absagen sollten. Wir könnten es damit begründen, dass sie doch recht kurzfristig erfolgt ist.«

»Aber wir haben morgen Abend nichts anderes vor«, wandte Amelie rasch ein, weil sie die Gelegenheit, Erich wiederzusehen, schwinden sah.

»Das ließe sich schnell ändern. Ich habe in der Zeitung gelesen, dass es am morgigen Abend im Central-Hotel einen Vortrag über die wirtschaftliche Entwicklung des Kiautschou-Gebiets geben soll.«

»Der Vortrag wird übermorgen bestimmt in der Zeitung abgedruckt«, sagte Amelie, die nach einer Möglichkeit suchte, ihre Mutter umzustimmen. »Du warst doch kürzlich noch so erpicht auf eine nähere Bekanntschaft mit den Schweigers, Mama.«

Mutter rümpfte die Nase. »Wir sollten ihnen zeigen, dass wir über die Eskapade, die Erich Schweiger sich am Sonntag geleistet hat, nicht erfreut sind.«

»Wäre es denn klug, Erichs Vater zu verärgern, wo Papa doch so gern mit ihm ins Geschäft kommen will?«, fragte Amelie und legte dabei alle Arglosigkeit, zu der sie fähig war, in ihre Stimme.

Mutter hob die linke Hand und rieb langsam über ihr Kinn, ein sicheres Zeichen dafür, dass sie angestrengt überlegte. Schließlich stieß sie einen schweren Seufzer aus und sagte: »Vermutlich hast du recht, wir sollten die Schweigers nicht vor den Kopf stoßen. Lassen wir also Gnade vor Recht ergehen. Ich werde Jens gleich mit einer Nachricht zu ihnen schicken, dass wir die Einladung gern annehmen.«

»Spar dir die Arbeit, Mama«, sagte Amelie. »Ich erledige das gern und rufe bei den Schweigers an.«

Mutter schüttelte den Kopf. »Das wäre in Anbetracht der Umstände ein bisschen zu vertraulich. Ich denke, mit einer schriftlichen Antwort lässt sich besser der richtige Ton finden.«

Am folgenden Abend waren die Kindlers und die Schweigers besonders freundlich zueinander, und auch Hedwig Kindler, die sich anfangs etwas zugeknöpft gab, taute mit der Zeit auf. Auf Amelie wirkte die Unterhaltung trotzdem – oder gerade deshalb – recht angestrengt, bemühten sich doch alle, den Vorfall vom vergangenen Sonntag mit keinem Wort zu erwähnen. Bis auf Fritz, der, mahnender Blicke seiner Eltern zum Trotz, eine diebische Freude dabei zu empfinden schien, in das Gespräch Anspielungen auf die Fliegerei oder den Iltisplatz einfließen zu lassen.

Als er sich nach dem Essen eine seiner geliebten extra dicken Queen-Zigaretten ansteckte, sagte er wie beiläufig zu Erich: »Du bist doch so sportlich, Erich, zu Land, zu Wasser und in der Luft. In der übernächsten Woche findet das alljährliche große Sportfest auf dem Iltisplatz statt. Wird man dich da auch sehen?«

Erich setzte ein entwaffnendes Lächeln auf, ganz so, als habe er die Spitze nicht bemerkt. »In der Tat, das wird man. Unsere Fußballelf spielt gegen die Auswahl eines englischen Kreuzers, der sich für Ende nächster Woche angekündigt hat.«

Amelie, die ihrem Bruder den Wind aus den Segeln nehmen wollte, wandte sich an Erich. »Sie spielen also Fußball, auf welcher Position?«

»Verteidiger, zumeist auf dem rechten Flügel«, antwortete Erich. »Unsere Tsingtauer Mannschaft ist eine ziemlich zusammengewürfelte Truppe aus Militärs und Zivilisten, und wir müssen unsere Posten ganz nach Verfügbarkeit einnehmen.«

»Oh, Erich ist ein sehr guter Verteidiger«, warf Fritz ein, nachdem er einen dicken Rauchkringel ausgestoßen hatte. »Wenn ein gegnerischer Stürmer bis vor unser Tor kommt, bringt Erich ihn garantiert zu Fall. Er bewacht den Kasten mit den Augen eines Adlers.«

Auch diese Anspielung überging Erich, indem er sich

weiterhin an Amelie hielt: »Sie müssen unbedingt kommen und uns anfeuern, Amelie. Das wird uns Glück bringen.«

»Das werde ich«, versprach sie aus vollem Herzen.

Ihr Vater trat hinter sie, nahm die Zigarre aus dem Mund und sagte: »Wenn dir deine neuen Verpflichtungen Zeit dazu lassen, Liebes.«

Fritz sah ihn fragend an. »Was für Verpflichtungen?«

»Amelie und Helene haben mich gebeten, in unserer Firma mitarbeiten zu dürfen, und ich habe zugestimmt.«

»Mitarbeiten?«, wiederholte Fritz und wirkte dabei skeptisch. »Wobei sollen sie uns denn unterstützen?«

»Wir wollen mal sehen, wo sie sich am besten machen. Buchhaltung und Ladenverkauf, würde ich sagen. Montag fangen die beiden an.«

Mutter kam, ein Glas Pfefferminzlikör in der Hand, herbeigeeilt, so schnell es ihr eng geschnittenes Kleid erlaubte. »Amelie und Helene sollen im Laden verkaufen? Ich höre wohl nicht recht!«

Vater nahm bedächtig einen Zug an seiner Zigarre, bevor er mit einem breiten Lächeln erwiderte: »Doch, doch, meine Liebe, du hörst ganz hervorragend.«

»Aber was sollen denn die Leute denken, wenn sie von unseren Töchtern bedient werden?«

»Ich hoffe, sie denken, dass wir zwei fleißige, patente Mädchen großgezogen haben, die sich nicht zu schade sind, sich im Familiengeschäft nützlich zu machen.«

»Unsere Töchter als Verkäuferinnen?« Mutter schüttelte entschieden den Kopf und war dabei so aufgebracht, dass sie um ein Haar ihren Likör verschüttete. »Das geht nicht, Heinrich, das geht wirklich nicht!«

»Warum nicht?«, fragte Amelie. »In Berlin arbeiten viele Frauen als Verkäuferinnen.«

»Wir sind aber nicht in Berlin«, stellte ihre Mutter mit einem Unterton fest, der deutliches Bedauern erkennen ließ. »Außerdem habt ihr beide das auch nicht nötig.«

»Das ist nicht der Punkt«, ergriff ihr Vater wieder das Wort. »Die Mädchen haben es sich gewünscht, und ich halte es für eine gute Idee. Hier in Tsingtau gibt es für junge Damen nicht annähernd so viel Zerstreuung wie in Berlin. Wenn sie in der Firma arbeiten, haben sie eine nützliche Beschäftigung, und sie werden gleichzeitig mit den hiesigen Gebräuchen vertraut.«

»Wenn sie sich beschäftigen wollen, können sie mir auch im Haushalt helfen.«

Vater lachte. »Ach, Hedwig, den hast du so fest im Griff, ich glaube nicht, dass du Hilfe benötigst.«

Wilhelm Schweiger trat neben ihn. »Lassen Sie Ihren Töchtern doch ihren Willen, Frau Kindler. Heinrich hat recht, in Tsingtau sollte eine junge Frau einer vernünftigen Beschäftigung nachgehen. Ich finde es ganz wunderbar, dass die beiden so ehrgeizig sind. Solch eine Frau kann ein wahrer Kaufmann sich nur wünschen.« Er sah seinen Sohn an. »Nicht wahr, Erich?«

»Ich stimme dir voll und ganz zu, Vater«, sagte Erich, und sein Blick ruhte dabei auf Amelie.

Einerseits gefiel es ihr, wie Erich sie ansah: zärtlich, sehnsüchtig. Andererseits stieg augenblicklich der Gedanke in ihr auf, dass auch die anderen es bemerken mussten. Sie fühlte sich unwohl dabei, wie ein Tier im Zoo, und war froh, als Vater erneut das Wort ergriff.

»Morgen Vormittag könnt ihr erste Erfahrungen darin

sammeln, wie es ist, für Kindler Import & Export zu arbeiten«, sagte er und legte die Arme um seine beiden Töchter. »Ich nehme euch mit zu einer Geschäftsbesprechung.«

»Ist es hier?«, fragte Helene irritiert, als die Kraftdroschke, die ihr Vater nach dem Frühstück telefonisch bestellt hatte, auf der Schantungstraße hielt. »Findet hier die Geschäftsbesprechung statt?«

»Warum denn nicht?«, entgegnete Vater, während der chinesische Chauffeur, der eine tadellos sitzende Uniform trug, ausstieg, um seinen Fahrgästen beim Verlassen des Automobils zu helfen.

»Nun, weil …« Helene schluckte. »Weil wir mitten im Chinesenviertel sind.«

»Wir sind ja auch in China, was man in Tsingtau vielleicht zuweilen vergessen mag. Aber die Chinesen sind wichtige Geschäftspartner, und einer davon residiert hier.«

Er wies auf das große Haus zur Rechten, über dessen Eingangstür ein Schild mit chinesischen und lateinischen Schriftzeichen hing. Amelie beugte sich im Fond des Automobils so weit vor, bis sie die lateinische Schrift ganz sehen konnte: »Liu Cheng – Agentur für Gewürze, Seiden, Porzellan & chinesische Waren aller Art«. Ihr fiel die fehlerfreie Schreibweise auf. Die meisten Geschäfte an der Schantungstraße waren auch auf Latein beschriftet, aber bei fast allen Firmenschildern hatte sich der eine oder andere Fehler eingeschlichen.

»Was heißt das, Agentur?«, fragte sie.

»Liu Cheng betreibt kein Ladengeschäft«, erklärte Fritz und reichte Vater, der zuerst ausgestiegen war, das sorgsam in glänzendes Seidenpapier eingeschlagene Gastgeschenk.

»Er hat sehr gute Beziehungen ins Hinterland und fungiert als Zwischenhändler, auch Komprador genannt. So nennt man hierzulande die chinesischen Händler, die zwischen Einheimischen und Europäern vermitteln.«

Amelie sah Fritz ungläubig an. »Komprador? Das klingt alles andere als chinesisch.«

»Ein Begriff aus dem Portugiesischen. Ursprünglich wurde er in der portugiesischen Kolonie Macao an der Mündung des Kantonflusses verwendet, hat sich inzwischen aber über ganz China ausgebreitet.«

»Ein seltsames Land, dieses China«, murmelte Helene. »Man bezahlt mit mexikanischem Geld, benutzt portugiesische Wörter, und wir sprechen hier deutsch, als wäre es das Normalste von der Welt.«

»Na, das Normalste von der Welt ist es sicherlich«, lachte Fritz laut. »Oder möchtest du das chinesische Kauderwelsch benutzen? Dieses dauernde Ang-Ong-Ing verstehen doch die Chinesen selbst kaum.«

»Du bist ungerecht, Fritz«, sagte Amelie tadelnd und rief sich in Erinnerung, was sie in einem der vielen Bücher über China gelesen hatte. »Die Chinesen haben mehrere Sprachen, und die zählen zu den ältesten der Welt.«

»Dann wird's Zeit, dass sie aussterben«, knurrte ihr Bruder.

Helene legte eine Hand auf Amelies Schulter. »Mach dir nichts draus, Fritz ist und bleibt halt ein Banause.«

Als der Chauffeur bezahlt war und mit seinem auffälligen Gefährt, das zahlreiche neugierige Blicke auf sich zog, in Richtung Europäerstadt davonbrauste, grinste Fritz den Vater an. »Es war ein guter Einfall von dir, die Benzinkutsche zu nehmen. Mit der Rikscha fahren hier fast alle, die es sich leisten können, nicht zu Fuß zu gehen. Aber auf diese Art hat jeder unser Kommen bemerkt und weiß sofort, wie wichtig wir sind.«

»Ist das nicht ein bisschen prahlerisch?«, warf Helene ein.

Fritz machte eine wegwerfende Handbewegung. »Nicht bei den Chinesen. Du und Amelie werdet noch feststellen, wie viel der äußere Schein bei ihnen zählt.«

Vor dem Hauseingang hatte ein halbwüchsiger Chinese eifrig mit einem Reisigbesen gefegt, dann aber mit geweiteten Augen innegehalten und auf das imposante Automobil des französischen Herstellers Brasier geschaut. Seine Augen hingen noch an dem Fahrzeug, als es sich schon wieder ein gutes Stück entfernt hatte, und erst ein deutliches Räuspern von Heinrich Kindler brachte ihn dazu, seine Aufmerksamkeit auf die Besucher zu richten.

Vater nannte seinen Namen und fügte hinzu: »Liu Cheng erwartet mich.«

Der Junge nahm sich die Zeit, die vier Deutschen eingehend zu mustern, stellte dann gemächlich den Besen beiseite und nickte leicht. »Gäste bitte warten unter Vordach, ich holen gehe meinen Herrn.«

Fritz sah dem Jungen, der im Innern des Hauses verschwand, kopfschüttelnd nach. »So ganz werden die Gelben es nie lernen, richtig Deutsch zu sprechen.«

In Amelie stieg augenblicklich Empörung auf, und sie sah ihren Bruder mit funkelnden Augen an. »Ist dein Chinesisch besser als das Deutsch dieses Jungen?«

Fritz legte die Stirn in Falten. »Wie meinst du das? Ich spreche kein Chinesisch.«

»Eben!«, versetzte Amelie. »Der Junge hat sich aber die

Mühe gemacht, Deutsch zu lernen. Übrigens recht gut, finde ich.«

Fritz schien sie nicht zu verstehen, zog die Schultern hoch und ließ sie wieder fallen. »Er arbeitet für einen Mann, der mit uns Deutschen Geschäfte macht. Da empfiehlt es sich wohl, unsere Sprache zu lernen. Oder?«

»Ach wirklich? Warum hast du dann kein Chinesisch gelernt? Schließlich machst du auch mit den Chinesen Geschäfte, oder?« Bei diesen Worten ahmte sie den oberlehrerhaften Tonfall nach, in dem Fritz gesprochen hatte.

Der zog den linken Mundwinkel zu einem Grinsen hoch, das seinem Gesicht etwas Fratzenhaftes verlieh. »Das hiesige Klima ist dir wohl aufs Gemüt geschlagen, vielleicht auch aufs Gehirn. Wir sind Deutsche, Amelie, vergiss das nicht. Die Gelben haben sich nach uns zu richten, nicht wir uns nach ihnen. Das wäre ja noch schöner!«

Amelie wollte das Feld nicht so einfach räumen und setzte zu einer Erwiderung an, aber dazu kam es nicht, weil ihnen zwei Chinesen entgegentraten. Auf den ersten Blick erkannte sie, dass es Vater und Sohn waren.

Der Ältere war Anfang bis Mitte fünfzig und für einen Chinesen überdurchschnittlich groß, was durch seine gerade Körperhaltung zusätzlich betont wurde. Das Haar und der lang auf den Rücken fallende Zopf wurden von zahlreichen grauen Fäden durchzogen. Dieser Mann musste Liu Cheng sein.

Der Jüngere war Ende zwanzig, sehr schlank und groß, größer noch als sein Vater. Das Haar und der daraus geflochtene Zopf schimmerten tiefschwarz. Amelie fielen seine feingliedrigen Hände und sein Gesicht auf, das nicht herb wie das des Älteren wirkte, eher feingeistig, und das trotz der wach blickenden Augen etwas Verträumtes an sich hatte. Wäre er eine Frau gewesen, hätte man sein Gesicht hübsch nennen können.

Der ältere Chinese verneigte sich leicht vor den Besuchern und sagte: »Ich Liu Cheng. Sie willkommen in mein Haus. Mein Deutsch leider schlecht, aber Sohn Liu Tian spricht gut.«

Jetzt verneigte sich auch der Jüngere. »Mein Vater Liu Cheng hat mich gebeten, für ihn zu übersetzen. Er beherrscht Ihre Sprache leider nur bruchstückhaft, und bei wichtigen Geschäften sollte man sich auch in den Details verstehen. Ich darf Sie nochmals in seinem Namen willkommen heißen.«

Er sprach das Deutsche nicht nur vollkommen korrekt, sondern auch ohne den geringsten Anflug eines Akzents, was Amelie ein wenig verwunderte. Obwohl Vater sie und ihre Schwester ermahnt hatte, im Haus des chinesischen Kompradors Zurückhaltung zu üben, weil die Chinesen das Vorlaute nicht schätzten, schon gar nicht bei Frauen, platzte es aus ihr heraus: »Sie sprechen aber sehr gut Deutsch, Liu Tian, besser als so manche Deutsche.«

Diese Bemerkung trug ihr ermahnende Blicke von Vater und Fritz ein, aber Liu Tian lächelte und sagte: »Sobald ich meine Deutschlehrer einmal wiedersehe, werde ich Ihr freundliches Kompliment weiterreichen, Fräulein Kindler.«

Es war kein spöttisches Lächeln, sondern eins, das freundlich und offen wirkte. Was ihr ebenso gefiel wie seine dunkle Stimme, die aber nicht laut war. Sie hatte etwas Samtiges, Zurückhaltendes an sich.

Vater trat einen Schritt vor, bedankte sich für die freundliche Aufnahme durch Liu Cheng und seinen Sohn und fügte hinzu: »Ich habe Ihnen ein kleines Gastgeschenk mitgebracht und hoffe, es wird Ihren Gefallen finden.«

Ein kurzer Wink des Vaters, und Fritz überreichte dem jüngeren Chinesen das in Seidenpapier eingeschlagene Präsent. Der sprach kurz mit seinem Vater auf Chinesisch und wandte sich dann wieder an die deutschen Gäste. »Mein Vater bedankt sich für Ihre Freundlichkeit und bittet Sie um die Erlaubnis, das Geschenk gleich auszupacken, um es bewundern zu können. Er weiß, dass es in Deutschland, anders als in China, Sitte ist, ein Geschenk vor den Augen des Schenkers zu öffnen.«

»Ach, in China nicht?«, platzte es aus Amelie heraus.

Der jüngere Chinese sah sie überrascht an. »Nein, hierzulande wartet der Beschenkte mit dem Auspacken, bis er allein ist. So kann er seine Enttäuschung besser verbergen, falls ihm das Geschenk nicht gefällt. Mein Vater aber ist sich sicher, dass dieses Geschenk ihm gefallen wird, und möchte es daher gleich betrachten.«

»Nur zu«, sagte Vater lächelnd.

Während sein Sohn das Geschenk festhielt, schlug der Hausherr das Papier beiseite, faltete es sorgsam zusammen und legte es auf einen kleinen Beistelltisch. Erst dann betrachtete er in Ruhe das Ölgemälde, das den deutschen Kaiser im blauen Rock eines Großadmirals zeigte, goldbetresst, ordensgeschmückt und in stolzer Haltung.

»Ein Bild unseres großen Monarchen, Wilhelm II.«, erklärte Heinrich Kindler. »Seinem Wohlwollen, seiner Gnade und seinem Schutz haben die Menschen in Tsingtau es zu verdanken, dass alles hier so prächtig wächst und gedeiht.«

Liu Tian übersetzte das seinem Vater, hörte sich dessen Erwiderung an und sagte: »Mein Vater ist hochbeglückt über dieses wunderbare Geschenk und möchte es gleich zu den anderen bringen.«

»Zu den anderen?«, fragte Fritz leise, dem Vater zugewandt. »Was meint er damit?«

Liu Cheng wandte sich, das Gemälde in Händen, um und ging weiter ins Haus hinein.

»Wenn Sie uns bitte folgen möchten«, sagte Liu Tian und drehte sich ebenfalls um.

Die Kindlers folgten ihm und seinem Vater in einen durch mehrere Fenster erhellten Raum, in denen zahlreiche Bilder an den Wänden hingen oder, gegen die Wand gelehnt, auf dem Boden standen. Einige waren Gemälde, andere Lithografien oder Fotografien, aber eins war allen gemeinsam: Sie zeigten Wilhelm II. in für ihn typischer stolzer, ja herrischer Pose. Wilhelm II. als Admiral, als General mit Offiziersmütze oder mit Pickelhaube oder auch barhäuptig, in Gardeuniform und in Galauniform, als Totenkopfhusar mit Pelzmütze, als schwedischen Edelmann im Dreißigjährigen Krieg, als Ritter des Johanniterordens, als Jäger mit Gamsfeder am Hut, als Schotte im karierten Rock, als Burschenschaftler, als Großer Kurfürst, als Offizier Friedrichs des Großen, als Kavallerie-, Artillerie- und als Infanterieoffizier, mit seiner Gemahlin, mit seinen Kindern, mit der gesamten Familie und mit anderen Monarchen und hochgestellten Persönlichkeiten. Wenn man sich in dem Raum umsah, fand man sich einer ganzen Armee von Kaiser Wilhelms gegenüber.

Liu Cheng bückte sich, stellte das eben überreichte Bild an einen der wenigen noch freien Plätze, drehte sich zu seinen Besuchern um und hielt eine kurze Ansprache auf Chinesisch.

»Mein Vater bedankt sich noch einmal für dieses Gastgeschenk«, übersetzte Liu Tian. »Er ist hochbeglückt über dieses Gemälde des deutschen Monarchen, wie er es auch über die anderen Geschenke in diesem Raum gewesen ist. Ein Volk, das seinen Kaiser so verehrt wie das deutsche, das keine anderen Geschenke zu kennen scheint als Bilder desselben, muss ein sehr treues und ergebenes Volk sein.« Nach einer kurzen Pause fügte er hinzu: »Sagt mein Vater.«

Heinrich und Fritz Kindler hörten sich das mit versteinerten Mienen an, aber das unbeabsichtigte Zucken ihrer Gesichtsmuskeln verriet Amelie, dass beide mühsam um Fassung rangen. Sie selbst versuchte, ernst zu bleiben, aber je mehr sie sich bemühte, desto stärker wuchs ihre Erheiterung über die Szene, bis sie in ein lautes Lachen ausbrach. Sie musste regelrecht losprusten, was schließlich in einen Hustenanfall mündete. Helene knuffte sie mit dem Ellbogen in die Seite.

Wieder ergriff Liu Cheng das Wort, was die Situation rettete.

»Mein Vater bittet Sie nun, uns in den Salon zu folgen, um das Geschäftliche zu besprechen«, sagte der junge Chinese und folgte seinem Vater zur Tür. Neben Amelie blieb er unerwartet stehen und sagte leise zu ihr: »Sie verfügen über ein sehr heiteres Gemüt, Fräulein Kindler.«

»Hat Ihr Vater das gesagt?«, fragte sie, noch immer leicht hustend.

»Nein, das hat er nicht gesagt«, erwiderte er, bevor er weiterging, mit dem Anflug eines Lächelns, das ihr diesmal doch ein wenig spöttisch erschien.

Sie blickte ihm nach, war ihm aber nicht böse, nur neugierig, was Liu Cheng tatsächlich über ihren Lachkrampf gesagt haben mochte.

Der Salon war groß und reich an fremdartigen Verzierungen und Kunstwerken, ganz so, als sei er für Liu Cheng ein Schauraum seines breiten Angebots. Möglicherweise war es tatsächlich so. Amelie blieb in der Mitte des Raums stehen und sah sich staunend um. Was für ein Unterschied zu den kargen Hütten der armen Fischer, die sie nach dem Absturz mit Erich Schweigers Flugapparat kennengelernt hatte. Der Komprador musste ein wohlhabender Mann sein.

Ihre größte Bewunderung galt mehreren Gemälden ringsum an den Wänden, die so ganz anders waren als die pompösen Bilder Wilhelms II. in dem ›Kaiserzimmer‹, wie sie jenen Raum für sich selbst getauft hatte. Ob die Gemälde hier, vier an der Zahl, von der Hand desselben Künstlers stammten, konnte sie nicht mit Sicherheit sagen, aber sie vermutete es. Die Bilder waren alle mit Tuschfarben angefertigt und zeigten farbenprächtige Schmetterlinge: Ein Schmetterling, der auf einem sich im Wind biegenden Grashalm saß und doch so leicht war, dass er nicht hinunterfiel. Eine Schar Schmetterlinge, die in einen blauen Sommerhimmel hineinflogen und sich am Horizont verloren. Schmetterlinge, die in einem Blumengarten umherflatterten und deren Farben sich geradezu perfekt mit denen der Blumen ergänzten. Und schließlich das Bild, das sie am meisten beeindruckte: zwei Schmetterlinge, die einander umtanzten und sich dabei so nah waren, dass sie sich jeden Augenblick berühren konnten. Ja, genauso sah es aus, als wollten sie sich in der nächsten Sekunde küssen. Amelie kannte den Maler nicht, aber sie bewunderte ihn für seine Kunstfertigkeit.

»Diese Bilder sind wunderschön«, sagte Amelie andächtig, und dabei sprach sie sehr leise, mehr zu sich selbst als zu den anderen Personen im Salon.

Aber Liu Tian, der dicht bei ihr stand, hatte ihre Worte gehört und erwiderte: »Es freut mich sehr, dass die Bilder Ihnen gefallen.«

Er bat die Gäste im Namen seines Vaters, an dem Tisch Platz zu nehmen, und der Junge, der vorhin den Eingang gefegt hatte, offenbar der Hausboy, servierte ihnen Tee und Reisplätzchen. Rasch kam das Gespräch auf geschäftliche Dinge, und Amelie hörte kaum noch hin, obwohl sie sich vor dem Besuch das Gegenteil vorgenommen hatte, wollte sie doch eine wertvolle Mitarbeiterin für ihren Vater werden. Aber immer wieder musste sie sich die Wandgemälde – und besonders das mit den sich zum Kuss vereinenden Schmetterlingen – ansehen, gemalt in einer Art, als würden die Schmetterlinge mit dem nächsten Flügelschlag zum Leben erwachen und aus den Bildern herausfliegen. Von den Bildern in den Bann gezogen, achtete sie kaum auf die Unterhaltung und hörte die anderen nur wie von fern sprechen. Wenn die samtene Stimme von Liu Tian erklang, war das in Amelies Ohren die perfekte Untermalung beim Betrachten der Bilder.

6

In den folgenden Tagen probierten die Schwestern Kindler ihre Fähigkeiten als Mitarbeiterinnen von Kindler Import & Export aus und gaben sich alle Mühe, ihren Vater nicht zu enttäuschen. Immerhin hatte er sich Mutter gegenüber vehement dafür eingesetzt, dass sie in der Firma arbeiten durften. Außerdem hatte Vater ihnen eine feste Anstellung versprochen, falls sie sich gut machten – einschließlich des üblichen Honorars. Schnell zeigte sich, dass Helene mit ihrer scheuen Art für den Kundenverkehr im Ladengeschäft kaum geeignet war, aber in der Buchhaltung fühlte sie sich gut aufgehoben und zeigte sich auch sehr gelehrig. Amelie hingegen fühlte sich hinter der Verkaufstheke sehr wohl und verstand sich auch bald gut mit Herrn Tanaka, dem japanischen Chefverkäufer, der ihr nur anfangs etwas streng erschien.

Yukio Tanaka war ein schmaler, drahtiger Mittvierziger, der jeden Morgen überpünktlich im Laden erschien, gebürstet und gestriegelt. Nicht ein Stäubchen war auf seinem Anzug zu finden, Haar und Oberlippenbart waren stets sehr sorgfältig gestutzt. Wie aus dem Ei gepellt, als sei er auf Brautschau und nicht an seinem Arbeitsplatz. Rasch begriff Amelie, dass diese äußerliche Überkorrektheit des Japaners nur ein Spiegelbild seiner inneren Einstellung war. Im Umgang mit Kunden wie auch mit anderen Angestellten verhielt er sich zwar immer ein wenig distanziert, aber niemals unhöflich. Es war wohl seine Art, Fehler zu vermeiden und die an ihn gestellten Anforderungen zur vollsten Zufriedenheit seines Arbeitgebers zu erfüllen.

Dasselbe verlangte Tanaka auch von seinen Untergebenen, und da schien er unerbittlich zu sein. Anfangs quittierte er jede scherzhaft gemeinte Bemerkung Amelies mit einem strengen, fast schon bösen Blick, der mit einem deutlichen Stirnrunzeln einherging. Dass sie die Tochter von Heinrich Kindler war, schien ihn nicht im Geringsten zu stören. Nach ein paar Tagen aber, als sie sich eingearbeitet und die kleinen Anfängerfehler abgestellt hatte, bedachte er sie hin und wieder sogar mit dem Anflug eines Lächelns und den für ihn typischen Lobesworten, die er in einem seltsam abgehackten, sonst aber nahezu fehlerfreien Deutsch aussprach: »Das ist alles sehr korrekt, Fräulein Kindler.«

Korrektheit – ein größeres Lob konnte es aus seinem Mund wohl kaum geben. Anfangs war ihr Tanaka eher unangenehm gewesen, aber mit der Zeit begann sie, ihn zu mögen. Er legte an andere dieselben Maßstäbe an wie an sich selbst, und von sich selbst verlangte er alles, was er auch von anderen verlangte. Daran war nichts verkehrt, fand sie, im Gegenteil, das war alles ›sehr korrekt‹.

An jedem Tag, den sie länger hinter der Ladentheke stand, erschienen mehr Kunden, was ihr bald spanisch vorkam, aber eine Bemerkung von Herrn Tanaka brachte Licht ins Dunkel: »Sie sind eine junge Frau aus Deutschland, Fräulein Kindler, und die meisten Deutschen hier sind Männer ohne Frauen. Bei ihnen hat sich herumgesprochen, dass Sie hier sind, nicht zuletzt deshalb sind wiederum die Herren hier.«

Amelie musste angesichts dieser – wahrscheinlich richtigen – Erklärung unwillkürlich lachen und erwiderte: »Ich glaube, Herr Tanaka, das ist sehr korrekt.«

Bald hatte sie herausgefunden, welche Kunden weniger an den zu verkaufenden Waren interessiert waren als an der neuen Verkäuferin. Sie merkte es an den Blicken, die, glaubten sich die Herren unbeachtet, von den Regalen zu ihr glitten, und an der Unentschlossenheit jener Kunden, die nicht recht zu wissen schienen, weshalb sie überhaupt in den Laden gekommen waren. Denn den eigentlichen Grund, Amelie näher kennenzulernen, wagten sie nicht zu äußern.

Sie beschloss, das Geschäft etwas anzukurbeln, indem sie den Unentschlossenen die unmöglichsten Dinge vorschlug – und diese in den meisten Fällen auch an den Mann brachte. Einem jungen Leutnant des III. Seebataillons verkaufte sie einen Gemüsehobel aus Buchenholz mit zwei Gussstahlmessern. Einem nicht mehr ganz jungen Angestellten des Strandhotels eine Kinderzimmeruhr aus lackiertem Holz, die an der Vorderseite mit bunten Tieren bemalt war. Einem Zollbeamten, der gut und gern ihr Vater hätte sein können, eine teure Schermaschine für Pferde, Rinder und Schafe mit zwei verschiedenen Kämmen. Und einem Juwelier aus der Kronprinzenstraße, der ebenso wohlhabend wie schüchtern zu sein schien, eine Handharmonika in extra großer Ausführung, besonders geeignet für Tanzmusik.

Schließlich nahm Tanaka sie beiseite und sagte streng: »Glauben Sie wirklich, dass diese Herrschaften das benötigen, was Sie ihnen verkaufen? Nur zufriedene Kunden kommen auch wieder.«

»Ich denke, sie sind zufrieden«, entgegnete Amelie. »Nicht wegen dem, was sie kaufen, das ist wohl wahr, aber wegen der Person, die sie bedient hat.« Ein wenig kokett fügte sie hinzu: »Oder glauben Sie das nicht, Herr Tanaka?«

Der rollte mit den Augen, stieß einen Seufzer aus und sagte – was sonst gar nicht seine Art war – etwas auf Japanisch, das er nicht übersetzte.

In der Pause oder nach Ladenschluss traf sie sich meistens mit Helene und bummelte mit ihr durch die Prinz-Heinrich-Straße oder eine der angrenzenden Geschäftsstraßen. Oder sie spielte mit dem kleinen Chin Jie, einem Chinesenjungen von kaum vier Jahren, auf dem Innenhof Fußball. Der propere Junge war der Neffe des Hausmeisters Chin Li und der Sohn von dessen Schwester, die mit ihm auf dem Firmengelände lebte und ihm den Haushalt führte.

Amelie wusste nicht viel über die Frau, kannte nicht einmal ihren Namen, und sie wusste auch nichts über Jies Vater. Möglicherweise war er tot. Chin Lis Schwester war sehr zurückhaltend und zeigte sich draußen höchstens einmal zum Aufhängen der Wäsche. Dabei war sie eine ausgesprochen hübsche Frau, kam äußerlich also gar nicht nach ihrem offenkundig älteren Bruder. Anfänglich hatte Amelie den Eindruck, es sei der Frau nicht recht, dass sie mit dem Jungen spielte, aber dann schien sie sich daran gewöhnt zu haben. Darüber war Amelie sehr froh, denn der kleine, aufgeweckte Jie war ihr gleich ans Herz gewachsen.

Mit jedem Tag, der verging, gefiel es Amelie besser in Tsingtau, und Berlin schien ihr bald unendlich weit entfernt zu sein, wie die blasse Erinnerung an ein anderes Leben. Ihr fehlte der Trubel nicht, die großen Gesellschaften, die Theater- und Konzertbesuche, bei denen es häufig nicht um die Künstler oder die Aufführung ging, sondern darum, zu sehen und gesehen zu werden. Vor allem Mutter hatte sich immer besonders dafür interessiert, ob Geheimrat Müller mit seinem schneidigen Sohn, dem jungen Gardeleutnant, oder der kürzlich verwitwete Kommerzienrat Meier, »der sich doch so gut gehalten hat«, auch da sein würde.

Mutter schien sich im Gegensatz zu ihrer Tochter Amelie in Tsingtau einfach nicht eingewöhnen zu können – oder es schlichtweg nicht zu wollen. Das Klima war ihr an einem Tag »zu feucht« und am anderen »zu heiß«, das Angebot in den Geschäften »viel zu dürftig, nur gut, dass wir unseren eigenen Laden haben«, das kulturelle Leben war für sie »nicht vorhanden«, und mit dem chinesischen Personal stand sie auf ständigem Kriegsfuß, besonders mit dem Koch Fang De. »Also dieser Franz lässt sich einfach nichts sagen, da kann ich stundenlang auf ihn einreden, und am Ende macht er das genaue Gegenteil von dem, was ich möchte. Das ist Absicht, sage ich euch, pure Böswilligkeit. Er mag mich einfach nicht und will mich zum Narren halten.« Amelie hatte jedoch den Eindruck, dass Fang De, der es gewohnt war, in der Küche nach Gutdünken schalten und walten zu können, sich von Mutter viel mehr genarrt fühlte.

Und dann war da noch Helene, die mit jedem Tag stiller und zurückhaltender zu werden schien, was man eigentlich kaum für möglich halten mochte, hatte sie doch bisher schon nicht gerade vor Lebensfreude gesprüht. Aber Berlin mit seinen zahlreichen Zerstreuungsmöglichkeiten schien besser geeignet gewesen zu sein, einen Ausgleich zu ihrem stillen Charakter zu schaffen, als Tsingtau das konnte. Amelie tat ihre Schwester leid, und sie beschloss, ihr zu helfen, nur wusste sie noch nicht recht, wie sie das anstellen sollte.

Eine erste Gelegenheit schien sich zu bieten, als sie beide ihren ersten freien Tag hatten. Amelie wollte ihren Entschluss in die Tat umsetzen, ihrem Zimmer nach und nach einen chinesischen Anstrich zu verleihen, und sie überredete Helene, sie bei ihrem Bummel durch die einschlägigen Geschäfte zu begleiten. Die Sonne schien, aber es war nicht zu heiß, außer vielleicht für Mutter, und Amelie genoss den Gang durch Tsingtaus Einkaufsstraßen. Da sie selbst nicht so recht wusste, was genau sie für ihr Zimmer kaufen wollte, schaute sie sich anfangs nur um. Schon bald erkannte sie, dass sie im europäischen Teil der Stadt kaum finden würde, wonach sie suchte. Und wenn doch, dann zu sehr hohen Preisen. Daher schlug sie Helene vor, das Chinesenviertel aufzusuchen.

»Wir beide allein im Chinesenviertel?« Helene blickte zweifelnd drein. »Ich weiß nicht, ob das klug ist. Ist das nicht zu unsicher? Unseren Eltern wäre es bestimmt nicht recht, Mutter schon gar nicht.«

»Was ist der schon recht«, seufzte Amelie und straffte demonstrativ ihre Haltung. »Was mich betrifft, ich fühle mich in der Chinesenstadt ganz und gar nicht unsicher. Hast du dich etwa bedroht gefühlt, als wir im Haus von Liu Cheng waren?«

»Nein, aber da waren Vater und Fritz bei uns. Außerdem sind Liu Cheng und sein Sohn gebildete Leute, das kann man bestimmt nicht von allen Chinesen sagen.«

»Aber bestimmt auch nicht von allen Deutschen. Ich

kenne in Berlin mehr Ecken als in Tsingtau, wo ich mich nicht allein hintrauen würde.«

»Was wohl daran liegt, das wir von Tsingtau noch nicht so schrecklich viel kennen.«

»Das eben möchte ich ändern, und deshalb werde ich jetzt das chinesische Viertel aufsuchen«, erklärte Amelie und sah ihre Schwester auffordernd an. »Du wirst mich doch dabei nicht allein lassen?«

»Ist das jetzt eine Erpressung?«

»Ach nö, nur eine Frage.« Bei diesen Worten setzte Amelie ein verschwörerisches Lächeln auf.

Helene seufzte schwer. »Da bleibt mir wohl nichts anderes übrig, als dich zu begleiten, Schwesterherz. Wenn ich dich jetzt verlasse und allein nach Hause zurückkehre, muss ich mir bestimmt eine stundenlange Strafpredigt von Mutter anhören.«

»Siehst du, noch ein Argument für einen Bummel durch die Chinesenstadt.«

Amelie lachte, und Helene fiel darin ein. Sie hakten einander unter wie ein Ehepaar und gingen in Richtung Chinesenviertel.

Hier herrschte eine ganz andere Atmosphäre als im europäischen Teil Tsingtaus. Alles wirkte viel lebendiger, was daran lag, dass hier viele Geschäfte auf der Straße abgewickelt wurden. Die beiden jungen deutschen Frauen in ihren hellen Tropenkleidern und mit den kleinen Sonnenschirmen aus weicher Seide zogen zahlreiche neugierige Blicke auf sich, was besonders Helene anfangs unangenehm war. Offenbar gingen Europäerinnen hier ohne männliche Begleitung sonst nicht spazieren. Sie wollte schon umkehren, aber Amelie zog sie mit sich und flüsterte ihr zu: »Lass dir nichts anmerken, die werden sich schon an uns gewöhnen.«

»Die Frage ist eher, ob ich mich an die vielen Blicke gewöhne«, raunte Helene, setzte aber brav einen Fuß vor den anderen.

Amelie musste unvermittelt kichern.

»Was hast du?«, fragte Helene irritiert.

»So viele Männer interessieren sich für uns, da wäre Mutter aber höchst entzückt.«

»Ich glaube nicht, dass Mutter sich ihre Schwiegersöhne auch nur in ihren kühnsten Träumen mit schmalen Augen und langen Zöpfen vorstellt.«

»Na, ich weiß nicht, ob ich Mutters kühnste Träume unbedingt näher kennenlernen möchte.«

»Mutter unsere wohl auch nicht.«

»Oho.« Amelie sah ihre Schwester verwundert von der Seite an. »Was für kühne Träume hast du denn? Gibt es da etwas, von dem ich nichts ahne? Oder gar jemanden?«

Helene errötete, und Amelie glaubte, den Nagel auf den Kopf getroffen zu haben. Aber Helene schüttelte den Kopf und murmelte: »Das war nur so dahergesagt.«

Amelie hatte den Eindruck, dass ihre Schwester sie gerade anschwindelte, aber sie beschloss, sie vorerst nicht darauf anzusprechen. Zum einen kannte sie Helene gut genug, um zu wissen, dass sie sich nichts entlocken ließ, wenn sie einmal beschlossen hatte, etwas für sich zu behalten. Zum anderen nahm ein Geschäft auf der anderen Straßenseite Amelies Aufmerksamkeit in Anspruch. Dort waren unter einem Vordach ein paar Gemälde aufgehängt, die offenbar zum Verkauf standen. Es waren chinesische Gemälde, und eins davon erinnerte sie an die Bilder, die sie in

Liu Chengs Haus so fasziniert hatten. Auch dieses Bild zeigte einen Schmetterling. Er flog über einer tiefen Schlucht dahin und wirkte irgendwie einsam, verloren.

»Lass uns mal rübergehen«, sagte Amelie und zog Helene mit sich quer über die Hai-po-Straße, die im rechten Winkel von der großen Schantungstraße abging. »Das ist ja ein interessanter Laden.«

Vor dem Schmetterlingsbild blieb sie stehen und betrachtete es ebenso angeregt wie die ähnlichen Gemälde im Haus des Kompradors. Sie hätte schwören können, dass es vom selben Maler stammte. Auch dieses Bild besaß eine Ausstrahlung, eine Atmosphäre, die sie in den Bann zog. Der Schmetterling schien etwas in der Schlucht zu suchen, etwas, das er verloren hatte und das für ihn mit einer schmerzlichen Erinnerung verbunden war. Natürlich hätte man das Bild auch ganz anders interpretieren können, aber für Amelie stand fest, dass es genau so war, wie sie es empfand. Sie hätte es mit Worten nicht erklären können. Auch nicht, wie der Maler das hinbekommen hatte. Sie *wusste* einfach, dass es so war, und es berührte sie tief.

»Gefällt Ihnen das Bild, Fräulein Kindler?«

Diese Worte rissen sie aus ihrer Versunkenheit. Eine wohlklingende Männerstimme hatte sie ausgesprochen, und zwar in perfektem Deutsch. Folglich erwartete sie, als sie sich zu dem Sprecher umdrehte, jemanden aus ihrem kleinen deutschen Bekanntenkreis vor sich zu sehen. Aber vor ihr stand ein Chinese, Liu Tian, der Sohn des Kompradors. Er begrüßte die beiden Schwestern und erkundigte sich nach ihrer Begleitung.

»Begleitung?«, wiederholte Amelie. »Was meinen Sie, Herr Liu?«

»Sie werden wahrscheinlich mit Ihrem Vater hier sein. Ich würde ihn gern begrüßen. Oder hat Ihr Bruder Fritz Sie hergebracht?«

»Weder noch«, erklärte Amelie und fügte ein wenig spitz hinzu: »Wir sind ganz allein hier, stellen Sie sich das mal vor.«

Er hob abwehrend die Hände, lächelte dabei aber. »Ich wollte Sie ganz gewiss nicht beleidigen. Es ist nur so, dass sich die meisten Europäerinnen nicht ohne männliche Begleitung nach Tapautau wagen würden.«

»Das habe ich meiner Schwester auch gesagt«, seufzte Helene. »Aber sie hört ja nicht auf mich.«

»Und da haben Sie, Fräulein Helene, Ihre Schwester also selbstlos begleitet?«

»Sagen wir lieber, Amelie hat mich mitgeschleppt.« Mit einem Blick auf das Schmetterlingsbild ergänzte sie: »Immerhin scheint es sich für Amelie gelohnt zu haben.«

»Gelohnt?«, fragte der junge Chinese. »Wie darf ich das verstehen?«

Helene deutete auf das Gemälde. »Ich glaube, meine Schwester ist kurz davor, dieses Bild zu kaufen.«

Interessiert wandte sich Liu Tian an Amelie. »Ist das wahr?«

»Ja, es gefällt mir sehr. Ich möchte mein Zimmer gern ein wenig landestypisch einrichten. Als wir bei Ihnen und Ihrem Vater zu Gast waren, habe ich schon die Schmetterlingsgemälde bewundert. Ganz besonders gefallen hat mir das mit den beiden Schmetterlingen, die sich im nächsten Augenblick zu küssen scheinen. Dieses hier erinnert mich an die anderen Bilder. Wissen Sie, ob sie vom selben Künstler stammen?« Amelie stutzte kurz und fuhr dann fort:

»Oder haben Sie Ihre Bilder gar auch hier gekauft? Sind Sie deshalb hier?«

Zu Amelies Überraschung begann Liu Tian leise zu lachen, aber er hatte sich bald wieder in der Gewalt. »Verzeihen Sie, das war ungehörig. Aber Ihre Frage hat mich derart erheitert, Fräulein Amelie.«

»Das verstehe ich nicht.«

»Ich würde es Ihnen gern erklären, aber ich bin sehr in Eile. Mein Vater erwartet mich in seinem Kontor. Bevor ich mich verabschiede, habe ich eine Bitte: Kaufen Sie dieses Bild nicht.«

»Nicht? Warum nicht? Möchten Sie es kaufen?«

»Nein, aber ich habe ein Schmetterlingsbild für Sie, das Ihnen noch viel besser gefallen wird. Könnte ich es Ihnen am Nachmittag vorbeibringen? Würde Ihnen das passen, oder wäre es zu aufdringlich?«

»Nein, es wäre nicht aufdringlich«, antwortete Amelie zögernd. Die Wendung, die ihre Unterhaltung genommen hatte, verwirrte sie etwas. »Aber ich weiß gar nicht, ob ich mir das Bild, das Sie mir bringen wollen, überhaupt leisten kann.«

»Das werden Sie, Fräulein Amelie, das werden Sie. Und wenn es Ihnen nicht gefällt, müssen Sie es auch nicht nehmen. Dann also bis heute Nachmittag.«

Er nickte ihnen kurz zu und verschwand mit schnellen Schritten in Richtung Schantungstraße.

»Huch«, sagte Helene und sah ihm ebenso nach wie Amelie. »Der hat's aber eilig. Ein fliegender Gemäldehändler sozusagen. Da hat er sich doch glatt selbst bei uns eingeladen. Das Ganze erscheint mir etwas ungewöhnlich. Dir nicht auch, Schwesterherz?«

»Ungewöhnlich? Ja schon.« Amelie beobachtete, wie Liu Tian in die Schantungstraße einbog, womit er aus ihrem Blickfeld verschwand. »Aber nicht unangenehm, oder?«

»Na, ich bin schon gespannt, was Mutter dazu sagt, wenn er bei uns aufkreuzt.«

»Die soll sich nicht so haben. Das festigt doch sicher unsere Geschäftsbeziehungen zu Liu Tian und seinem Vater.«

Mutter hatte allerdings ganz andere Sorgen, als sie heimkehrten – gerade noch rechtzeitig zum Mittagessen, wie Amelie und Helene dachten. Aber das Essen stand noch nicht auf dem Tisch, nicht einmal auf dem Herd, und weder der Koch noch die beiden anderen Dienstboten waren zu sehen. Mutter höchstpersönlich öffnete ihnen mit hochrotem Kopf die Tür, unfähig, mehr als ein paar abgehackte Wörter über die Lippen zu bringen. »Franz« hörten sie heraus, »Nichtsnutz«, »Betrüger« und »unverschämt«. Jedes dieser Wörter schien Mutter nur noch mehr zu erregen, und sie schnappte hastig nach Luft, was aussah wie ein japsender Fisch auf dem Trockenen.

Amelie und Helene machten sich ernstlich Sorgen um Mutter und führten sie zu einem Sessel im Salon, in den sie sich erschöpft fallen ließ. Amelie sah sich um und fand auf einer Anrichte einen mit chinesischen Schriftzeichen verzierten Fächer, den sie Mutter brachte. Aber auch die gesteigerte Luftzufuhr wollte es nicht vollbringen, Mutter ganze Sätze sprechen zu lassen. Sie musste sich wirklich sehr über Fang De aufgeregt haben.

»Wir müssen unbedingt herausfinden, was los ist«, sagte Amelie zu ihrer Schwester. »Bleib du hier und kümmere dich um Mutter. Wenn es ihr nicht bald besser geht, ruf einen Arzt an. Ich schaue mal nach den Dienstboten. Irgendwo müssen sie doch stecken.«

Ihr erster Weg führte Amelie zu dem Anbau, in dem die Bediensteten wohnten. Aber dort war niemand, und das ganze Gebäude wirkte seltsam leer. Sie war noch nie hier drinnen gewesen, aber es kam ihr doch ungewöhnlich vor, dass sie so gut wie keine persönlichen Einrichtungsgegenstände sah, keine Kleider, nichts, was auf die Bewohner schließen ließ.

Als sie den Anbau verließ, nahm sie aus den Augenwinkeln eine Bewegung im Garten wahr. Sie sah näher hin und bemerkte ein dunkles Blau, das zwischen den Kiefern hindurchschimmerte.

»Wer immer sich da versteckt, Sie können ruhig herauskommen«, rief Amelie. »Ich habe Sie gesehen.«

Die Kiefernzweige teilten sich, und zögernd trat eine schmale Gestalt ins Freie, blieb nach wenigen Schritten stehen und sah unschlüssig zu ihr herüber.

»Jen Schi!«, stieß sie überrascht den Namen des Hausboys aus. »Warum versteckst du dich vor mir? Und wo sind die beiden anderen, Fang De und Lu Wei?«

Der Boy sah sie aus großen Augen an, als habe er sie nicht verstanden. Da er sehr gut Deutsch sprach, konnte das eigentlich nicht sein, gleichwohl wiederholte sie ihre Fragen. Seine Erstarrung fiel von ihm ab, und er trat mit langsamen, vorsichtigen Schritten näher, bis er nur noch fünf Meter von ihr entfernt war.

»Sind Sie böse?«, wollte er mit schüchterner Stimme wissen.

»Ich? Warum?«

»Weil … weil wir weggegangen sind.«

»Wer ist weggegangen?«

»Fang De, Lu Wei und ich.«

»Ihr habt uns also tatsächlich verlassen.« Es war mehr eine Feststellung Amelies als eine Frage, aber Jen Schi nickte. »Weshalb habt ihr das getan?«

»Fang De hat es befohlen. Er sagt, die Herrin ist keine gute Herrin. Sie misshandelt ihre Diener.«

»*Misshandelt*? Hat er das wirklich gesagt?«

Jen Schi überlegte und schüttelte dann den Kopf. »Nein, nicht misshandelt. Ich habe mich vertan. Er sagt, die Herrin missachtet uns.«

Amelie ging auf ihn zu, vorsichtig, um den offenbar aufgewühlten Boy nicht zu verschrecken. »Ich weiß, dass meine Mutter ständig Streit mit Fang De hatte. Aber mussten du und Lu Wei deshalb auch gehen?«

»Wir haben nur getan, was Fang De uns gesagt hat.«

»Warum denn, Jen Schi? Ich verstehe das nicht.«

»Fang De ist der Koch. Er hat Lu Wei und mich in dieses Haus mitgenommen, und wir gehen auch mit ihm in ein anderes Haus.«

»Habt ihr denn schon eine neue Herrschaft gefunden?«

»Nein, noch nicht, aber Fang De sucht nach einer.«

»Und was tust du hier im Garten?«

»Lu Wei hat mich geschickt, weil er sein bestes Paar Schuhe vergessen hat.«

»Du kannst die Schuhe natürlich holen, aber vorher möchte ich dir sagen, dass ich sehr enttäuscht von dir bin.«

Der Boy sah sie überrascht an. »Von mir, Fräulein Amelie? Warum? Was habe ich Ihnen getan?«

»Es geht darum, was du nicht getan hast. Du hättest mit mir sprechen sollen, bevor du heimlich das Haus verlässt.«

»Aber Fang De hat mit der Herrin gesprochen.«

»Das ist nicht dasselbe. Kannst du nicht für dich selbst sprechen?«

Er sah Amelie traurig an. »Fang De ist der Koch. Er befiehlt, und der Kuli und der Boy gehorchen. So ist es Brauch.«

»Ich verstehe«, murmelte Amelie, wenn ihr auch dieser Brauch ganz und gar nicht gefiel. »Aber was ist überhaupt vorgefallen?

»Die Herrin hat Fang De einen Dieb genannt, einen Betrüger.«

Das deckte sich mit dem wenigen, was Mutter vorhin mühsam über ihre bebenden Lippen gebracht hatte. Aber Amelie tappte noch immer im Dunkeln und fragte daher: »Welchen Grund hatte meine Mutter, das zu tun?«

Der Boy sagte als Antwort nur ein einziges Wort, aber sie verstand es nicht. Es klang wie »quietsch«. Auf ihre Aufforderung hin wiederholte er das Wort, doch sie verstand es noch immer nicht.

»Was ist das, wovon du sprichst, Jen Schi? Erklär es mir bitte.«

»Es ist das Geld, das der Koch verdient hat.«

»Der Lohn, den er von meinem Vater bekommt?«

»Nein, das Geld, das er von der Herrin bekommt.«

»Von ihr bekommt er das Geld für die Lebensmitteleinkäufe.«

Jen Schi nickte eifrig.

»Aber davon bezahlt er die Einkäufe«, sagte Amelie verständnislos. »Es ist nicht sein Verdienst.«

»Ein Teil davon doch. Das ist sein …« Wieder sprach er das Wort aus, das sie einfach nicht verstand.

»Er hat einen Teil des Einkaufsgeldes für sich behalten? Aber dann ist Fang De wirklich ein Dieb oder ein Betrüger.«

»Nein, nein. Er hat nur sein« – wieder das unverständliche Wort – »behalten.«

Amelie atmete tief durch. »Ich glaube, wir beide reden irgendwie aneinander vorbei, Jen Schi. Kann das sein?«

Er verstand die deutsche Redewendung nicht und entgegnete: »Nein, Fräulein Amelie, ich spreche zu Ihnen, nicht an Ihnen vorbei.«

»Da haben wir es«, seufzte sie. Im selben Augenblick hörte sie das inzwischen vertraute Läuten der Türglocke. »Ich muss nachsehen, wer das ist. Vielleicht hat Helene einen Arzt angerufen. Mutter geht es nämlich gar nicht gut. Willst du hier auf mich warten, bis ich wiederkomme?«

»Ich werde auf Sie warten, Fräulein Amelie«, versprach der junge Chinese.

Amelie lief durch den Hintereingang ins Haus und beeilte sich, zur Haustür zu kommen. Helene hatte bereits geöffnet, und im Eingang stand ein ungewöhnlich hochgewachsener Chinese mit einem in blaues Papier eingeschlagenen Paket unter dem Arm – Liu Tian.

»Ich konnte schon etwas eher kommen und hoffe, es ist nicht ungelegen«, sagte er mit einem entschuldigenden Lächeln und wandte sich an Amelie. »Ich bringe Ihnen das versprochene Bild.«

»Liu Tian, Sie schickt der Himmel!«, entfuhr es Amelie. »Das ist sehr nett von Ihnen, aber Sie haben sich das Bild doch noch gar nicht angesehen.«

Er wollte es auspacken, aber Amelie sagte: »Später, Herr Liu, später. Wir brauchen dringend Ihre Hilfe.« Sie sah ihre Schwester an. »Wie geht es Mutter?«

»Ein wenig besser, aber sie ist immer noch sehr erregt.«

»Meinst du, dass wir einen Arzt brauchen?«

»Nein, wohl nicht«, sagte Helene.

»Das wird Mutter auch lieber sein. So vermeiden wir unnötiges Aufsehen.«

»Ist etwas Schlimmes vorgefallen?«, erkundigte sich Liu Tian leicht verwirrt.

»Offenbar, aber so ganz haben wir noch nicht herausgefunden, was. Sie können uns da vielleicht helfen.« Amelie berichtete in knappen Worten, was sie wusste, und schloss: »Könnten Sie einmal mit Jen Schi sprechen, Herr Liu?«

»Gern. Vielleicht ist es am besten, ich rede mit ihm unter vier Augen.«

»Einverstanden«, sagte Amelie und wies ihm den Weg in den Garten.

Durch ein Fenster beobachteten die beiden Schwestern, wie ihr Besucher mit dem Hausboy sprach. Es dauerte nicht lange, und der Sohn des Kompradors kehrte ins Haus zurück.

»Mir ist die Angelegenheit jetzt klar«, erklärte er. »Es geht um das …« Er sagte wieder dieses Wort, das Amelie nicht verstand.

»Es tut mir leid, aber ich verstehe nur quietsch«, sagte sie.

Liu Tian lächelte, und es sah aus, als müsse er sich dabei ein Lachen verkneifen. »Haben Sie etwas zu schreiben für mich?«

Amelie holte einen Block und einen Bleistift, und er schrieb ein Wort aufs Papier: *Squeeze*.

»Das ist Englisch«, sagte Helene, und Amelie nickte. »Das heißt so viel wie drücken, ausquetschen, nicht wahr?«

»Stimmt«, pflichtete Liu Tian ihr bei. »In China hat es sich als Bezeichnung für das Aufgeld des Kochs eingebürgert.«

»Was für ein Aufgeld?«, fragte Amelie.

»Wenn ein chinesischer Koch einkaufen geht, kann er immer einen niedrigeren Preis herausschlagen, als ein Europäer bezahlen müsste. Die Differenz oder einen Teil davon behält er, das ist sein Squeeze.«

»Ein hübscher Nebenverdienst«, fand Amelie.

»Das ist hier durchaus üblich. Außerdem ist der Koch häufig auch, wie im Fall von Fang De, der Vorstand des Personals. Er kauft von dem Squeeze Geschenke oder Leckereien für alle Dienstboten. Fang De hat das auch getan, hat mir Jen Schi erzählt. Ich nehme an, Ihre Frau Mutter hat herausgefunden, dass Fang De auf dem Markt weniger bezahlt hat, als sie ihm gegeben hat, aber sie kennt den Brauch mit dem Squeeze wohl nicht.«

»Ganz bestimmt nicht«, meinte Amelie. »Aber was machen wir jetzt?«

»Jen Schi hat mir erzählt, wo Fang De und Lu Wei sich aufhalten. Ich könnte versuchen, sie zurückzuholen.«

Amelie strahlte den Chinesen hoffnungsvoll an. »Wirklich? Das könnten Sie?«

»Ich hoffe es. Allerdings müsste sich Ihre Frau Mutter bereitfinden, sich bei Fang De zu entschuldigen. Das ist wichtig, auch gegenüber den anderen Dienstboten.«

»Wegen des Gesichtsverlustes, nicht wahr?«, fragte Amelie.

Liu Tian wirkte überrascht. »In der Tat. Ich sehe, Sie haben sich mit den hiesigen Gepflogenheiten befasst, Fräulein Amelie.«

»Leider nicht genug, sonst hätte ich vorhin nicht nur quietsch verstanden.«

»Machen Sie sich deshalb keine Vorwürfe. Das Leben ist bunt und vielfältig, und irgendwann verstehen wir alle mal quietsch.«

Liu Tian ließ das eingepackte Bild in der Eingangshalle stehen, holte Jen Schi aus dem Garten und zwängte sich mit dem Hausboy in die Rikscha, die den Sohn des Kompradors hergebracht hatte. Eigentlich war sie nur für einen Fahrgast ausgelegt, aber sowohl Liu Tian als auch Jen Schi waren sehr schlank, sodass es gerade eben passte.

Amelie sah der Rikscha nach, bis sie auf der Straße verschwunden war, schloss die Haustür und sagte zu Helene: »Dann mal los, Schwesterherz, wir müssen Mutter eine Entschuldigung für Fang De abringen.«

»O weh, das wird nicht leicht.«

»Wir müssen es Mutter eben vernünftig erklären.«

»Mutter? Vernünftig?« Helene legte die Stirn in Falten. »Ich fürchte, Mutter versteht auch nur quietsch.«

7

»Quietsch?«, fragte Vater, als er und Fritz ungefähr eine Stunde später unerwartet nach Hause kamen und Amelie ihnen zu erklären versuchte, was sich ereignet hatte.

»Nicht quietsch, Squeeze!«, sagte Amelie und wollte Vater erläutern, um was es sich dabei handelte.

»Ach, Squeeze, sag das doch gleich, Amelie.«

»Habe ich doch«, erwiderte sie ein wenig empört. »Sag bloß, du weißt, was das ist!«

»Selbstverständlich. Ich lebe lange genug in Tsingtau, um mit den hiesigen Gebräuchen vertraut zu sein. Je größer das Squeeze, desto höher das Ansehen eines Kochs.«

»Das hättest du Mama ruhig mal sagen können, dann hättest du uns allen eine Menge Aufregung erspart.«

Fritz begann, über das ganze Gesicht zu grinsen. »Jetzt verstehe ich allmählich. Mutter hat dem Koch Vorwürfe wegen des Squeeze gemacht, und darüber gab es solchen Streit, dass Fang De verduftet ist. Deshalb also hat sie uns angerufen.«

»Mama hat euch angerufen?«, fragte Amelie nach.

»Ja, aber es war kaum ein vernünftiges Wort aus ihr herauszubekommen«, antwortete Vater. »Fritz und ich waren in einer wichtigen Besprechung mit dem Hafenmeister und sind hergekommen, so schnell es uns möglich war. Wo steckt eigentlich der Koch jetzt?«

Amelie zuckte mit den Schultern. »Irgendwo in Tapautau vermutlich. Liu Tian ist mit Jen Schi unterwegs, um ihn zurückzuholen.«

»Liu Tian?«, wiederholte Vater. »Was hat der denn mit der ganzen Sache zu tun?«

Amelie erklärte es ihm.

»Da können wir nur hoffen, dass Liu Tian mit seiner selbstgewählten Mission erfolgreich ist«, meinte Vater und richtete einen strengen Blick auf Amelie. »Was dich und Helene betrifft, ihr zwei geht mir nicht noch einmal ohne Begleitung in die Chinesenstadt!«

Liu Tian war tatsächlich erfolgreich. Nach einer weiteren Stunde fuhren gleich mehrere Rikschas vors Haus, darin der Sohn des Kompradors, die drei entlaufenen Dienstboten sowie deren Sack und Pack. Vater schickte Fritz hinaus, um die Rikschakulis zu entlohnen. Er selbst ging auf Liu Tian zu, bedankte sich überschwänglich bei ihm und lud ihn zum Abendessen ein.

Mit einem Blick auf Fang De fügte er hinzu: »Das heißt, falls unser Koch gewillt ist, wieder für uns zu arbeiten.«

»Wäre er das nicht, dann wäre er nicht mitgekommen«, sagte Liu Tian. »Allerdings gibt es da ein kleines Problem.«

Vater nickte schwer. »Ich ahne, was Sie sagen wollen, Herr Liu. Fang De erwartet eine Entschuldigung, richtig?«

»Richtig. Und zwar von Ihrer Frau Gemahlin persönlich.«

»Wirklich?«, ächzte Vater. »Genügt es nicht, wenn ich das übernehme?«

»Ich fürchte, nicht.«

»Dann muss ich meine Frau wohl oder übel holen.«

»Da ist noch etwas, Herr Kindler.«

»Noch etwas?«

»Soweit ich verstanden habe, hat Ihre Frau die Vorwürfe, Fang De sei ein Gauner, Betrüger und was noch alles, im Beisein des Kulis und des Boys erhoben. Fang De ist daher der Meinung, sie müsse auch ihre Entschuldigung im Beisein des vollständigen Personals aussprechen. Wegen des erlittenen Gesichtsverlustes, falls Sie verstehen.«

Fritz ließ ein krähendes Lachen hören. »Ihr Chinesen seid wirklich komisch. So oft, wie ihr das Gesicht zu verlieren glaubt, solltet ihr am besten immer einen Topf Leim mit euch herumschleppen.« Aber außer ihm lachte niemand.

Liu Tian tat, als habe er Fritz nicht gehört, und fuhr ungerührt fort: »Eine letzte Frage gibt es noch zu klären, und die betrifft das Extra-Squeeze.«

»Ein Extra-Squeeze?« Vater blickte skeptisch drein. »Für wen?«

»Für Fang De. Als Entschädigung für die Aufregung und die Unkosten.«

»Welche Unkosten?«

»Der kleine Ausflug nach Tapautau musste doch von etwas bezahlt werden.«

»Aber das war die ureigenste Entscheidung Fang Des und der beiden anderen. Außerdem hat es auch hier im Haus einige Aufregung gegeben, das können Sie mir glauben.«

»Da tue ich ja, aber darauf kommt es nicht an.« Liu Tian sah Vater durchdringend an und fuhr mit leiser, aber umso bestimmterer Stimme fort: »Fang De hat etwas andere Vorstellungen von Gerechtigkeit als Sie, Herr Kindler. Sie werden sich entscheiden müssen, ob Sie auf dem beharren wollen, was Sie für Ihr gutes Recht halten mögen, oder ob Sie Ihren Koch und die übrigen Dienstboten zurückhaben möchten.«

Fritz warf Fang De einen bösen Blick zu. Dieser saß mit verschränkten Armen in seiner Rikscha und tat, als ginge ihn das alles nichts an.

Amelies Bruder sagte: »Vater, du wirst doch nicht klein beigeben vor einem Chin...«

Vater brachte ihn mit einer barschen Handbewegung zum Schweigen und sagte: »Sie haben vollkommen recht, Herr Liu, falscher Stolz ist hier fehl am Platz. Sagen Sie Fang De, er wird seine Genugtuung bekommen.«

»Ihre Frau Gemahlin wird sich also bei ihm entschuldigen?«

»Das wird sie, verlassen Sie sich darauf«, knurrte Vater. »Ich werde meine Frau holen. Sind Sie so nett und bereiten Fang De auf das Gespräch vor?«

»Selbstverständlich«, sagte Liu Tian und ging zu der Rikscha, wo er ein paar chinesische Sätze mit dem Koch wechselte.

Der stieg mit steifen Bewegungen aus und blieb, die Arme weiterhin verschränkt, in abwartender Haltung stehen. Sein Vollmondgesicht war starr wie eine Maske.

Aus dem Haus klangen Stimmen nach draußen. Laute, abgehackte Satzfetzen. Amelie musste sie nicht verstehen, um zu wissen, dass Vater und Mutter heftig miteinander stritten. Schließlich verklangen die Stimmen, und die beiden traten vor die Tür. Mutter hatte ein verkniffenes Gesicht aufgesetzt, und hektische rote Flecke tanzten auf ihren Wangen.

Sie blieb vor Fang De stehen, räusperte sich zwei-, dreimal und sagte endlich: »Franz, äh, Fang De, was geschehen ist, tut mir leid. Du hast dir nichts zuschulden kommen lassen, sondern bist ein Mann von großer Ehre. Es war falsch von mir, dich als Dieb und Lügner zu bezeichnen.«

Amelie merkte ihrer Mutter an, dass sie sich zu jeder Silbe überwinden musste. Es wirkte, als müsse sie die Worte geradezu herauswürgen. Offenbar war sie noch nicht fertig mit ihrem Gang nach Canossa, denn Amelie bemerkte, wie Vater ihr einen kleinen Ellbogenstoß versetzte.

Mutter streckte die rechte Hand aus. »Das ist für dich, Fang De, ein Extra-Squeeze als Entschädigung für die erlittene Schmach.«

Der Koch hielt die Hand auf, und ein paar Silberdollars fielen hinein. Nachdem Liu Tian ihm Mutters Worte übersetzt hatte, sagte Fang De etwas auf Chinesisch, und Liu Tian erklärte: »Fang De akzeptiert die Entschuldigung und ist bereit, in den Dienst zurückzukehren. Voraussetzung dafür ist allerdings, dass er nicht wieder als Gauner beschimpft wird.«

»Selbstverständlich nicht«, beeilte sich Vater zu sagen.

»Außerdem verlangt Fang De, dass sich fortan niemand in seine Angelegenheiten mischt.«

»In seine Angelegenheiten?«, fragte Vater. »Was meint er damit?«

»Die Küche.«

Bei diesen Worten schnappte Mutter nach Luft, aber ein strenger Blick ihres Mannes sorgte dafür, dass sich ihre Aufregung in Grenzen hielt.

»Auch dessen darf er gewiss sein«, erklärte Vater.

Liu Tian, den Amelie die ganze Zeit über, fasziniert von

seiner souveränen Art, beobachtete, wechselte erneut ein paar Worte mit dem Koch und sagte dann: »Fang De freut sich, wieder für Sie zu arbeiten, und er verspricht Ihnen für heute Abend ein besonders aufwendiges Essen.«

»Zu dem Sie, wie ich bereits erwähnte, herzlich eingeladen sind, werter Liu Tian«, sagte Vater lächelnd. »Meine Frau und ich sind Ihnen zu großem Dank verpflichtet.« Auffordernd sah er Mutter an. »Nicht wahr, Hedwig?«

»Das sind wir, das sind wir.« Mutter rang sich ein gequältes Lächeln ab. »Aber auf meine Gesellschaft darf heute Abend niemand rechnen. Die heutigen Aufregungen waren zu viel für mich. Ich merke schon, wie meine Migräne heraufzieht.«

Fritz ergriff stützend ihren Arm. »Ich werde dich ins Haus bringen, Mama.« Nach einem letzten, vorwurfsvollen Blick auf Fang De ging er mit Mutter hinein.

Vater ergriff das Wort: »Die Mädels wollen sich nach all der Aufregung bestimmt etwas zurückziehen und frischmachen. Leisten Sie mir in der Zwischenzeit bei einer guten Zigarre oder Zigarette Gesellschaft, Herr Liu? Sicher können wir dabei auch das eine oder andere Wort über unsere Geschäfte wechseln.«

»Sehr gern.« Er nickte Amelie und Helene zu. »Wir sehen uns später, hoffe ich.«

Die Schwestern gingen ins Haus und erklommen die Treppe zu ihren Zimmern. Oben angekommen, blieb Amelie abrupt stehen.

»Was hast du?«, fragte Helene.

»Jetzt haben wir ganz vergessen, uns das Bild anzusehen, das Liu Tian mitgebracht hat. Es steht noch in der Eingangshalle.«

»Dazu ist nach dem Essen noch Zeit genug.« Helene legte eine kurze Pause ein, schien zu überlegen, und sagte: »Du scheinst dich ja von deinem chinesischen Freund kaum trennen zu können, Amelie.«

»Wieso von *meinem* chinesischen Freund? Ich bin mit ihm nicht näher bekannt als du oder Vater oder Fritz.«

»Aber du wärst es gern, stimmt's? Ich habe wohl bemerkt, wie du ihn ansiehst.«

»Er ist ein interessanter Mann, findest du nicht?«

»Wir sprechen gerade darüber, was *du* findest. Ich hatte eigentlich den Eindruck, du schwärmst für Erich Schweiger.«

»Schwärmen! Wie das schon klingt. Wir sind doch keine kleinen Kinder mehr. Also wirklich, Helene, was du dir alles so ausmalst ...«

Mit diesen Worten ging Amelie in ihr Zimmer. Als sie die Tür hinter sich geschlossen hatte, lehnte sie sich mit dem Rücken dagegen und atmete tief durch. Sie musste sich eingestehen, dass Helene nicht so völlig falschlag. Sie war verwirrt und hätte nicht sagen können, wer sie mehr beeindruckt hatte, Erich oder Tian. Beide schienen Männer zu sein, die wussten, was sie wollten, dabei aber nicht lautstark waren, sondern eine Art vornehme Zurückhaltung zeigten. Das war es wohl, was ihr an beiden gefiel.

Sie stieß einen leisen Seufzer aus. War es nicht vollkommener Unsinn, über so etwas auch nur nachzudenken? Schließlich kannte sie beide Männer kaum. Ja, natürlich war es Unsinn – und doch, sie konnte nicht anders.

Amelie hatte sich auf das Abendessen gefreut, um mehr über Liu Tian zu erfahren, aber sie wurde enttäuscht. Vater und Fritz dominierten das Tischgespräch, das sich um Importe und Exporte drehte, um Preise und Zölle, um das Entwicklungspotenzial von Tsingtau als Handelsstadt und um die Rohstoffvorkommen im Umland, ihre Abbaumöglichkeiten und etwaige Transportprobleme.

Sie gähnte mehrmals und beneidete fast Mutter, die der Tafel tatsächlich ferngeblieben war. Nicht einen Augenblick glaubte Amelie, dass sie wirklich von einer Migräne geplagt wurde. Mutter hatte einfach genug von diesem für sie ebenso aufregenden wie desaströsen Tag. Einen Trost für Amelie stellte das hervorragende Mahl dar, bei dem Fang De sich alle Mühe gegeben hatte, die erlernte deutsche Küche mit einheimischen Speisen und Essgewohnheiten zu kombinieren. Helene beteiligte sich an der Unterhaltung stärker als Amelie, was sehr ungewöhnlich war.

So kam es, dass Liu Tian nach dem Dessert, einer Crème brulée, fragte: »Ist Ihnen nicht wohl, Fräulein Amelie? Sie sind heute Abend so schweigsam.«

»Wohl wahr«, sagte Fritz. »Es fällt richtig auf, dass sie mal ruhig ist. Mutter hat dich doch nicht mit ihrer Migräne angesteckt, Amelie?«

»Migräne ist nicht ansteckend«, erwiderte sie kühl, bevor sie sich, jetzt mit einem Lächeln, an den Chinesen wandte. »Ich befürchte, dass wir Sie verärgert haben, Herr Liu.«

»Verärgert, mich? Wie kommen Sie darauf?«

»Unseretwegen haben Sie Ihren ganzen Nachmittag geopfert. Sie haben sicher Besseres zu tun, als sich um unsere Personalprobleme zu kümmern. Sie sind so freundlich zu uns gewesen, und wir danken es Ihnen mit Missachtung.«

»Mit Missachtung?« Der Chinese wirkte zutiefst verblüfft. »Ich bin von Ihrer Familie zu einem hervorragenden Essen eingeladen worden, allein das ist Dank genug für meine unwesentlichen Bemühungen. Außerdem werde ich mit Ihrer reizenden Gesellschaft und der Ihrer Schwester belohnt. Wie könnte ich mich da missachtet fühlen?«

»Sie sind vorbeigekommen, um uns ein Bild zu bringen, und wir haben es nicht einmal ausgepackt, geschweige denn betrachtet. Liegt darin keine Missachtung?«

»Nicht unter den gegebenen Umständen, Fräulein Amelie. Aber wenn Sie erlauben, werde ich das Bild gleich holen.«

»Ich würde mich sehr freuen.«

»Das kann doch auch der Boy ...«, begann Vater einen Satz, den er nicht zu Ende sprach.

Liu Tian war schon aufgestanden und ging mit langen Schritten zur Eingangshalle. Er kehrte mit seinem Paket unter dem Arm zurück, das er ohne weitere Umschweife auspackte. Er hielt das Gemälde so, dass alle es sehen konnten, aber sein Blick ruhte dabei auf Amelie.

»Ich hoffe, es gefällt Ihnen. Als Sie im Haus meines Vaters waren, schienen Sie besonderen Gefallen daran zu finden, und Sie erwähnten das Bild auch bei unserer Begegnung heute Vormittag.«

Für einen Augenblick stockte Amelie der Atem, und ihr wurde heiß. Es war tatsächlich das Gemälde, das sie bereits im Haus des Kompradors fasziniert hatte. Das Bild mit den beiden Schmetterlingen, die einander umschwebten, umtanzten, leidenschaftlich und zärtlich zugleich, die nur durch einen winzigen Hauch voneinander getrennt waren und so aussahen, als wollten sie sich im nächsten Augenblick zu einem innigen, immerwährenden Kuss vereinen. Amelie konnte sich selbst nicht erklären, warum ausgerechnet dieses Bild sie so stark berührte, beinah so, als habe es etwas mit ihr selbst zu tun, mit ihrem Leben.

»Das Bild ist wunderschön«, sagte sie stockend. »Finden Sie nicht auch, Herr Liu?«

»Ich bin ganz Ihrer Meinung.«

»Sie wollen es doch nicht ernsthaft verkaufen, oder?«

»Verkaufen? Nein, ganz sicher nicht. Es ist ein Geschenk. Für Ihre Familie und ganz besonders für Sie, Fräulein Amelie.«

»Das ist ein ganz besonderes Bild. Das können wir unmöglich annehmen.«

»Warum nicht?«, fragte Liu Tian. »Schließlich hat Ihre Familie uns auch ein ganz besonderes Bild geschenkt.«

Während er diese Worte sagte, zwinkerte er kaum merklich mit den Augen. Es war ein Zwinkern, das, so glaubte Amelie, nur für sie bestimmt war und von niemand sonst wahrgenommen wurde.

Zu dem Gefühl der Ergriffenheit, das sie eben erfasst hatte, gesellte sich ebenso unpassend wie unwillkürlich Erheiterung, und sie sagte: »Da haben Sie natürlich recht, Herr Liu. Ich bedanke mich also für dieses wundervolle Geschenk, es wird einen Ehrenplatz in meinem Zimmer erhalten. Kennen Sie den Maler?«

»Sozusagen. Wenn Sie möchten, erzähle ich Ihnen bei einem kleinen Spaziergang mehr darüber. Ich habe vorhin, als ich mit Jen Schi sprach, gesehen, dass Sie einen sehr schönen Garten haben.« Liu Tian wandte sich an Vater. »Das heißt, falls Sie gestatten, dass ich Ihnen Ihre Tochter entführe, Herr Kindler.«

Vater, offenbar zufrieden über die guten Beziehungen

zum Geschäftshaus Liu, nickte wohlgefällig. »Aber ja. Geht nur ein wenig im Garten spazieren und unterhaltet euch über Malerei und Schmetterlinge.«

Als Amelie und Liu Tian allein im Garten waren, schwiegen sie eine ganze Weile und genossen die leichte, nach Salz riechende Brise, die vom Meer herüberwehte. Noch war es hell, und das Licht hatte jenen sanften, unwirklichen Schimmer, wie ihn nur der sich verabschiedende Tag hervorrufen konnte. Die Sonne sank allmählich, und die Kiefern warfen immer längere Schatten, wie um die Nacht herbeizurufen.

Amelie blieb stehen, wandte ihr Gesicht dem sanften Wind zu, schloss die Augen und atmete tief ein. Sie genoss diesen stillen Augenblick im Garten und wünschte sich, die Zeit möge stillstehen. Immer fester wurde in ihr das Gefühl, dass Tsingtau und dieses Land namens China ihre neue Heimat waren. Sie wusste so wenig über das große Land und seine Bewohner, aber sie war begierig dazuzulernen.

Und sie hätte sich gefreut, wenn ihr Begleiter ihr Lehrmeister wäre. Von ihm strahlte eine Ruhe und Sicherheit aus, wie sie es ähnlich bei Erich Schweiger gespürt hatte. Noch immer die Augen geschlossen, sah sie die Gesichter beider Männer vor sich. Unterschiedliche Gesichter und unterschiedliche Männer. Männer verschiedener Hautfarben sogar. Fiel es ihr deshalb so schwer, beide miteinander zu vergleichen? Weil es so wenig Vergleichbares gab? In ihr stieg die Frage auf, wem von beiden sie, wäre sie vor die Wahl gestellt, den Vorzug geben würde. Sie fand keine Antwort darauf – oder, wie sie sich ganz tief in sich selbst eingestand, wollte keine finden.

»Was sehen Sie, Fräulein Amelie?«, hörte sie die sanfte Stimme des Chinesen dicht neben ihrem Ohr.

Sie öffnete die Augen wieder und bemerkte, dass er ganz nah an sie herangetreten war, während sie die Augen geschlossen hatte. »Wie meinen Sie das? Ich hatte doch die Augen geschlossen.«

»Aber Sie machten ganz den Eindruck, trotzdem etwas zu sehen. Etwas, das man mit offenen Augen nicht sehen kann.«

»Das stimmt«, sagte sie überrascht. »Kennen Sie das auch?«

Er nickte. »Ein weiser Mann hat mal gesagt: Weil du die Augen offen hast, glaubst du, du siehst.«

»Bestimmt so ein alter Chinese, der vor tausend Jahren gelebt hat.«

»Nicht ganz. Es war ein nicht ganz so alter Deutscher, der vor hundert Jahren gelebt hat. Ein gewisser Goethe.«

»Jetzt haben Sie mich aber drangekriegt«, sagte Amelie und lachte hell. »Sie überraschen mich immer wieder, Herr Liu.«

»Das ist gut.«

»Warum?«

»Dann werde ich Ihnen nicht langweilig.«

»Das werden Sie nicht, ganz bestimmt nicht«, sagte Amelie und dachte gleich darauf, dass sie vielleicht ein bisschen zu viel Nachdruck in ihre Worte gelegt haben mochte.

»Hätten Sie etwas dagegen, mich einfach nur Tian zu nennen? Bei ›Herr Liu‹ komme ich mir immer vor wie mein Vater.«

»Gut, dann sind Sie für mich einfach Tian und ich für Sie Amelie. Welche Bedeutung hat Ihr Name, Tian?«

»Tian heißt in Ihrer Sprache Himmel.«

»Das ist ein schöner Name«, sagte sie aufrichtig. »Er passt zu Ihnen, auch wenn ich Ihnen nicht erklären könnte, wieso.«

»Ich hoffe, Sie halten mich nicht für einen – wie sagt man bei Ihnen – Luftikus.«

»Ganz gewiss nicht. Im Gegenteil, Sie scheinen mir ein sehr verantwortungsvoller Mensch zu sein, so, wie Sie die Angelegenheit mit Fang De geregelt haben.«

»Sie haben aber auch einen sehr schönen Namen und einen passenden. Amelie – tapfer und sanft. Sie haben sich sehr tapfer gezeigt, als Sie dem jungen Herrn Schweiger das Leben gerettet haben.«

»Woher wissen Sie davon?«

»Ganz Tsingtau spricht davon und halb Tapautau auch.«

»Und woher kennen Sie die Bedeutung meines Namens?«

Tian wirkte plötzlich verlegen, als er gestand: »Ich habe es nachgeschlagen.«

»Oh!«

»Sie sehen, Amelie, Sie beschäftigen mich. Aber Sie haben mir meine Frage noch nicht beantwortet. Was haben Sie mit geschlossenen Augen gesehen?«

»Viel mehr als mit geöffneten, da hat der alte Goethe schon recht. Ich hatte das Gefühl, Ihr ganzes Land zu sehen, obwohl ich doch nur diesen winzigen Flecken namens Tsingtau kenne.«

»Und was haben Sie dabei empfunden?«

»Ich fühlte mich heimisch. Finden Sie das nicht seltsam?«

»Nein, gar nicht. Ich finde es sehr schön, dass dieses

Land Ihnen gefällt, Amelie. Und ich hoffe, Sie fühlen sich hier noch heimischer, wenn Sie es näher kennenlernen.«

Am liebsten hätte sie seine Hand ergriffen und ihm gesagt, sie sei gerade dabei. Sie unterdrückte den starken Impuls und wollte sich einreden, dass er nur dem eigentümlichen Zauber dieses milden Septemberabends geschuldet war.

Um das Thema zu wechseln, sagte sie: »Jetzt müssen Sie mir aber endlich etwas über diese Schmetterlingsbilder und seinen Schöpfer erzählen, Tian. Er hat hoffentlich nichts dagegen, wenn ich dem Bild, das Sie mir mitgebracht haben, einen eigenen Namen gebe.«

»Das kommt vielleicht auf den Namen an«, erwiderte Tian mit spielerischer Ironie. »Wie wollen Sie das Bild nennen?«

»*Der Kuss der Schmetterlinge.*«

Amelie bemerkte, wie ihr Gegenüber erstarrte und sie überrascht ansah. »Was haben Sie? Gefällt Ihnen der Name nicht?«

Tian antwortete mit einer Gegenfrage: »Wie kommen Sie auf diesen Namen?«

»Er ist mir einfach eingefallen.« Sie beschrieb ausführlich ihre Empfindungen beim Betrachten des Bildes und schloss: »Für mich sieht es wirklich so aus, als wollten sich die Schmetterlinge im nächsten Augenblick küssen. Aber jetzt müssen Sie mir sagen, was Sie daran so verstört.«

»Es hat mich für einen Augenblick überwältigt, dass Sie ausgerechnet diesen Namen für das Bild gewählt haben.«

»Aber warum?«

»Weil es bereits sein Name ist. Der Maler selbst hat es so genannt. Die Empfindungen, die Sie eben so eindringlich beschrieben haben, sind auch die seinen.«

»Sie scheinen ihn wirklich sehr gut zu kennen, Tian. Wie heißt er?«

Er zögerte kurz mit der Antwort, dann sagte er: »Sein Name ist Liu Tian.«

Amelie fühlte sich wie vor den Kopf gestoßen. Aber war es nicht naheliegend, fragte sie sich. Nein, antwortete eine andere Stimme in ihr. Liu Tian war der Sohn eines Kompradors, eines Geschäftsmanns, offenkundig selbst dazu erzogen und ausgebildet, ein Geschäftsmann zu sein. Und doch, konnte nicht auch ein Mann, der sich um Waren und Preise, um Termine und Zölle kümmerte, die einfühlsame Seele eines Künstlers besitzen? Offenbar war es so.

Sie kam sich plötzlich dumm vor, einfältig. Tian war nicht bei dem Geschäft in der Hai-po-Straße gewesen, um Bilder zu kaufen, sondern um welche zu *ver*kaufen oder um sich nach dem Verkauf seiner Werke zu erkundigen. Jetzt stand es ihr deutlich vor Augen, und sie ärgerte sich, dass sie nicht schon eher darauf gekommen war. Ob Tian heimlich über ihre Unwissenheit gelacht hatte? Hatte er die ganze Zeit über mit dem törichten Fräulein aus Deutschland sein spöttisches Spiel getrieben?

»Was haben Sie denn, Amelie? Sie sehen so betreten drein.«

»Das hätten Sie mir wirklich eher sagen können, dass Sie der Maler sind. Ich komme Ihnen jetzt wahrscheinlich sehr komisch vor.«

»Nein, wieso auch? Bislang hatte sich einfach nicht die Gelegenheit dazu ergeben.«

»Wirklich nicht? Und heute Vormittag in Tapautau, hatten Sie da nicht die Gelegenheit, es mir zu sagen?«

»Ich war in Eile. Und ich gebe ja zu, dass ich Sie ein wenig überraschen wollte.«

»Die Überraschung ist Ihnen gelungen, *Herr Liu*, da können Sie wirklich stolz drauf sein!«

Der Chinese sah sehr unglücklich aus und schien nach den richtigen Worten zu suchen. »Ich wollte Sie weder beleidigen noch verärgern, Amelie, das müssen Sie mir glauben!«

»Mir ist kühl«, sagte sie in einem harten Ton, ohne ihn dabei richtig anzusehen. »Lassen Sie uns wieder hineingehen.« Ohne seine Reaktion abzuwarten, drehte sie sich um und marschierte auf das Haus zu.

Später, als sie in ihrem Bett lag und an den Abend zurückdachte, hätte sie sich am liebsten selbst geohrfeigt. Sie hatte sich benommen wie eine blöde Gans und ihren angeblich verletzten Stolz, der doch in Wahrheit nichts anderes war als falsche Eitelkeit, über alles andere gestellt. Hatte sie sich nicht ebenso uneinsichtig verhalten wie Mutter, die sich nur unter Druck bei Fang De entschuldigt hatte?

Amelie ballte die Hände so fest zusammen, dass die Fingernägel schmerzhaft ins Fleisch der Handballen drückten. Sie wollte nicht so werden wie ihre Mutter, unter keinen Umständen!

Wieder sah sie Tian vor sich, der sie angesichts ihrer plötzlichen Vorwürfe unglücklich, ja fassungslos ansah. Sie hatte ihn durch ihre Dummheit verletzt, und sie schämte sich dafür. Aber jetzt war es zu spät. Tränen rannen über ihr Gesicht, bis sie irgendwann endlich, endlich einschlief.

8

In den folgenden Tagen herrschte eine gedrückte Stimmung im Hause Kindler, was Amelie vielleicht gar nicht bemerkt hätte, hätte sie selbst nicht ebenso empfunden.

Mutter gab sich recht einsilbig und schien stark darunter zu leiden, den Machtkampf mit Fang De verloren zu haben, und das auch noch unter so spektakulären Umständen. Wahrscheinlich befürchtete sie, zum Gesprächsstoff von ganz Tsingtau zu werden. In der Küche zeigte sie sich so gut wie gar nicht mehr, dort beherrschte Fang De das Feld. Dem Koch musste man zugutehalten, dass er seinen Triumph zumindest nach außen hin nicht auskostete. Wann immer es zu einer Begegnung zwischen Mutter und ihm kam, erwies Fang De ihr den der Hausherrin gebührenden Respekt.

Helene war still wie immer, aber im Gegensatz zu sonst unterließ Amelie jeden Versuch, die Schwester aus der Reserve zu locken. Amelie selbst hätte der Aufmunterung bedurft, litt sie doch sehr darunter, wie sie Liu Tian behandelt hatte. Immer wieder grübelte sie darüber nach, wie sie sich bei ihm entschuldigen konnte, aber ihr wollte einfach nichts Rechtes einfallen. Obwohl räumlich keine zwei Kilometer entfernt, lebte die Familie Liu in einer ganz anderen Welt, mit anderen Sitten und Vorstellungen. Sie konnte schlecht einfach zu dem großen Haus in der Schantungstraße gehen und sagen: »Guten Tag, ich wollte mich bei Liu Tian entschuldigen.« Möglicherweise hätte sie alles nur noch schlimmer gemacht.

Nicht einmal sein Gemälde, *Der Kuss der Schmetterlinge*, konnte sie mit Freude erfüllen. Sosehr ihr das Bild auch gefiel und sie davon berührt wurde, plötzlich war es für sie mit etwas Negativem verbunden, war es ein Sinnbild ihres eigenen Fehlverhaltens. Ein paar Tage stand es unbeachtet in der Eingangshalle, und als Fritz ihr vorschlug, es für sie aufzuhängen, »damit es endlich aus dem Weg ist«, stimmte sie nur widerwillig zu. Nun hing es also in ihrem Zimmer, und bei jedem Blick darauf schämte sie sich für ihr Verhalten.

Sie war froh, sich in die Arbeit flüchten zu können, und entwickelte im Ladengeschäft fast jeden Tag neue Ideen, wie man den Verkauf ankurbeln konnte. Obwohl die neue Verkäuferin viele Neugierige angelockt hatte, waren die Umsätze insgesamt nicht zufriedenstellend. Wie viele deutsche Geschäfte hatte auch das Kindler'sche damit zu kämpfen, dass die Preise der aus der Heimat importierten Waren durch Zölle und vor allem Transportkosten anstiegen. Waren aus Japan und Indien dagegen kosteten oft nur einen kleinen Teil ihrer deutschen Gegenstücke. Deshalb kam Amelie auf die Idee, auf vielen Schildern, die sie bei den entsprechenden Waren aufstellte, die Vorzüge deutscher Qualitätsarbeit zu loben und darauf hinzuweisen, dass ein höherer Preis gegenüber indischen oder japanischen Erzeugnissen nicht nur gerechtfertigt sei, sondern sich letztlich auch für die Käufer, die ja bessere Ware erhielten, auszahlen würde.

Als Tanaka die Schilder sah, stürmte er, eins von ihnen

in der Rechten, mit schnellen, zackigen Schritten auf Amelie zu. »Was soll das, Fräulein Kindler?«, rief er laut und schwenkte dabei das Schild in seiner Hand.

»Hm, einen Augenblick bitte«, erwiderte sie und betrachtete das Schild näher. »Ach ja, auf dem Schild erläutere ich die besonderen Vorzüge der von uns verkauften Wäschemangel für den Tischgebrauch, die aus bestem Eisenguss hergestellt und ansprechend lackiert ist. Und ich weise darauf hin, dass sie mit durchgehenden Achsen versehen ist und diese sich daher auch bei häufigem Gebrauch nicht lockern können. Weiterhin ist durch die Stahlbogenfeder eine hohe Belastbarkeit gewährleistet. Deshalb ist unser Preis ein günstiger, auch wenn er höher ist als in japanischen und indischen Geschäften.«

»Lesen kann ich selbst«, sagte der Japaner ungehalten.

»Warum fragen Sie mich dann?«

»Weil ich wissen will, warum Sie diese Schilder überall aufstellen. Man kann in diesem Laden keinen Fuß mehr vor den anderen setzen, ohne über sie zu stolpern.«

Amelie erläuterte dem Chefverkäufer ihre Idee.

»Das ist falsch, grundfalsch«, sagte er, sobald sie ausgesprochen hatte. »Ihre Schilder fördern nicht den Verkauf, sie verhindern ihn eher und weisen die Kunden doch erst darauf hin, dass sie hier mehr bezahlen als anderswo.«

»Das merken die auch so, spätestens, wenn ihr Blick auf die Preise fällt. Durch meine Schilder aber verstehen sie den Grund und werden einsehen, dass es trotzdem besser ist, bei uns zu kaufen.«

Tanaka holte tief Luft und stieß diese dann aus wie ein Drache aus dem Sagenbuch, der seinen Feueratem hinausschleudert. »Das glaube ich nicht, Fräulein Kindler, das glaube ich einfach nicht. Sie machen auf diese Weise den Kunden erst bewusst, dass sie bei uns teuer einkaufen.«

»Im Gegenteil, ich mache ihnen bewusst, dass sie einen besseren Gegenwert für ihr Geld erhalten als in anderen Geschäften.«

»Schreiben Sie das meinetwegen auf die Schilder, aber unterlassen Sie das Erwähnen der hohen Preise in unserem Haus.«

»Gerade das ist doch der Witz dabei. Die Kunden merken dadurch, dass wir es ehrlich mit ihnen meinen.«

»Sie merken dadurch aber auch, dass wir viel Geld von ihnen haben wollen.«

Als Amelie einsah, dass Tanaka nicht mit sich reden ließ, stieß sie einen tiefen Seufzer aus und wirkte dabei wohl sehr unglücklich. Tanakas Miene hellte sich jedenfalls etwas auf, und er sagte in einem um Freundlichkeit bemühten Ton: »Ich bin wirklich der Meinung, dass das mit den Schildern ein Fehler ist, Fräulein Kindler. Schließlich habe ich einige Erfahrung im Verkaufen. Angefangen habe ich übrigens in einem japanischen Geschäft mit sehr niedrigen Preisen, und dabei habe ich gelernt, wie wichtig für die Kunden das Gefühl ist, nicht zu viel auszugeben.«

Obwohl sie wenig Hoffnung hatte, den Japaner umzustimmen, versuchte Amelie es ein letztes Mal: »Darum geht es mir ja auch, Herr Tanaka. Ich möchte unseren Kunden erklären, dass sie bei uns nicht zu viel ausgeben, weil unsere Ware es eben mehr als wert ist.«

Tanaka fuhr mit dem Zeigefinger über seinen sauber gestutzten Oberlippenbart und schien zu überlegen. »Auch ich kann mich natürlich irren, Fräulein Kindler. Deshalb schlage ich Ihnen vor, diese Angelegenheit durch Ihren Vater entscheiden zu lassen. Ist das korrekt?«

Amelies Miene hellte sich auf. »Das ist sehr korrekt. Ich werde ihn gleich aufsuchen und fragen, wenn Sie gestatten.«

Aber sie fand ihren Vater nirgends, und auch ihr Bruder war nicht in seinem Büro. August Eppler, der ältliche Prokurist mit dem ergrauten Spitzbart, sagte ihr: »Wo Ihr Bruder ist, weiß ich nicht. Aber Ihr Herr Vater ist bei Chin Li.«

»Aha«, gab Amelie verwundert von sich. »Und wo finde ich Chin Li?«

»In dessen Wohnung.«

»Wieso ist mein Vater da?«

»Soweit ich verstanden habe, geht es um den Geburtstag von Chin Lis Neffen. Ihr Vater wollte ihm gratulieren.«

»Der kleine Chin Jie hat Geburtstag? Aber ich habe irgendwo gelesen, dass die Chinesen den Geburtstag nicht besonders feiern, auch nicht den von Kindern.«

Eppler zuckte nur mit den Schultern und wandte sich wieder dem großen Zettel mit den unendlichen Zahlenkolonnen zu, bei dessen Studium Amelie ihn unterbrochen hatte. Der Prokurist war nicht gerade als gesprächig bekannt, hatte allerdings auch gute Gründe, kein Menschenfreund zu sein. Er war damals mit Amelies Vater nach Tsingtau gegangen, um das Geschäft aufzubauen und anschließend, sobald die Existenz in China gesichert war, seine Frau nachkommen zu lassen. Er war Witwer gewesen und hatte ein zweites Mal geheiratet, und zwar eine Frau, die um einiges jünger war als er. Anscheinend hatte sie keine große Lust auf ein Leben mit ihm im fernen China gehabt, denn als es so weit war, dass sie nach Tsingtau kommen sollte, war sie mit einem jungen Mann durchgebrannt, einem Sänger vom Varieté, wie Fritz seinen beiden Schwestern kürzlich erst erzählt hatte. »Ein beneidenswerter Bursche übrigens, dieser Sänger«, hatte er kichernd hinzugefügt. »Dorothea Eppler hat nämlich einige Schauwerte zu bieten.«

Amelie suchte Helene in der Buchhaltung auf und erzählte ihr, was sie von dem Prokuristen gehört hatte. »Lass uns auch zu der Feier gehen, gleich ist ohnehin unsere Mittagspause.«

»Wir haben doch gar kein Geschenk«, wandte Helene ein.

»Ich glaube, in China sind großartige Geburtstagsgeschenke nicht üblich.«

»Wenn man zu einer Feier geht, und das auch noch uneingeladen, sollte man auch etwas mitbringen. Außerdem freuen sich Kinder immer über Geschenke.«

»Du hast recht, Schwesterherz. Also auf in den Laden, wir werden in der Spielwarenabteilung schon etwas finden. Tanaka wird nicht schlecht staunen, wenn wir selbst unseren Umsatz ankurbeln.«

»Glaubst du, wir haben genug Geld für ein vernünftiges Geschenk? Wir sollten uns nicht blamieren.«

»Wenn wir zusammenlegen, wird es schon reichen. Tanaka muss uns natürlich beim Preis entgegenkommen, schließlich sind wir hier angestellt.«

»Na, der wird sich wundern«, meinte Helene.

Er wunderte sich tatsächlich, als sie kurz darauf ein rot lackiertes Automobil mit Federaufzug und einstellbaren Vorderrädern bei ihm kauften und ihn auf einen Preis herunterhandelten, den er als »gar nicht korrekt« beschrieb.

Mit missmutiger Miene schob er den Karton mit dem Blechautomobil über den Ladentisch. »Ich sage es ja, die Kunden wollen immer nur sparen.«

»Sie sollten nicht alles so schwarz sehen, Herr Tanaka. Unsere Mutter sagt immer, das schlägt auf die Verdauung.« Mit diesen Worten schob ihm Amelie den Karton wieder zu. »Als Geschenk einpacken, bitte.«

Tanaka reckte seinen irgendwie eckig wirkenden Kopf vor und starrte sie an. »Was, das auch noch? Das können Sie doch wohl selbst, Fräulein Amelie.«

Amelie spielte die Hochnäsige, musste sich dabei aber regelrecht zwingen, ein Grinsen zu unterdrücken. »Aber mein Herr, was erlauben Sie sich, wir sind Kunden bei Ihnen!«

Zähneknirschend holte Tanaka einen bunten Bogen Geschenkpapier unter dem Tresen hervor und begann damit, das Automobil einzupacken. Er ging dabei ebenso akkurat vor wie bei allen anderen Dingen, die er anfasste. Das Papier warf nicht die geringste Falte. Er krönte sein Werk mit einer kunstvollen Schleife aus blauer Seide.

»Vielen Dank«, sagte Amelie betont artig. »Das haben Sie wirklich schön gemacht, Herr Tanaka.«

»Jetzt aber raus«, sagte er kopfschüttelnd. »Und machen Sie so lange Mittagspause, wie es Ihnen beliebt.«

»Danke, zu gütig«, flötete Amelie, bevor sie gemeinsam mit Helene den Laden verließ.

Sie nahmen die Hintertür, die auf den Innenhof führte, und dort fingen beide wie auf Kommando an zu kichern. Amelie genoss es. Seit dem Abend mit Liu Tian, der ein so unschönes Ende genommen hatte, hatte sie sich nicht mehr derart heiter und unbeschwert gefühlt. In die Heiterkeit mischte sich der Anflug eines schlechten Gewissens, weil sie ihren Schabernack mit Herrn Tanaka getrieben hatten. Aber hätte er wirklich etwas dagegen gehabt, sagte sie sich, hätte er bestimmt nicht mitgemacht.

Sie gingen quer über den Hof zu Chin Lis Wohnung. Gelächter drang ihnen entgegen, und Amelie glaubte, die Stimme ihres Vaters zu erkennen. Es gab keine Klingel an der Tür, nur einen schweren Klopfer aus Metall. Amelie betätigte ihn und sah sich wenige Sekunden später Chin Li gegenüber. Der Hausmeister legte überrascht seinen Kopf schief und sah die beiden Schwestern fragend an.

»Guten Tag, Herr Chin«, grüßte Amelie. »Wir möchten Ihrem Neffen gern zum Geburtstag gratulieren. Er hat doch heute Geburtstag, oder?«

Der Chinese zögerte mit der Antwort, als müsse er länger darüber nachdenken. Oder, dachte Amelie kurz, als sei ihm ihr Anliegen unangenehm. Schließlich nickte er knapp und gab den Eingang frei. »Treten Sie ein. Willkommen in meinem bescheidenen Haus.«

Als Amelie, gefolgt von Helene, an ihm vorbeiging, schenkte sie dem »bescheidenen Haus« so gut wie keine Beachtung. Die galt nämlich den beiden Personen auf dem Fußboden, die dort mit einer hölzernen Arche und vielen kleinen, bunt bemalten Tieren spielten. Daneben lagen die Verpackung, die Amelie aus dem Laden kannte, und zerknittertes Geschenkpapier mit demselben Muster wie jenes, in das Tanaka das Spielzeugautomobil eingewickelt hatte. Die eine Person, die mit der Arche spielte, war der kleine Jie, die andere Heinrich Kindler. Der ließ gerade eine Kuh in die Arche gehen und rief dabei aus vollem Halse »Muuh, muuh!«, was das Geburtstagskind begeistert glucksen ließ. Als der lang ausgestreckt auf dem Boden liegende Mann seine beiden Töchter erblickte, erstarb ein weiteres »Muuh!« in einem dünnen Krächzen.

»Was tut ihr denn hier?«, fragte er verblüfft.

»Dasselbe wie du, Vater«, antwortete Amelie. »Wir wollten Jie zum Geburtstag gratulieren und ihm ein Geschenk überreichen.«

»Ja, richtig, die Idee hatte ich auch.« Vater wirkte noch immer ein wenig perplex. Er setzte sich auf den Hosenboden und strich mit ein paar hastigen Bewegungen sein Haar, das etwas durcheinandergeraten war, glatt. »Woher wisst ihr das mit dem Geburtstag überhaupt?«

»Von Herrn Eppler«, sagte Amelie und wunderte sich insgeheim über Vater. So ausgelassen wie eben, als er mit Jie spielte, hatte sie ihn noch nie erlebt. Sie versuchte, sich an die eigene Kindheit zu erinnern und daran, ob Vater mit ihr und Helene auch so hingebungsvoll gespielt hatte. Aber wenn es so gewesen war, hatte sie es vollständig verdrängt. »Hast du die Arche eigentlich Jie geschenkt oder dir selbst, Papa? Du scheinst ja einen Heidenspaß zu haben.«

»Wenn die Menschen alt werden, werden sie wieder zu Kindern, das hast du gewiss schon mal gehört.« Vater stützte sich an der Platte des runden Tisches ab, der mitten im Raum stand, und erhob sich. »Es wird einfach Zeit, dass ihr mich endlich zum Großvater macht. Apropos, am Wochenende ist das große Sportfest, bei dem Erich Schweiger mit der Tsingtauer Fußballmannschaft vertreten ist. Da gehen wir doch alle hin, oder?«

»Jetzt fang du nicht auch noch mit dem Verkuppeln an«, seufzte Amelie. »Helene und mir reicht schon, dass Mama uns dauernd im Nacken sitzt. Oder was sagst du, Helene?«

»Ich sage, wir sollten erst einmal das Geschenk überreichen und dem Geburtstagskind gratulieren. Außerdem sind wir sehr unhöflich, weil wir die Dame des Hauses noch nicht begrüßt haben.«

Bei den letzten Worten deutete Helene auf einen offenen Durchgang in den rückwärtigen Teil des Hauses, in dem Jies Mutter stand, die Augen auf Amelie und Helene gerichtet. Sie trug ein schlichtes, aber trotzdem festlich wirkendes Kleid, das ihre schlanke Figur betonte. Einmal mehr ging es Amelie durch den Kopf, dass die hübsche Frau mit dem schmalen, ausdrucksvollen Gesicht so gar nichts mit ihrem etwas grobschlächtig erscheinenden Bruder gemeinsam hatte.

»Guten Tag«, sagte Amelie stockend, da sie den Namen von Jies Mutter nicht kannte. Aber sie hatte Chin Li mehrmals von seinem Neffen als Chin Jie sprechen hören, woraus sie schloss, dass die Mutter des Jungen denselben Familiennamen führte. »Guten Tag, Frau Chin«, begann sie noch einmal. »Meine Schwester und ich möchten Sie nicht stören. Wir sind nur gekommen, um Ihrem Sohn ein Geburtstagsgeschenk zu überreichen.« Ihr Blick fiel auf einen Schokoladenkuchen mit vier brennenden Kerzen, der auf dem Tisch stand. »Ich hatte geglaubt, in China feiert man den Geburtstag gar nicht nach ... nach unserer Art.«

»Normalerweise nicht«, erklärte Jies Mutter in einem recht guten Deutsch. »Aber wir haben uns Ihren Gebräuchen ein wenig angepasst. Zumal es in diesem Fall ein sehr schöner Brauch ist. Seien Sie willkommen. Jie freut sich gewiss über Ihr Geschenk.«

Das tat er tatsächlich, sobald er, unterstützt von Amelie,

das Papier entfernt und das Automobil aus dem Karton gezerrt hatte. Amelie zeigte ihm, wie man den Federaufzug betätigte und die Vorderräder einstellte, um größere oder kleinere Kreise zu fahren. Und schon sauste das Automobil über den Fußboden, zwischen Vaters Beinen hindurch und fuhr fast alle Tiere, die es nicht rechtzeitig in die Arche geschafft hatten, über den Haufen.

»Wirksamer als die Sintflut, der moderne Straßenverkehr«, brummte Vater. »Sieht ganz so aus, als käme euer Geschenk besser an als meins.« Er wandte sich dem Hausmeister und dessen Schwester zu. »Vielen Dank für die Gastfreundschaft, aber meine Töchter und mich ruft die Pflicht zurück in die Firma. Sie können sich selbstverständlich für den Rest des Tages freinehmen, Chin Li.«

Der Hausmeister bedankte sich höflich, und seine Schwester fragte: »Wollen Sie denn wirklich schon gehen, Herr Kindler? Ich hatte gehofft, Sie und Ihre Töchter würden auf ein Stück Kuchen bleiben.«

»Ein andermal, Frau Chin, ein andermal«, sagte er und griff nach seinem Hut, der auf einer Anrichte lag. »Dann auf Wiedersehen.«

Er schien es plötzlich sehr eilig zu haben und zog seine Töchter förmlich aus dem Haus hinaus auf den Hof.

»Was hast du denn, Vater?«, wunderte sich auch Helene. »Warum diese Eile?«

Erst als Chin Li die Tür zu seiner Wohnung geschlossen hatte, antwortete Vater: »Ein erwachsener Mann, der mit kleinen Kindern spielt, hoffentlich spricht sich das nicht rum.«

»Aber es schien dir durchaus Spaß zu machen«, wandte Amelie ein.

»Eben das ist es ja. Lasst das bloß nicht eure Mutter hören, sonst gibt's eine Standpauke über die wertvolle Arbeitszeit, die man nicht vertrödeln darf. Versprecht ihr mir das, Kinder?«

Helene wollte gerade zusagen, da brachte Amelie sie mit einer kurzen Handbewegung zum Schweigen und sagte: »Das kommt ganz drauf an, Vater.«

»Wie? Worauf?«

Sie erzählte ihm von ihrem Disput mit Tanaka und schloss: »Also ich halte meine Idee mit den Schildern nach wie vor für gut. Du nicht auch, Vater? Ich würde mich sehr darüber freuen.«

»So sehr, dass du Mutter nichts von meinem Besuch beim Kindergeburtstag erzählst?«

Amelie lächelte verschwörerisch. »Darauf könnten wir uns einigen.«

Vater zog die Luft tief ein und stieß sie mit einem rasselnden Geräusch wieder aus. »Ich glaube, ich habe eine Erpresserin großgezogen.«

»Erpressung? Das ist aber ein böses Wort.« Amelie tat empört und zwinkerte ihrem Vater zu. »Warum nennen wir es nicht schlicht einen Handel? Wir sind doch schließlich Geschäftsleute. Oder etwa nicht?«

»Eine ganz schön ausgebuffte Geschäftsfrau bist du, mein Kind. Aber gut, du sollst deinen Willen haben. Ich werde mit Tanaka über diese Schilder sprechen.«

»Und ihm sagen, dass du das Ganze für eine ausgesprochen gute Idee hältst? Eine Idee, die von dir selbst hätte kommen können?«

»Na schön, das auch noch. Aber damit ist es dann auch gut.«

»Selbstverständlich«, flötete Amelie und drückte ihm einen Kuss auf die Wange. »Danke, Papa!«

»Schon gut.« Er sah Amelie und Helene ernst an. »Und ihr erzählt eurer Mutter wirklich nichts?«

Sie versprachen es ihm, und er wirkte wie aus tiefster Seele erleichtert. Was Amelie verwunderte. Mutter konnte zuweilen recht barsch und uneinsichtig sein, das schon, aber dass Vater sich solche Sorgen machte, konnte sie sich nicht recht erklären.

9

Bunte Fähnchen flatterten im Wind über dem Iltisplatz, zu dem die Menschen in Scharen strömten. Viel zahlreicher noch als an jenem Tag, an dem Amelie von Erich Schweiger auf dem unheilvollen Flug mitgenommen worden war. Nach ihm hielt Amelie Ausschau, als sie mit ihren Eltern und Geschwistern inmitten einer ganzen Menschenflut zum Festplatz ging. Das große Sportfest war eine Riesenattraktion, und jeder Europäer in Tsingtau schien daran teilnehmen zu wollen, sei es aktiv als Sportler oder passiv als Zuschauer. Auch viele Chinesen, Japaner und Inder waren zu sehen. Vaters Vorsorge, für sich und seine Familie Tribünenplätze in der ersten Reihe zu reservieren, erwies sich als goldrichtig. Zwar saßen bereits ein paar Matrosen auf ihren Plätzen, aber als Vater drohte, sich beim Admiralstab über sie zu beschweren, räumten sie murrend das Feld.

Die Militärkapelle spielte auf, chinesische Akrobaten führten Kunststücke mit den absonderlichsten Verrenkungen vor, und fliegende Händler verkauften allerlei Tand und Naschereien. Amelie kaufte bei einem rundlichen Chinesen, der aussah wie sein bester Kunde, Zuckerwatte für ihre Schwester und sich. Als sie zu der Tribüne zurückkehrte, waren zwei der drei bislang freien Plätze neben ihrem Vater besetzt. Offenbar waren sie auch reserviert gewesen, denn Erichs Eltern hatten sich dort niedergelassen. Amelie begrüßte sie und erkundigte sich nach Erich.

»Er ist schon längst bei seiner Mannschaft, das Spiel beginnt doch bald«, erklärte Wilhelm Schweiger und warf sich in die Brust. »Drücken Sie die Daumen, Fräulein Kindler, dass wir den Engländern eine hübsche Niederlage beibringen!«

»Ja, damit unser Erich ein paar Tore schießt!«, ergänzte Annemarie Schweiger.

Womit sie sich einen strengen Blick ihres Gatten einfing. »Erich wird als Verteidiger auflaufen, meine Liebe. Seine Aufgabe ist es nicht, Tore zu schießen, sondern sie zu verhindern.«

Erichs zierliche Mutter nickte geflissentlich. »Ja, natürlich, Wilhelm, entschuldige.«

Ein leicht korpulenter Mann mit einem Sprachrohr in der Hand trat in die Mitte des Spielfelds und kündigte an, dass das Spiel in wenigen Minuten beginnen und die Mannschaften gleich auflaufen würden. Der Mann war Otto Frederking vom Bankhaus Frederking & Söhne, das zu den Hauptsponsoren des Sportfestes gehörte. Zunächst stellte er den Schiedsrichter vor, einen amerikanischen Handelsagenten namens Williams.

»Das allgemeine Interesse am Fußballsport ist bei uns Deutschen deutlich gewachsen«, sagte dann Wilhelm Schweiger. »Schließlich haben wir seit ein paar Monaten auch eine Nationalmannschaft.«

Fritz nahm seine Queen-Zigarette aus dem Mundwinkel, stieß genüsslich einen Rauchkringel aus und sagte zu Schweiger: »Aber die Aufstellung kam zu spät, um an den Olympischen Spielen in London nächsten Monat teilzunehmen.«

Erichs Vater reckte das Kinn in die Höhe. »Ein Grund mehr, den Engländern heute zu zeigen, was in uns Deutschen steckt. Weshalb spielen Sie eigentlich nicht in unserer Mannschaft, Fritz?«

»Sport, ich?« Fritz lachte und winkte ab. »Viel zu anstrengend.«

Wilhelm Schweiger quittierte diese Bemerkung mit einem unverständlichen Laut, angesiedelt irgendwo zwischen Räuspern und Brummen, aber sein griesgrämiger Gesichtsausdruck zeigte Amelie deutlich, dass er damit sein Missfallen über die Äußerung ihres Bruders bekundet hatte.

Als die Mannschaften aufs Feld liefen, suchten ihre Augen nach Erich, und er war nicht schwer zu finden. Fast all seine Mitspieler waren von großer, kräftiger Statur, aber er ragte noch über die anderen hinaus. Sein rotes Haar tat ein Übriges, um ihn hervorzuheben. Sein Blick kreuzte sich mit dem Amelies, und dabei schien Erich noch ein Stück zu wachsen. Es war wie ein Versprechen, dass er in dem bevorstehenden Spiel alles geben würde – für sie. Das erfüllte Amelie mit Stolz, aber das Glücksgefühl war nicht ungetrübt.

Sosehr sie Erich auch mochte, sie war sich über ihre eigenen Gefühle nicht ganz im Klaren. Nach ihrem gemeinsamen Flug über Tsingtau, der hier auf dem Iltisplatz seinen Ausgang genommen hatte, hatte ihr Herz für Erich geschlagen wie noch nie für einen Mann. Bis dahin hatte sie Männer interessant oder auch imposant gefunden, hatte es als angenehm empfunden, von ihnen umschwärmt und begehrt zu werden, aber schneller geschlagen hatte ihr Herz dabei nicht. Im Augenblick der größten Gefahr, als Erich unter Wasser in der abgestürzten Flugmaschine eingeklemmt gewesen war, hatte sie geglaubt, sein Tod müsse auch der ihrige sein. Die kurze Zeit ganz nah bei ihm in der Fischerhütte hatte sie geradezu genossen, und sie hatte sich gewünscht, es möge immer so bleiben.

Dann aber war ein anderer Mann in ihr Leben getreten. Liu Tian. Und jetzt war sie sich ihrer Gefühle gar nicht mehr sicher. Auch bei dem Gedanken an ihn schlug ihr Herz schneller, und es schmerzte sie, dass sie ihn bei dem Gespräch im Garten derart vor den Kopf gestoßen hatte. Immer wieder sagte sie sich, dass sie sich etwas vormachte. Zwischen ihr und Tian konnte niemals so etwas wie Liebe sein. Der Grund dafür war einfach und klar ersichtlich: Er war ein Chinese.

Die Deutschen lebten hier in Tsingtau mit den Chinesen und zugleich von ihnen getrennt. Sie beschäftigten Chinesen in ihren Häusern und Betrieben, sie trieben Handel mit ihnen. Aber jeder hatte seinen eigenen Bereich, in dem er wohnte, die Deutschen in Tsingtau, die Chinesen im Händler- und Handwerkerviertel Tapautau sowie in den beiden großen Arbeitersiedlungen, Taisitschen und Taitungschen. Eine andere Verbindung zwischen Deutschen und Chinesen als eine berufliche schien schlichtweg undenkbar.

Es gab keine familiären Bande zwischen Deutschen und Chinesen, keine Ehen. Tsingtau war keine deutsche Kolonie, nur ein Pachtgebiet, und im Gegensatz zu vielen deutschen Kolonien war hier eine Ehe zwischen Deutschen und Ureinwohnern nicht verboten. Jedenfalls nicht nach formellem Recht. Aber Amelie hatte inzwischen genug über die Einstellung der Deutschen hier erfahren, um zu wissen, dass solch eine Verbindung einer sozialen Ächtung gleichkäme. Sie teilte diese Einstellung nicht, hatte sie schon nicht geteilt, bevor sie Tian kennenlernte, aber das änderte nichts an den Tatsachen.

Amelie musste ein Auflachen unterdrücken, ein bitteres Auflachen, als sie erkannte, was für dummen Gedanken sie nachhing. Eine Heirat mit Liu Tian! Sie kannte ihn doch kaum, jedenfalls noch weniger als Erich. Warum sollte Tian so ähnlich empfinden wie sie? Sie hatte keinen Anhaltspunkt, dass es so war. Gewiss, er war sehr freundlich zu ihr gewesen und hatte ihr das Bild geschenkt, aber vielleicht war das auch einfach pure Nettigkeit gewesen oder gar geschäftliches Kalkül.

Ja, vielleicht hatte Liu Cheng seinen Sohn gebeten, nett zu Amelies Familie zu sein, um die Geschäftsbeziehung zu stärken. Jedenfalls hatte sie keinen ernsthaften Grund, sich romantische Gedanken über Tian zu machen. Sie lebte seit Kurzem in einem fremden Land, etwas, auf das sie sich sehr gefreut hatte. Da war es nur natürlich, sagte sie sich, dass alles Fremde, Unbekannte, Exotische – und dazu gehörte auch Tian – auf sie eine besondere Anziehungskraft ausübte. Sie musste lernen, ihre Gefühle besser unter Kontrolle zu halten.

Die erste Übung war, nicht länger sinnlose Gedanken an Tian zu verschwenden. Nicht weit von ihr entfernt stand nicht Tian, sondern Erich, und auf ihn richtete sie ihren Blick und ihre Gedanken.

Die deutsche Tsingtau-Fußballmannschaft stellte sich in einer Reihe auf, und als Amelie die Männer, sämtlich mit stolz geschwellter Brust, betrachtete, hatte sie keinen Zweifel an ihrem Sieg. Dann aber fiel ihr Blick auf die

Mannschaft des britischen Kreuzers, die neben der deutschen Elf Aufstellung genommen hatte, und sie musste zugeben, dass die muskulösen Seeleute mit ihren sonnengebräunten und wettergegerbten Gesichtern ebenfalls ein stattliches Bild abgaben. Sie schienen der Mannschaft aus Tsingtau zumindest ebenbürtig zu sein.

Dieser Eindruck bestätigte sich, nachdem der Amerikaner das Spiel angepfiffen hatte. Zu Beginn machten die Deutschen mächtig Druck und wollten ihren Angehörigen im Publikum wohl Grund geben, stolz auf ihre Väter, Brüder und Söhne zu sein. Erich, der auf dem rechten Flügel verteidigte, hatte in dieser Phase kaum etwas zu tun. Dann aber schienen sich die Briten warm gespielt zu haben und gelangten immer öfter bis kurz vor das deutsche Tor. Der stiernackige Torwart mit dem Kaiser-Wilhelm-Bart, in dem Amelie einen Schalterbeamten aus dem Postamt in der Prinz-Heinrich-Straße wiedererkannte, hatte seine liebe Not damit, den Ball aus seinem Tor herauszuhalten.

Beim nächsten Angriff der Briten rief der Torwart etwas in Erichs Richtung. Erich nickte knapp und ging auf den blonden Angreifer los, der den Ball mit langen Schritten vorantrieb. Dann war Erich bei ihm und schoss mit lang gestreckten Beinen in die des Gegners. Der geriet ins Straucheln und verlor die Kontrolle über den Ball. Ein anderer deutscher Spieler startete einen Gegenangriff. Aber das sah Amelie nur aus den Augenwinkeln. Ihr Blick war fest auf Erich gerichtet, und mit angehaltenem Atem verfolgte sie, wie er und der Brite sich ineinander verkeilten und zu Boden gingen.

Ein schriller Pfiff des Schiedsrichters unterbrach das Spiel, und Williams lief zu den beiden am Boden liegenden

Männern. Erich erhob sich als Erster und wollte dem Engländer mit ausgestreckter Hand beim Aufstehen helfen. Der aber schlug die Hand aus, kam taumelnd auf die Füße und überschüttete Erich, eine Faust drohend erhoben, mit einem nicht enden wollenden Schwall von Vorwürfen. Der blonde Seemann schien im nächsten Augenblick handgreiflich gegen Erich werden zu wollen.

Der Schiedsrichter stellte sich zwischen sie und sprach beruhigend auf den Briten ein. Dann wandte er sich Erich zu und zog etwas aus einer Tasche seiner schwarzen Bluse. Mit Erschrecken erkannte Amelie, dass es die Rote Karte war. Erich starrte ungläubig auf die Karte in der Hand des Amerikaners und schluckte mehrmals. Dann sagte er etwas zu Williams, aber der schüttelte heftig den Kopf. Offensichtlich war sein Entschluss, Erich vom Platz zu stellen, unabänderlich. Als Erich mit gesenktem Haupt und hängenden Schultern das Spielfeld verließ, setzte ein wahrer Orkan von Buhrufen und Beschimpfungen ein, die nicht Erich galten, sondern dem Schiedsrichter.

»So eine Gemeinheit!«, entfuhr es der sonst so stillen Helene.

»Was macht der Kerl denn, dieser Yankee?«, rief Vater. »Ist der denn blind? Erich hat doch nur seine Pflicht getan!«

»Schiebung!«, zischte Wilhelm Schweiger. »Das ist eindeutig Schiebung. Die Engländer müssen den Amerikaner gekauft haben. Kein Wunder, sie sprechen dieselbe Sprache. Eine wirklich dumme Idee, ausgerechnet diesen Williams als Schiedsrichter einzusetzen!«

Das fanden auch die meisten der übrigen Zuschauer, die ihre Missfallensbekundungen noch eine ganze Weile fortsetzten und in der Entscheidung, Erich vom Platz zu schicken, offenbar die nationale Ehre verletzt sahen. Der Amerikaner würde sich vermutlich in den kommenden Tagen so einiges anhören müssen, sobald er auch nur seine Nasenspitze aus dem Haus streckte.

Amelie tat es nicht um die nationale Ehre leid, sondern um Erich, der niedergeschlagen zu den Umkleideräumen ging. So musste er wenigstens nicht miterleben, wie die Briten ihr erstes Tor erzielten, bald gefolgt von einem zweiten.

In der Halbzeitpause gesellte sich Erich zu ihnen und musste sich von allen Seiten Mitleidsbekundungen und Beschimpfungen des Schiedsrichters anhören.

Als er Amelie begrüßte, fragte sie: »Wie geht es Ihnen, Erich? Haben Sie sich bei dem Zusammenprall wehgetan?« Als er ganz unvermittelt lächelte, fügte sie hinzu: »Was haben Sie denn?«

»Ich freue mich«, antwortete er und lächelte noch immer. »Mir wird gerade wieder etwas wohler. Ihretwegen, Amelie.«

»Das verstehe ich nicht.«

»Weil Sie unter all diesen Menschen die Erste sind, die sich nach meinem Befinden erkundigt.«

Wilhelm Schweiger hatte das gehört und klopfte ihm aufmunternd auf die Schulter. »Die Leute wissen halt, dass du unverwüstlich bist, Junge. Das Spiel werden wir nur deshalb verlieren, weil dich dieser parteiische Unparteiische dort vom Platz geschickt hat.«

Amelie sah Erich an. »Glauben Sie auch, dass wir das Spiel verlieren?«

»Ich fürchte, das werden wir, und das nicht zu knapp.«

Er sollte recht behalten. Am Ende stand es vier zu null

für die Briten, die dafür einen silbernen Pokal in Empfang nehmen durften und von ihren Landsleuten im Publikum frenetisch gefeiert wurden. Der Kapitän der britischen Fußballmannschaft reckte das Siegeszeichen stolz in die Höhe.

»Ein seltsames Volk, diese Briten«, sagte Wilhelm Schweiger kopfschüttelnd. »Dass sie an einem durch Schiebung erlangten Pokal auch noch Freude haben!«

Amelie zog mit Helene und Erich los, um Erfrischungen für alle zu besorgen. Sie hoffte, das würde die gedrückte Stimmung ein wenig heben. Als sie mit zwei Tabletts voller Getränke und Stärkungen zurückkehrten, stand einmal mehr der Bankier Frederking auf dem Platz und kündigte den Beginn der leichtathletischen Wettkämpfe an.

»Bei den diesjährigen Kämpfen gibt es eine Besonderheit«, sprach er durch sein die Stimme verstärkendes Rohr. »Auch chinesische Athleten nehmen dieses Jahr daran teil. Das Komitee der Wettkämpfe hat das beschlossen, um die enge Verbundenheit der europäischen mit der chinesischen Bevölkerung in unserem schönen Pacht- und Schutzgebiet zu unterstreichen.«

»Unsinn«, kam es von Fritz. »Frederking macht eine Menge Geschäfte mit den Chinesen. Er will ihnen einfach nur Honig ums Maul schmieren, indem er sie behandelt wie Weiße.«

Amelie bedachte ihn mit einem giftigen Blick und sagte scharf: »Ich dachte schon, du wolltest sagen, wie Menschen.« Das wiederum brachte ihr einen missbilligenden Blick ihrer Mutter ein.

»Streitet euch nicht«, kam es mahnend von Vater. »Wir wollen den heutigen Tag doch genießen. Die leichtathletischen Wettkämpfe beginnen gleich.«

Amelie setzte sich auf ihren Platz und sah, dass tatsächlich die Athleten auf den Sportplatz liefen. Die Anzahl der Asiaten war eher gering, aber einer von ihnen stach aus allen heraus, schon allein wegen seiner Größe.

»Liu Tian!«, rief Amelie aufgeregt. »Das ist Liu Tian!«

»Wie bitte?«, fragte Vater.

»Seht doch, unter den Teilnehmern ist Liu Chengs Sohn«, sagte Amelie und zeigte in die Richtung des ungewöhnlich hochgewachsenen Chinesen.

»Tatsächlich«, sagte Fritz verblüfft. »Das ist er tatsächlich. Bildermaler und Leichtathlet, ein Mann mit wirklich vielen Fähigkeiten, wie es scheint.«

»Was nicht jeder von sich sagen kann«, murmelte Amelie mit einem Seitenblick auf ihren Bruder.

Sie war versucht, Tian zu winken, zog ihre schon halb erhobene Hand dann aber zurück. Wahrscheinlich wäre es unschicklich gewesen. Außerdem wusste sie nicht, ob Tian überhaupt Wert darauf legte, von ihr gegrüßt zu werden.

Fasziniert beobachtete sie, wie er sich mit den anderen chinesischen Athleten in einer Reihe aufstellte. Obwohl von sehr schlanker Gestalt, wirkte sein Körper gut trainiert, eher sehnig als muskulös. Amelie war gespannt, wie er sich bei den Wettkämpfen schlagen würde. Sie gab Fritz recht, ohne es laut auszusprechen: Tian war offenbar ein Mann mit vielen Fähigkeiten, ein Mann, der voller Überraschungen steckte.

Als erste Disziplin wurde der Weitsprung ausgetragen, und darin erreichte er schließlich den dritten Platz. Amelie jubelte so laut, dass ihre Mutter sie zur Mäßigung ermahnte. Noch lauter jubelte sie allerdings beim Hochsprung, als feststand, dass Tian der Sieger in dieser Disziplin war. Er erwies sich außerdem als guter Läufer und war in allen Disziplinen auf den vorderen Plätzen. Beim Zweihundertmeter- und beim Hürdenlauf belegte er sogar den ersten Platz. Auch die Masse des Publikums, gegenüber den chinesischen Athleten anfangs zurückhaltend, hatte sich für Tian erwärmt und begleitete seine Siege mit großem Beifall. Amelie freute sich für ihn, und in der allgemeinen Begeisterung fiel es auch Mutter nicht auf, dass sie Tian besonders großen Beifall spendete.

Der, gleich mit drei Goldmedaillen behängt, zog sich nicht mit den anderen Athleten zu den Umkleideräumen zurück, sondern kam auf den Tribünenbereich zu, wo die Kindlers und die Schweigers in der ersten Reihe saßen. Obwohl er Wettkämpfe hinter sich hatte, die bestimmt anstrengend gewesen waren, wirkte er nicht körperlich erschöpft. Sein Gang war federnd, sein Körper gestrafft, und seine Augen strahlten geradezu. Das alles zeigte, wie sehr er seine Siege genoss. Auch Tian war also nicht frei von Eitelkeit. Das war aber in Amelies Augen nichts Negatives. Im Gegenteil, er hatte jedes Recht, stolz auf die erkämpften Siege zu sein.

Er begrüßte die Kindlers und auch die Schweigers, die er offenbar kannte, und nahm ihre Glückwünsche mit einer tiefen Verbeugung entgegen.

»Das haben Sie ganz famos gemacht, Liu Tian«, lobte Vater. »Sollte mich nicht wundern, wenn Sie der erfolgreichste Teilnehmer der diesjährigen Wettkämpfe sind.«

»Das war wirklich ungemein beeindruckend«, pflichtete Mutter ihrem Mann bei. »Ich hätte nie gedacht, dass in den Chinesen so viel Kraft steckt.«

»Kraft schon, es sind zähe Burschen«, sagte Wilhelm

Schweiger. »In unseren Fabriken und Bergwerken stellen sie das tagtäglich unter Beweis. Aber letztlich sind sie uns Deutschen doch in den entscheidenden Belangen unterlegen. Das ist nicht weiter schlimm, es muss ja auch jemand die geistig anspruchslose, aber nichtsdestotrotz harte Arbeit verrichten. Sie nehme ich davon natürlich ausdrücklich aus, Herr Liu. Offenkundig verfügen Sie über ganz vorzügliche geistige und körperliche Anlagen. Wären alle Ihre Landsleute so wie Sie, bräuchte man uns Deutsche in diesem Land nicht.« Er lachte kurz über etwas, das ihm wohl gerade in den Sinn gekommen war, und fuhr fort: »Insofern können wir ja vielleicht gar von Glück reden, dass die Dinge so sind, wie sie sind.«

»Gut gesprochen, Herr Schweiger«, sagte Fritz und applaudierte.

Tian ignorierte Schweigers Ansprache und wandte sich Amelies Vater zu. »Herr Kindler, ich will mich für die Freundlichkeit bedanken, die mir kürzlich in Ihrem Haus erwiesen wurde, als ich dort zu Gast war. Deshalb möchte Ihrer Gemahlin und jeder Ihrer reizenden Töchter eine meiner Medaillen schenken. Medaillen, die ein Chinese auf einem deutschen Sportfest in China gewonnen hat. Zur Erinnerung an das, was unsere Nationen verbindet. Möge es auch unsere Familien verbinden.«

»Ja, die guten Geschäftsbeziehungen sind wichtig für beide Seiten«, sagte Vater und nickte zustimmend.

Amelie hatte das Gefühl, dass Tian von etwas ganz anderem gesprochen hatte als von Geschäften. Als sie an der Reihe war und er die Medaille, die an einem dunklen Samtband befestigt war, um ihren Hals hängte, streiften seine Hände ihre Wangen. Es war nur eine flüchtige Berührung, nicht länger als ein Augenblick, aber es reichte aus, um Amelie erschauern zu lassen. Sie wünschte sich, die feingliedrigen Hände des Chinesen würden sie festhalten und nie wieder loslassen.

Sie sah in sein Gesicht und erschrak fast über das, was sie in seinen Augen las: dasselbe Verlangen, das auch sie verspürte; bittend, flehend, drängend, fordernd. Es währte ebenfalls nur eine Sekunde, bevor er sich von ihr abwandte, aber sie war sich sicher, dass sie sich nicht getäuscht hatte. Sie wusste jetzt, dass ihre um Tian kreisenden Gedanken keine sinnlosen Träumereien waren. Ihre Gefühle wurden erwidert, in einer Art und Weise, die ihr fast den Boden unter den Füßen wegzog.

Aber das Glücksgefühl, das sie überkam, wurde durch ihren Verstand sofort zurückgedrängt. Selbst ihre gegenseitige Zuneigung konnte nicht darüber hinweghelfen, dass sie verschiedenen Kulturen angehörten, verschiedenen Erdteilen entstammten. Und mochte Amelie die Hautfarbe eines anderen Menschen auch noch so gleichgültig sein, für die überwältigende Mehrheit ihrer Landsleute galt das Gegenteil.

Sie drängte alle Zweifel so weit zurück wie nur möglich und genoss den Augenblick: Tians Nähe, seinen sportlichen Triumph, vor allem aber das, was sie in seinen Augen gelesen hatte. Zärtlich streichelte ihre Hand die Goldmedaille, die er ihr um den Hals gehängt hatte.

Vier Tage später spürte Amelie, wie ihre Aufregung stündlich, nein minütlich, wuchs. Die Sonne sank langsam tiefer und tauchte das Land rings um die Kiautschou-Bucht in ein mattes, beruhigendes Licht. Sonst jedenfalls hatte sie das immer so empfunden, aber nicht heute, nicht an diesem Tag. Obwohl alles nach Plan lief und die Vorbereitungen für das abendliche Ereignis in der Küche und im Rest des Hauses wie am Schnürchen abliefen, machte sie sich tausend Gedanken darüber, was man vergessen haben oder was schiefgehen könnte. Die Gäste, die an diesem Abend von den Kindlers erwartet wurden, sollten sich doch wohlfühlen – besonders Liu Tian.

Amelies Vater hatte die Einladung an Tian, die auch für dessen Eltern galt, noch auf dem Iltisplatz ausgesprochen, nachdem Tian Amelie, Helene und Mutter die Goldmedaillen geschenkt hatte. Die Schweigers hatte er ebenfalls eingeladen, und so würde an diesem Abend viel Betrieb sein in der Villa Hedwig.

Zuerst, ein wenig zu früh, erschienen Wilhelm und Annemarie Schweiger. Vergeblich hielt Amelie nach Erich Ausschau, er war nicht da.

»Erich lässt sich entschuldigen«, sagte dessen Vater. »Er ist derzeit nicht ganz auf dem Damm. Er hat sich wohl bei dem betrügerischen Fußballspiel am letzten Wochenende zu allem Ärger auch noch eine Zerrung oder so etwas eingefangen.«

Er legte die Stirn in Falten, als er das sagte. Aus einem für Amelie nicht ersichtlichen Grund schien es ihn einige Überwindung zu kosten.

»Ist es schlimm?«, fragte sie.

»Es geht«, lautete Wilhelm Schweigers ausweichende Antwort. »Zumindest fühlt er sich nicht wohl genug, um uns heute Abend Gesellschaft zu leisten.«

Mutter stieß einen mitfühlenden Seufzer aus. »Dann richten Sie ihm bitte von uns allen die besten Wünsche für eine baldige Genesung aus, Herr Schweiger. Es ist wirklich schade, dass er nicht dabei sein kann.«

Schweiger ließ seinen Blick für ein paar Sekunden auf Amelie ruhen, bevor er sich Mutter zuwandte. »Danke, Frau Kindler. Wir alle bedauern die Umstände, die zu Erichs Abwesenheit geführt haben.« Wenn Amelie sich nicht ganz und gar täuschte, sagte er das mit einem vorwurfsvollen Unterton.

Pünktlich auf die Minute erschienen die nächsten Gäste, doch auch hier fehlte jemand: Liu Chengs Frau, Tians Mutter. Auch sie ließ sich aus gesundheitlichen Gründen entschuldigen. Amelie glaubte nicht so recht daran. Sie konnte sich vorstellen, dass es für eine Chinesin einfach ungewohnt oder sogar unangenehm war, mit den Deutschen, deren Sitten und Sprache sie nicht kannte, zu Abend zu essen.

Als Liu Tian sie begrüßte, geschah das mit ausgesuchter Höflichkeit, aber auch sehr förmlich. Nichts deutete auf das hin, was sie auf dem Iltisplatz in seinen Augen gelesen zu haben glaubte. Hatte sie sich so getäuscht? War sie einem Wunschtraum erlegen, der nur in ihrer Phantasie real geworden war?

Sie konnte – wollte – so etwas nicht glauben. Nein, sie hatte sich ganz gewiss nicht in Tian getäuscht!

Er war wohl einfach nur ein guter Schauspieler, der seine wahren Gefühle für Amelie vor den anderen verbarg. Denn auch er wusste mit Sicherheit, dass Zuneigung – ja, Liebe – zwischen einem Chinesen und einer Deutschen in Tsingtau keine Zukunft hatte.

Nach einer Führung durch das Haus, die Vater den Gästen geradezu aufdrängte, begaben sie sich zu Tisch, wo Fang Des Kochkunst allgemeines Lob fand. Er hatte sich besondere Mühe gegeben und das Dinner unter das Motto »Das Beste zweier Welten« gestellt, wie er stolz verkündete. Jeder Gang bestand aus Zutaten sowohl der europäischen als auch der asiatischen Küche, und schon nach den ersten Bissen waren alle begeistert.

Als die Lobeshymnen auf Fang De abgeklungen waren, sagte Mutter: »Jaja, der gute Franz, er macht das ganz wunderbar in der Küche.«

»Wie schön für Sie, Frau Kindler«, erwiderte Annemarie Schweiger. »Da haben Sie weniger Arbeit.«

»Wie wahr«, pflichtete Mutter ihr bei. »Ich muss mich um die Küche gar nicht kümmern, das macht der Franz alles ganz allein.«

Amelie musste sich das Lachen angestrengt verkneifen, und sie war nicht die Einzige, die ihre Erheiterung zu verbergen suchte. Ihr Blick kreuzte sich mit dem Tians, und auch er wirkte amüsiert.

Davon abgesehen, herrschte bei Tisch keine besonders heitere Atmosphäre, und das Gespräch wurde durch Belanglosigkeiten am Laufen gehalten. Besonders die Schweigers schienen eher gedrückter Stimmung, und auch Wilhelm Schweiger gab sich entgegen seiner sonstigen Gewohnheit sehr einsilbig.

Als man auf Tsingtau und die Schönheiten der Stadt zu sprechen kam, tauten die beiden Chinesen auf, die sich bislang eher zurückhaltend gezeigt hatten. Für Amelie war es nicht immer ersichtlich, wann Tian eigene Ansichten verkündete und wann er die Worte seines Vaters übersetzte, aber das war letztlich auch gleichgültig. Gebannt lauschte sie seiner angenehmen Stimme, mit der er die Stadt an der Kiautschou-Bucht pries. Er lobte diplomatisch die deutschen Bau- und Hygienevorschriften, denen auch und gerade die chinesische Bevölkerung viel zu verdanken habe. Im nächsten Satz allerdings bedauerte er, dass in Tsingtau selbst kaum alte chinesische Bauwerke erhalten geblieben waren. »Wären nicht das Yamen und der Tempel der Himmelsgöttin, so wäre in der ganzen Stadt gar nichts von der chinesischen Baukunst zu sehen.«

»Na, mit der deutschen kann sie sich gewiss nicht messen«, brummte Wilhelm Schweiger.

Amelie strafte ihn dafür mit Missachtung und wandte sich demonstrativ an Liu Tian. »Jetzt lebe ich schon einige Wochen in Tsingtau und habe mir diese beiden Bauwerke noch nie aus der Nähe angesehen.«

»Das ist eine sträfliche Unterlassungssünde«, sagte Tian. »Sie sollten da schleunigst Abhilfe schaffen, Fräulein Kindler. Am besten schauen Sie sich das Yamen und den Tempel mit einem einheimischen Führer an. Der kann Ihnen viel über die Geschichte der Gebäude und auch über die mit ihnen verknüpften Mythen erzählen.«

»Ich bin sicher, Sie wären ein ganz ausgezeichneter Führer, Herr Liu. Haben Sie nicht Lust, mir diese Bauwerke zu zeigen?«

»Sehr gern. Sobald Sie Lust und Zeit haben, können wir einen gemeinsamen Spaziergang unternehmen.« Er sagte das in einem höflichen Ton, blieb sonst aber zurückhaltend. In seinen Augen jedoch glaubte Amelie zu lesen, dass er sich auf diesen Spaziergang ebenso freute wie sie. Tian wandte sich an Amelies Eltern. »Natürlich nur, wenn Sie gestatten.«

Mutter wackelte leicht mit dem Kopf hin und her. »Ich weiß nicht recht.«

Amelie warf ihrem Vater einen bittenden Blick zu, und er sagte: »Amelie ist bei Herrn Liu gut aufgehoben, da bin ich mir sicher. Schließlich sind er und sein Vater gute Freunde unseres Hauses.«

»Wie du meinst, Heinrich«, sagte Mutter leicht verschnupft. »Ein wenig einheimische Kultur ist vielleicht eine angenehme Abwechslung, über die sich auch unsere Helene freuen würde.«

Tian verstand den Wink und wandte sich sogleich an Amelies Schwester. »Selbstverständlich würde ich mich freuen, wenn Sie sich uns anschließen würden, Fräulein Helene.«

Helene lächelte, aber es war ein dünnes, abweisendes Lächeln. »Meine Schwester macht sich mehr aus der einheimischen Kultur als ich.«

»Entweder beide oder keine!«, wurde Mutter energisch.

Amelie beugte sich zu ihrer Schwester hinüber und legte eine Hand auf ihren Unterarm. »Bitte, Helene, sag doch ja.«

Als Helene sah, dass aller Blicke auf sie gerichtet waren, rang sie sich schließlich ein leises »Ja« ab.

Alle schienen zufrieden, mehr oder weniger – Amelie und Tian auf jeden Fall mehr –, und es wurde beschlossen, dass der Spaziergang am kommenden Sonntagnachmittag stattfinden sollte.

Die Gäste hatten das Haus längst verlassen, und nächtliche Ruhe lag über der Villa, aber Amelie fand keinen Schlaf. Ihr Blick fiel auf das Gemälde der sich küssenden Schmetterlinge, das sie im blassen Mondlicht, der in ihr Zimmer fiel, nur undeutlich erkennen konnte. Und doch sah sie es genau, sogar mit geschlossenen Augen. Sie konnte jedes Detail, jede Farbschattierung aus dem Gedächtnis wiedergeben, so oft und intensiv hatte sie es schon betrachtet.

Ihr Herz klopfte, wenn sie an den kommenden Sonntag dachte. Sie wollte – musste – mit Tian sprechen. Und er mit ihr. Das hatte sie deutlich in seinen Augen gesehen. Leider hatten sie an diesem Abend keine Gelegenheit zu einem Gespräch unter vier Augen gehabt. Aber vielleicht, hoffentlich – nein, bestimmt – am Sonntag. Auch wenn Helene mitkam, Amelie war fest entschlossen, sich die Gelegenheit nicht entgehen zu lassen.

Eigentlich musste sie ihrer Schwester dankbar sein. Hätte Helene sich nicht umstimmen lassen und eingewilligt, sie und Tian auf dem Spaziergang zu begleiten, hätte Mutter sich wohl kaum erweichen lassen. Amelie hatte den Eindruck gehabt, dass selbst eines von Vaters Machtworten diesmal nicht weitergeholfen hätte. Egal, Helene hatte die Sache gerettet.

Amelie war warm. Sie streifte die Bettdecke ein Stück

nach unten, drehte sich seufzend auf die andere Seite, fand aber noch immer keinen Schlaf. Schließlich stieg sie aus dem Bett, schlüpfte in ihre Pantoffeln und den Schlafrock und huschte hinaus auf den Gang, um gleich nebenan Helenes Zimmer zu betreten. Sie nahm eine Bewegung im Bett war: Helene, die sich halb aufrichtete.

»Bist du es, Amelie?«, fragte Helene im Flüsterton.

Sie bejahte es, ging zum Bett und setzte sich neben ihre Schwester auf die Kante. »Ich habe ganz vergessen, mich bei dir zu bedanken.«

»Wofür?«

»Wofür?«, wiederholte Amelie. »Na hör mal, ohne deine Hilfe wäre aus dem Spaziergang am Sonntag bestimmt nichts geworden. Mama hätte kaum eingewilligt, hättest du dich nicht erboten, die Anstandsdame zu spielen.«

»Brauchst du denn eine Anstandsdame, wenn du dich mit Liu Tian triffst?«

Amelie glaubte, aus den Worten einen seltsamen Unterton herauszuhören. Es klang fast ein wenig feindselig, aber das ergab für sie keinen Sinn. Wahrscheinlich hatte sie sich einfach getäuscht.

»Tian ist schon ein außergewöhnlicher Mann«, sagte Amelie. »Findest du nicht?«

»Das ist er ganz gewiss. Aber damit hast du meine Frage nicht beantwortet.«

»Ob ich eine Anstandsdame brauche?« Amelie lachte leise. »Womöglich schon. Das kommt letztlich auch auf Tian an.«

»Du bist unmöglich!«, sagte Helene mit einer Schärfe, die Amelie erschreckte. »Denkst du denn nur an dich selbst?«

»Was soll das jetzt wieder bedeuten? Du bist heute Abend irgendwie seltsam, Helene.«

»Und du benimmst dich, als seist du ganz allein auf der Welt. Mag ja sein, dass du und dein Tian vernarrt ineinander seid, auch wenn ich es nicht verstehe. Ihr kennt euch schließlich kaum.«

»Das ist nicht ausschlaggebend. Man kann einen Menschen erst seit kurzer Zeit kennen und sich trotzdem zu ihm hingezogen fühlen wie zu nichts und niemandem sonst. Kennst du dieses Gefühl nicht?« Helene blieb stumm, und für eine Weile breitete sich brütendes Schweigen aus, bis Amelie fragte: »Was wolltest du damit sagen, ich würde nur an mich selbst denken?«

»Wir nehmen in Tsingtau eine bedeutende gesellschaftliche Stellung ein, die …«

»Wir?«, unterbrach Amelie ihre Schwester.

»Ich meine unsere ganze Familie. Wenn du eine Liebelei mit einem Chinesen anfängst, bringst du uns alle in Verruf und verdirbst Papa und Fritz die Geschäfte.«

»Du meinst also, Chinesen sind minderwertige Menschen? Da konnten Tian und sein Vater ja heilfroh sein, dass sie heute Abend mit uns hochstehenden Europäern an einem Tisch sitzen durften.«

»Du weißt, dass ich nicht so denke«, erwiderte Helene mit einer Schroffheit, die Amelie von ihrer sonst so zurückhaltenden Schwester nicht gewohnt war. »Aber was ich denke, ist nicht entscheidend. Du weißt genau, dass es die allgemeine Haltung der Deutschen und aller Europäer in Tsingtau ist. Deshalb solltest du dir genau überlegen, was du tust, bevor du es bereust!«

»Du hörst dich jetzt fast an wie Mama«, sagte Amelie.

»Man kann gegen Mama viel sagen, aber das bedeutet nicht, dass sie immer und mit allem falschliegt.«

»Es wird schon nichts Schlimmes geschehen am Sonntag«, sagte Amelie halbherzig. »Schließlich bist du ja dabei.«

»Ich hoffe sehr, dass du recht hast, Amelie. Vergiss nicht, dass du nicht allein auf der Welt bist. Mama, Papa, Fritz und ich sind auch noch da und ...«

»Und?«, frage Amelie nach, als Helene plötzlich abbrach.

»Und auch die Schweigers.«

»Was, bitte schön, haben die damit zu schaffen?«

»Was glaubst du wohl, warum Herr Schweiger heute Abend so verstockt gewesen ist?«

»Ich habe nicht die leiseste Ahnung.«

»Dann glaubst du wohl auch, dass Erich wirklich wegen so einer dämlichen Zerrung zu Hause geblieben ist.«

»Du etwa nicht?«

»Nein, das habe ich nicht für eine Sekunde geglaubt.«

»Warum sollten seine Eltern lügen?«

»Weil es ihnen peinlich ist, dass Erich eifersüchtig auf deinen Tian ist. Dass er sich von einem Chinesen – und von denen hält sein Vater ja offenkundig nicht viel – zurückgesetzt und öffentlich vorgeführt fühlt.«

»Öffentlich vorgeführt? Jetzt spinnst du aber wirklich!«

»So? Was glaubst du denn, wie er sich auf dem Sportfest gefühlt hat, nachdem er vom Platz gewiesen wurde und seine Mannschaft so haushoch verloren hat? Und dann kommt Liu Tian angetänzelt und schmückt uns mit seinen Goldmedaillen wie die Weihnachtsbäume. Vor aller Leute Augen. Wie sollte sich Erich da wohl fühlen?«

»Das ging doch nicht gegen ihn.«

»Aber er hat es so aufgefasst.«

»Du phantasierst jetzt aber, Helene. Wie kommst du bloß darauf?«

»Du wärst selbst darauf gekommen, hättest du auch für etwas anderes Augen als für Liu Tian.« Helene holte tief Luft, wie um ihre innere Erregung wenigstens ein bisschen unter Kontrolle zu bringen. »Hast du nicht Erichs Blick gesehen, als Tian dir die Medaille umgehängt hat?«

»N-nein«, erwiderte Amelie zögernd.

»Aber ich!«

Amelie sah Erich erst am Sonntag wieder, beim Kirchgang. Bis dahin hatten ihre Gedanken seit dem Aufstehen um den bevorstehenden Spaziergang mit Tian gekreist. Sie empfand es fast als Störung, als die Kindlers vor dem Betreten der Kirche auf die Schweigers trafen.

»Wie geht es Ihnen, Erich?«, fragte Vater leutselig. »Haben Sie sich von der Zerrung erholt?«

»Danke«, sagte Erich nur knapp, als wolle er nicht weiter darüber reden.

Als er Amelie begrüßte, fiel das sehr förmlich aus, sein Gesicht wirkte wie versteinert. Auch als sie ihn freundlich anlächelte, änderte sich das nicht. Er schien zu spüren, dass es nicht das Lächeln einer Verliebten war, sondern nur das einer guten Freundin.

In der Kirche sah Amelie immer wieder zu ihm hinüber, und das schlechte Gewissen, das sie nach dem nächtlichen Gespräch mit Helene gehabt hatte, kehrte zurück. In jener Nacht hatte sie kaum geschlafen, weil Helenes Vorwürfe sie tief getroffen hatten. Hatte Helene recht damit, dass sich Amelie falsch verhielt? Hatte sie Erich auf dem Iltisplatz vor den Kopf gestoßen, und das vor aller Augen? Sie fand keine rechte Antwort darauf, aber eins stand zumindest fest: Wenn sie sich falsch verhalten hatte, dann war das keine Absicht gewesen.

Sie konnte sich gut vorstellen, dass die Dinge für Erich anders wirkten. Aus seiner Sicht hatte sie vermutlich einiges falsch gemacht. Aber was konnte sie für ihre Gefühle? Außerdem hatte sie ihm nichts versprochen. Ob ein klärendes Gespräch helfen würde?

Kaum hatte sie den Gedanken gefasst, da schalt sie sich auch schon eine Närrin. Sie hatte es in den vergangenen Tagen nicht fertiggebracht, ein klärendes Gespräch mit Tian zu führen. Und dann nahm sie sich noch eins mit Erich vor? Sie verwarf den Gedanken wieder.

Vermutlich war es hinsichtlich Erich am besten, alles auf sich beruhen zu lassen. Wenn sie nicht an seiner Wunde rührte, würde er wohl am schnellsten darüber hinwegkommen. Ganz tief in ihr stieg der Gedanke auf, dass sie es sich damit nur selbst leichter machen wollte, aber das war eine unangenehme Überlegung, die sie rasch verdrängte.

Nach dem Gottesdienst kam es, zu Amelies Erleichterung, zu keinem weiteren Gespräch mit den Schweigers, und während des Mittagessens waren ihre Gedanken schon wieder ganz bei Tian.

Sie war derart in sich versunken, dass Mutter fragte: »Du bist ungewöhnlich still, Amelie. Fühlst du dich nicht wohl? Möchtest du heute Nachmittag lieber zu Hause bleiben?«

»Nein, auf keinen Fall«, beeilte sich Amelie zu sagen und fügte dann, ruhiger, hinzu: »Ich meine, mir geht es gut. Das Wetter ist viel zu schön, um den Tag im Haus zu verbringen. Ich überlege, was für ein Kleid ich nachher anziehe. Etwas Leichtes sollte es wohl sein.«

»Nicht zu leicht«, ermahnte Mutter. »Der Sommer ist eigentlich schon vorüber.«

Die vergangenen Tage waren tatsächlich etwas kühl gewesen, aber heute schien die Sonne ungehindert auf die Kiautschou-Bucht herab, und Amelie nahm das als gutes Vorzeichen. Mutters Ermahnung zum Trotz entschied sie sich für ein leichtes Tropenkleid, als sie sich nach dem Essen für den bevorstehenden Spaziergang umzog.

Als jemand ohne anzuklopfen in ihr Zimmer trat, dachte sie, Helene sei bereits umgezogen, und sie sagte heiter: »Du hast mich geschlagen, Helene, ein paar Minuten brauche ich noch.«

»Lass dir ruhig Zeit«, sagte eine Männerstimme, und im Umdrehen erkannte sie ihren Bruder. »Es stört dich hoffentlich nicht, mit mir ein paar Worte zu wechseln, während du dich für Liu Tian hübsch machst.«

Fritz hatte die Tür hinter sich geschlossen und lehnte sich mit dem Rücken gegen den Türrahmen. Er inhalierte den Rauch seiner Zigarette und stieß ihn in kleinen Kringeln wieder aus. Auf Amelie wirkte es, als habe er diese Geste sorgfältig einstudiert.

»Ich ziehe mich um, und du störst mich dabei«, fauchte sie ungehalten. »Hübsch mache ich mich für niemanden!«

»Ach nein? Da habe ich einen anderen Eindruck.«

»Dann tu dich doch mit Helene zusammen. Die teilt nämlich deinen Eindruck.«

»So? Ich hielt dich immer für klüger als Helene, aber vielleicht habe ich mich getäuscht.«

»Und ich hielt dich immer für wohlerzogen, Fritz. Beweis mir bitte, dass ich mich nicht getäuscht habe, indem du jetzt durch diese Tür da gehst.«

»Ich bin ja gleich verschwunden, aber vorher möchte ich

dir etwas sagen. Es geht ganz schnell, sind eigentlich nur fünf Wörter.«

Aber statt ihr zu sagen, was er unbedingt loswerden wollte, blies er ein paar weitere Rauchkringel in die Luft. Offenbar genoss er es, Amelie auf die Folter zu spannen.

»Dann lass deine fünf Wörter hören, eher gibst du ja doch keine Ruhe«, sagte sie unwillig, während sie ihr Kleid zuknöpfte.

»Treib es nicht zu weit!«

»Wie bitte? Was soll das?«

»Du hast mich sehr wohl gehört, Amelie. Ich spreche von deinem Getändel mit diesem Chinesen. Ich verstehe gut, dass er Eindruck auf dich macht mit seinem geistvollen Getue und seiner Farbenkleckserei.« Dabei warf Fritz einen kurzen, verächtlichen Blick auf das Gemälde, das er selbst aufgehängt hatte. »Das ist eine neue Welt für dich, und die Gelben sind auch etwas Neues, Interessantes. Warum auch nicht. Aber vergiss nicht, wer du bist und wo du herkommst. Du gehörst nicht nach Tapautau, und Liu Tian gehört nicht hierher. Ihr lebt in zwei verschiedenen Welten!«

In Amelie stieg Wut hoch. Wut darüber, wie verächtlich ihr Bruder über die Chinesen sprach. Und Wut darüber, dass er sie zu belehren versuchte, sie behandelte wie ein Kind. Am liebsten hätte sie Fritz eine schallende Ohrfeige verpasst.

»Du hast kein Recht, mir Vorträge zu halten«, sagte sie kühl. »Du bist nicht mein Vater, nur mein Bruder.«

»Ich bin ein Mitglied dieser Familie und sehe es als mein gutes Recht an, die Familieninteressen zu wahren. Ganz besonders, wenn du dich sehenden Auges anschickst, unsere Familie ins Unglück zu stürzen.«

»Ins Unglück? Was redest du da? Nur weil ich mit Liu Tian einen Spaziergang unternehme?«

»Was glaubst du denn, wie viele anständige deutsche Bürger dieser Stadt euch dabei sehen werden? Halb Tsingtau wird heute Nachmittag unterwegs sein, um das schöne Wetter zu genießen. Morgen wird euer angeblich so harmloser Spaziergang Stadtgespräch sein. Die Leute werden sich die Mäuler darüber zerreißen, dass eines der Kindler-Mädchen mit einem Chinesen umherflaniert ist.«

»*Beide* Kindler-Mädchen«, korrigierte Amelie. »Vergiss nicht, dass Helene auch mitkommt.«

»Immerhin«, brummte Fritz und spielte mit der Zigarette, die zwischen seinen Fingern eingeklemmt war. »Trotzdem solltest du so etwas nicht wiederholen, Amelie. Wenn du auf der Suche nach einem passenden Mann bist, warum hältst du dich dann nicht an Erich Schweiger? Der ließe sich bestimmt nicht lange bitten.«

»Willst du mir etwa den passenden Mann aussuchen?«

»Das wäre vielleicht das Beste.«

»Mit welchem Recht erlaubst ...«

Amelie kam nicht weiter, weil Fritz ihr ins Wort fiel: »Vater und ich, wir haben in Tsingtau etwas aufgebaut, ein Geschäft und eine gesellschaftliche Stellung. Wir haben das nicht nur für uns getan, sondern auch für Mutter, für Helene und für dich, Amelie. Es passt nun einmal nicht zu unserem gesellschaftlichen Rang, wenn du dich mit einem Chinesen einlässt. Du gefährdest damit alles, das musst du doch verstehen!«

Er hatte mit lauter und schneidender Stimme gesprochen, war dabei an sie herangetreten und hatte mit einer Hand ihren Oberarm umfasst. So fest, dass es schmerzte.

»Du tust mir weh«, beschwerte sie sich, aber er ließ nicht los, lockerte seinen Griff nicht einmal. »Willst du mir wirklich erzählen, Fritz, dass sich Deutsche nicht mit Chinesen einlassen dürfen? Was ist denn mit den vielen Chinesinnen, die hier im Bordell arbeiten? Oder in einem *Blumenhaus*, wie man hierzulande sagt. Es gibt doch solche Häuser mit Chinesinnen, die ausschließlich von deutschen Männern besucht werden, oder?«

Sein Blick verengte sich, schien sie durchbohren zu wollen. »Was weißt du davon?«

»Ich bin nicht blöd und auch nicht taub. Glaubst du, ich höre nicht, was die Angestellten in der Firma so bereden?«

»Na und? Das ist etwas ganz anderes!«

»Ein deutscher Mann darf sich also mit einem chinesischen Mädchen einlassen, eine deutsche Frau aber nicht mit einem Chinesen? Meinst du das?«

»Genau so ist es. Wenn ein Mann zu einer chinesischen Hure geht, ist das nur ein Geschäft. Du weißt sehr gut, dass in Tsingtau ein eklatanter Mangel an deutschen Frauen herrscht. Was sollen die Männer denn sonst tun?«

Was Fritz sagte, verärgerte und erregte Amelie so sehr, dass sie den Schmerz im Oberarm kaum noch spürte. Das Zimmer begann, sich um sie zu drehen, so sehr war sie von seinen Ausführungen erschüttert.

Sie riss sich zusammen, wollte sich vor Fritz keine Blöße geben und erwiderte: »Gegen so ein Geschäft, wie du es nennst, ist also nichts einzuwenden? Gegen wahre Zuneigung zu einem Chinesen aber schon?«

Endlich ließ er sie los und trat einen Schritt zurück. »Du hast es erfasst, Amelie.«

»Das begreife ich nicht.«

»Weil du es nicht begreifen willst.« Fritz zog erneut an der Zigarette. »Wenn ein Mann zu einem Chinesenmädchen ins Bordell geht und dafür bezahlt, nimmt er ihre Dienste in Anspruch. Es ist nichts anderes, als würde er sich von einem Chinesen rasieren oder die Haare schneiden lassen. Er stellt sich nicht mit dem Mädchen auf eine Stufe, macht sich nicht gemein mit einer Gelben.«

»Du meinst«, sagte sie langsam, bemüht, die in ihrem Kopf umherwirbelnden Gedanken zu sortieren, »die gesellschaftlichen Unterschiede bleiben gewahrt?«

»Ja, exakt, besser hätte ich es auch nicht ausdrücken können.« Er lächelte plötzlich, offenbar zufrieden darüber, dass Amelie ihre Lektion gelernt hatte. »Wenn es anders wäre, würden die Gelben irgendwann glauben, dass sie mit uns auf einer Stufe stehen. Dass sie genauso vollwertige Menschen sind wie wir.« Er schüttelte den Kopf. »Einfach undenkbar.«

»Ich verstehe«, sagte sie leise und ließ sich benommen auf der Bettkante nieder. »Ich verstehe dich jetzt, Fritz, voll und ganz.«

»Na also, ich wusste ja, dass man vernünftig mit dir sprechen kann. Bist halt doch ein kluges Mädchen. Es ist nicht leicht, die Dinge hier in China zu begreifen. Wenn du Hilfe brauchst, wende dich nur an mich.«

»Wenn ich deine Hilfe brauche, werde ich das tun.« Sie drückte sich absichtlich zweideutig aus, aber das schien Fritz nicht zu bemerken.

»Schön. Dann mach dir einen angenehmen Nachmittag, aber sieh zu, dass du nicht zu freundlich zu Liu Tian bist. Du weißt schon, was ich meine. Und dann müssen wir zusehen, dass du bald einen Spaziergang mit Erich machst, nicht?«

»Du meinst, da darf ich dann freundlicher sein?«

Fritz lachte rau. »Aber natürlich, solange du dir noch etwas für die Hochzeitsnacht aufsparst.«

Als Fritz längst gegangen war, starrte sie noch immer auf die Stelle, an der er gestanden hatte, und in ihren Ohren hallte sein schmutziges Lachen nach. Minutenlang saß sie still auf ihrem Bett und versuchte, das eben Gehörte zu verarbeiten. Auch wenn Fritz und sie sich noch nie sehr nahegestanden hatten – eigentlich stand sich Fritz mit niemandem nahe, hatte sie den Eindruck –, wie er sich eben ihr gegenüber verhalten hatte, hätte sie nicht für möglich gehalten. Sie wollte sich einreden, alles nur geträumt zu haben, aber in ihrem Zimmer hing schwer der Tabakduft seiner Queen-Zigarette, und die schmerzende Stelle an ihrem Oberarm war ein weiterer Beweis dafür, dass er tatsächlich hier gewesen war. Wahrscheinlich würde sie einen großen blauen Fleck bekommen.

Die Geringschätzung ihres Bruders für die Chinesen, die er mit vielen Europäern in Tsingtau teilte, war ihr schon vorher aufgefallen. Aber erst jetzt hatte sie begriffen, dass es in seinem Fall nicht nur Geringschätzung war, sondern tiefste Verachtung. Für ihn schienen die Chinesen nicht mehr zu sein als Tiere, die man benutzte. Amelie war tief betroffen über den Einblick in seine Seele, den er ihr – ob gewollt oder ungewollt – gewährt hatte. Er erschien ihr plötzlich als ein vollkommen Fremder. Traurigkeit überfiel sie. Die Traurigkeit darüber, ihren Bruder verloren zu haben.

Aber da war noch mehr. Bislang hatte sie geglaubt, Fritz habe einen gleichgültigen Charakter. Sie hatte ihn für einen Menschen gehalten, der kaum etwas an sich herankommen ließ, den die Sorgen und Nöte anderer kaltließen.

Eine Eigenschaft, weit entfernt von christlicher Nächstenliebe, die einem aber zweifellos das Leben erleichtern konnte. Heute jedoch hatte sie zum ersten Mal gemerkt, dass es Dinge gab, die ihn tief bewegten. Zum Beispiel seine Abneigung gegen die Chinesen, die er verächtlich ›Gelbe‹ nannte. Hoffentlich täuschte sie sich, aber sie hatte den Eindruck gehabt, dass Fritz so gut wie alles tun würde, um seine Ziele zu verfolgen, unabhängig von den Gesetzen der Moral wie auch von denen der Justiz. Und das machte ihr wirklich Angst.

Bei längerem Nachdenken erschien ihr etwas anderes noch viel schlimmer. Wenn auch nicht alle Europäer in Tsingtau so denken mochten wie Fritz, bestimmt gab es mehr als genug, die seine Ansichten teilten. Wahrscheinlich dachte sogar die große Mehrheit wie Fritz. Das konnte böse Folgen haben, falls sie sich entschloss, nicht auf ihn zu hören.

Falls?

So ein Unsinn! Nicht eine Minute hatte sie vorgehabt, ihrem Bruder zu folgen. Sie hatte ihn nur loswerden wollen, mehr nicht.

Wie es weitergehen sollte mit Tian und ihr, gegen solche Widerstände, das war ihr noch nicht klar. Es musste einfach einen Weg geben. Sie betrachtete das Bild an ihrer Wand, den *Kuss der Schmetterlinge*, und neue Hoffnung keimte in ihr auf. Tian war ein ausnehmend kluger Mann. Vielleicht kannte er diesen Weg – den Ausweg.

12

Sobald sie sich gegenüberstanden, schien Tian zu merken, dass mit Amelie etwas nicht stimmte. Sie konnte nicht sagen, woran er das erkannte. Sah er es ihr an? Oder spürte er es einfach? Jedenfalls wusste er, dass etwas Schwerwiegendes vorgefallen war. Sie las in seinem Blick die Sorge und die unausgesprochene Frage.

Er war in einer Rikscha gekommen und hatte zwei weitere mitgebracht, »für Fräulein Helene und Fräulein Amelie. Es ist ein sehr warmer Tag, und die jungen Damen sollten sich nicht überanstrengen.«

»Sehr vernünftig von Ihnen, Herr Liu«, lobte Mutter. »Sehr vernünftig.«

Mit den Rikschas fuhren sie an der Auguste-Viktoria-Bucht entlang bis zu der Stelle, wo die Yamen-Brücke ins Wasser hineinragte. Tian bezahlte die Rikschakulis, und sie schlenderten zu der Seebrücke, auf der sich eine unüberschaubare Anzahl an Tropenanzügen, -kleidern und kleinen Sonnenschirmen versammelt hatte.

»Wir sind nicht die Ersten und nicht die Einzigen mit der Idee, auf die Brücke zu gehen«, stellte Tian fest und schlug vor, lieber ein Stück am Strand entlangzuwandern. »Dort ist es nicht ganz so voll, und wir können uns auch da eine frische Brise Seeluft um die Nasen wehen lassen.«

Amelie und Helene stimmten zu, und so bummelten sie

zwischen anderen Spaziergängern und Badegästen durch den feinen Sand. Einige Male wurden sie von Bekannten der Familie oder Kunden gegrüßt. Amelie entgingen die fragenden Blicke nicht, als man bemerkte, dass sie und Helene in Begleitung eines Chinesen unterwegs waren. Da würde Vater in der nächsten Woche wohl ein paar neugierige Fragen beantworten müssen.

Tian tat, als bemerke er die Blicke nicht, und steuerte einen chinesischen Verkäufer an, der lauthals »bestes Möwenfutter, feinstes Möwenfutter« anpries. Tian kaufte ihm zwei Tüten ab, eine für Amelie, eine für Helene. Amelie hatte den Eindruck, das ›feinste Möwenfutter‹ war nichts anderes als zerkleinerte Reste alten Brotes, aber die Möwen schien das nicht zu kümmern. Sie stürzten sich mit lautem Kreischen auf die Brotkrumen, sobald Amelie und ihre Schwester sie in die Luft warfen, und kamen so dicht an die beiden Frauen heran, dass Helene ängstlich zurückwich und dabei über ein Stück angeschwemmtes Holz stolperte. Sie wäre gestürzt, hätte Tian sie nicht geistesgegenwärtig festgehalten.

Amelie beneidete die Möwen, die sich, sobald die Papiertüten geleert waren, in die Lüfte erhoben und davonsegelten, frei und ungebunden, nichts und niemandem verpflichtet, schon gar keinen Vorurteilen über Hautfarbe oder Kulturkreis. Sie wünschte sich, sie und Tian könnten auch als Möwen Seite an Seite einfach so davonfliegen.

»Die Freiheit der Möwen«, sagte leise Tian, der neben sie getreten war.

»Woher wissen Sie, was ich gerade denke?«

»Ich bitte um Verzeihung, Amelie, aber das war wirklich nicht schwer.«

»Wünschen Sie sich nicht auch manchmal, so frei und ungebunden wie eine Möwe zu sein?« Sie drehte sich zu ihm um und sah ihm in die Augen. »Oder wie ein Schmetterling?«

Täuschte sie sich, oder bekamen seine Augen tatsächlich einen melancholischen Ausdruck, als er antwortete: »Auch die Möwen haben ihre Grenzen.«

»Die sind aber nicht so eng gesteckt wie die Grenzen der Menschen. Die Möwen können durch die Lüfte fliegen, wohin sie wollen.«

»Bis ihre Kräfte erlahmen.«

»Wie meinen Sie das, Tian?«

Er zeigte auf die Bucht hinaus, wo größere und kleinere Schiffe vor Anker lagen. »Jedes Schiff dort kann sich weiter von Kiautschou entfernen als die Möwen. Sie werden irgendwann von ihren Kräften verlassen und brauchen einen Ort zum Ausruhen. Die Schiffe aber können Tage und Wochen auf See sein, fremde Länder und Kontinente ansteuern. Ist der Mensch also nicht viel ungebundener als eine Möwe?«

Sie überlegte eine Weile, dann sagte sie: »Die Menschen müssen ihre Schiffe erst bauen. Das kostet Zeit, Kraft und Geld. Dann brauchen sie wieder Geld, um eine Passage zu buchen, und am Zielort brauchen sie Geld zum Wohnen und zum Essen. Ich denke, dass es eine Möwe da leichter hat.«

»Sie sehen also, Amelie, alles ist eine Frage der Betrachtung, der Sichtweise; auch die Freiheit und die Ungebundenheit.«

Sie blickte ihn skeptisch an. »Ich hatte Sie für romantischer gehalten. Schließlich sind Sie ein Maler.«

»Aber meine Motive sind Schmetterlinge, nicht Möwen«, sagte Tian, jetzt nicht länger melancholisch, sondern belustigt. »Ich gebe aber zu, manchmal wäre ich gern ein Schmetterling.«

Sie verließen das Ufer und gingen zum Yamen, das nicht weit entfernt an der gleichnamigen Straße lag. Unterwegs hielten sie, um sich zu erfrischen, bei einem Verkäufer, der eisgekühlte Fruchtsäfte anbot. Als Amelie ihr angenehm kühles Glas in Händen hielt und durch die beiden Trinkhalme den Orangensaft genoss, blickte sie hinaus auf die Bucht, in der das Wasser im Sonnenlicht blaugrün schimmerte. Die großen und kleinen Schiffe tanzten ganz leicht auf den Wellen, und eine erfrischende Gischt umspielte die Badegäste. Das Bild strahlte Ruhe und Frieden aus, ganz so, als habe Tian es gemalt. Sie nahm es in sich auf und beschloss, es tief in ihrem Gedächtnis zu bewahren. Dabei beschlich sie ein wehmütiges Gefühl, das sie sich nicht zu erklären vermochte. Es war wie ein Blick auf etwas Verlorenes, auf etwas, das für sie nicht Gegenwart, sondern Vergangenheit war.

Amelie schüttelte das beklemmende Gefühl von sich ab, als sie ihre kleine Pause beendet hatten und sich dem Yamen zuwandten. Das war ein großer Komplex flacher Gebäude, in dem zeitweilig die deutsche Verwaltung von Tsingtau residiert hatte, bevor das neue Gouvernementsgebäude fertiggestellt war. Von Tian erfuhren sie und Helene, dass ›Yamen‹ die chinesische Bezeichnung für einen Verwaltungssitz war. »Bevor die Deutschen kamen«, fuhr Tian fort, »war es der Sitz von General Zhang, dem der Küstenschutz oblag.«

»Was soll das da eigentlich bedeuten?«, fragte Amelie

und zeigte auf ein Mauerstück, das dem Eingang zum Yamen gegenüberlag und seltsam isoliert wirkte. Ein schuppiges Untier, einem Krokodil nicht unähnlich, war darauf abgebildet. Mit seinen großen Augen und dem aufgerissenen Rachen schien es bereit, den Betrachter im nächsten Augenblick zu verschlingen. Die Deutschen hielten es für eine heidnische Gottheit und nannten das Bauwerk deshalb ›Heidenmauer‹.

»Es ist in China üblich, vor dem Yamen eine solche Mauer aufzustellen«, erklärte Tian. »Dieses Tier symbolisiert das Begehren und ist eine Warnung an alle Beamten, in Ausübung ihres Dienstes nicht zu ihrem eigenen Vorteil begehrlich zu sein.«

»Also steht die Mauer vor dem Eingang zum Yamen, um die Beamten bei jedem Betreten ihrer Wirkungsstätte daran zu erinnern?«

»Ganz recht.«

»Dann müssen chinesische Beamte ganz besonders gewissenhaft sein.«

Tian lachte. »O nein, bestimmt nicht. Wenn sie das wären, bräuchte es ja eine solche Mauer nicht.«

»Trotzdem keine schlechte Idee«, fand Amelie. »So eine Mauer sollte man vor deutschen Rathäusern auch mal bauen.«

»Und was sollte man Ihrer Meinung nach darauf malen?«

Amelie überlegte und sagte schließlich: »Vielleicht deutsche Marinesoldaten, die in fremde Länder einmarschieren.«

»Aber Amelie, wie kannst du so etwas sagen?«, zischte Helene hinter ihr.

Amelie dachte an ihre Unterhaltung mit Fritz und sagte: »Ein bisschen mehr Respekt vor anderen Völkern und Kulturen kann uns Deutschen nicht schaden.«

Helene, die nicht recht zu verstehen schien, was Amelie meinte, blickte sie halb fragend und halb missbilligend an. Sie schien nach einer Erwiderung zu suchen, aber nicht die richtigen Worte zu finden.

Tian unterband die weitere Entwicklung des Disputs, indem er vorschlug, das Yamen zu betreten, um den Verwaltungsbezirk von innen zu betrachten. Hier war es so ganz anders als in einem deutschen Rathaus. Es gab viele Gebäude und kleine Höfe, und alles lag dicht beieinander. Amelie versuchte sich vorzustellen, welch drängende Enge hier geherrscht haben mochte, wenn unzählige Menschen die Anlage bevölkerten, um bei den unterschiedlichsten Ämtern ihren Anliegen nachzugehen.

»Ich glaube, das neue Gouvernementsgebäude hat schon seine Vorteile«, fasste sie ihre Gedanken in Worte.

»Ich kann da nicht widersprechen«, sagte Tian. »Mein Vater sagte früher immer über das Yamen, bei so vielen Mauern und Ecken sei es kein Wunder, wenn manch gute Idee irgendwo hängen bliebe.«

Nachdem Tian ihnen ein paar geschichtliche und verwaltungstechnische Besonderheiten erklärt hatte, verließen sie das Yamen und gingen zum chinesischen Tempel, der nur durch eine Straße von dem Verwaltungsbezirk getrennt war. Ähnlich dem Yamen war auch der Tempel ein großer Komplex mit mehreren Gebäuden, umfasst von einer Mauer. Hier herrschte reger Betrieb. Ein Teil der Besucher waren Europäer, die ebenfalls beschlossen hatten, sich den alten chinesischen Tempel einmal aus der Nähe anzusehen. Die Mehrzahl aber bestand aus Chinesen, viele von ihnen mit Schalen oder Kästchen in den Händen. Tian erklärte, dass sie in den Tempel gekommen waren, um Opfergaben zu überbringen.

»Welchem Gott?«, fragte Amelie.

»Hier werden mehrere Gottheiten verehrt. Am bedeutendsten für die Menschen ist Tién Hu, die Himmelsgöttin, die zugleich die Göttin der See ist. Die Legende sagt, sie sei eine Wahrsagerin gewesen, die sich aus Gram über den unerwarteten Tod ihres geliebten Vaters das Leben nahm, indem sie sich im Meer ertränkte. Seitdem weist sie Seefahrern in stürmischen und dunklen Nächten den sicheren Weg durch die Klippen, und dafür wird sie von den Menschen verehrt.«

Helene, die bisher die übliche Zurückhaltung gezeigt und die meiste Zeit geschwiegen hatte, blickte ihren Fremdenführer zweifelnd an. »Glauben Sie an diese Göttin, Herr Liu?«

»Ich habe allen Grund, ihr dankbar zu sein«, antwortete er. »Als ich noch ein Kind war, ein Knirps, wie es in Ihrer Sprache heißt, nahm mein Vater mich mit zu einem seiner Onkel, der in einem Fischerdorf im Norden lebte. Wir hatten ein kleines Segelboot gemietet. Der Mann, der uns mit seinem Boot zum Wohnort des Onkels fahren sollte, war auf See erfahren und sagte für den ganzen Tag ruhigen Seegang voraus. Aber auf der Rückfahrt kam plötzlich, wahrhaftig aus heiterem Himmel, ein schwerer Sturm auf. Wir kamen kaum noch vorwärts, und schließlich brach die Nacht über uns herein. Wir mussten befürchten, dass wir in der wogenden See gegen die Klippen geschleudert wurden. Da erschien ein Licht, geformt wie eine Laterne, das vor uns auf dem Meer zu tanzen schien. Als wartete es auf uns, um uns aufzufordern, ihm zu folgen. Und genau das taten wir auch. Das Licht führte uns sicher nach Tsingtau zurück und verschwand dann ebenso schnell, wie es aufgetaucht war. Seit jener Nacht wird Tién Hu in unserer Familie verehrt.«

»Man könnte dieses Licht auch als ein Naturphänomen betrachten«, sagte Helene.

»Sie müssen mir nicht glauben, Fräulein Helene. Viele der christlichen Heiligenlegenden erscheinen mir auch nicht gerade sehr einleuchtend.«

»Wir sind evangelisch. Mit der Heiligenverehrung haben wir es nicht so.«

»Ich weiß. Übrigens, auch im katholischen Glauben werden die Heiligen nicht verehrt, sondern um Fürsprache bei Gott angerufen.«

Amelie, die eine theologische Auseinandersetzung zwischen ihrer Schwester und Tian befürchtete, beschloss, das Gespräch an sich zu reißen. »Sie scheinen sich besser mit dem christlichen Glauben auszukennen als so mancher Christ, Tian.«

»Möglich. Das bleibt nicht aus, wenn man hier in Tsingtau eine deutsche Schule besucht.«

Helene gab nicht so schnell auf und fragte: »Und das hat Sie nicht dazu gebracht, zum Christentum zu konvertieren?«

Tian ließ seinen Blick durch die Tempelanlange schweifen und erklärte: »Ich sehe keinen Grund, einer Göttin den Rücken zu kehren, die meinem Vater und mir das Leben gerettet hat.«

»An Ihrer Stelle würde ich das wohl genauso sehen«,

sagte Helene, die jetzt offenbar genug von der Diskussion hatte. Sie setzte sich auf einen Mauervorsprung, nachdem sie darauf ein Taschentuch ausgebreitet hatte, und sagte: »Ich spüre allmählich meine Füße. Vielleicht könnt ihr beiden den Rest dieses Tempels allein erkunden und mich dann wieder abholen.«

»Kannst du es denn mit deinem Gewissen verantworten, uns ohne Anstandsdame zu lassen?«, fragte Amelie.

Helene lächelte, aber sie wirkte dabei ein wenig müde. »Wenn nicht in einem Tempel, Schwesterherz, wo dann?«

Eigentlich hätte Amelie froh darüber sein müssen, dass Helene ihr und Tian eine Gelegenheit gab, allein zu sein. Aber das waren sie ja gar nicht, allein, bei all den Menschen, die sich im Tempel aufhielten. In dem Gewimmel fanden sie nicht die Ruhe, miteinander über Persönliches zu sprechen. Tian gab weiterhin den Fremdenführer, wies sie auf die einzelnen Schreine hin und erzählte ihr von den Gottheiten, die dort verehrt wurden. Bis sie vor einem Gebäude standen, vor dem sich sonst niemand aufhielt. Auch der schwere Duft von Räucherkerzen und Asche verbrannter Opfergaben war hier nicht so stark.

»Kein Mensch hier außer uns?«, wunderte sich Amelie. »Die Gottheit, die an diesem Ort verehrt wird, kann nicht besonders beliebt sein.«

»Dies ist kein Schrein, sondern die Halle, in der sich die Kaufleute aus Tapautau zu versammeln pflegen. Hier bin ich schon oft in Begleitung meines Vaters gewesen.«

Amelie schluckte, und ihr Herz klopfte bis zum Hals. »Das ist gut«, sagte sie und musste erneut schlucken.

»Was ist gut? Dass ich oft mit meinem Vater hier gewesen bin?«

Sie sah ihm in die Augen. »Es ist gut, dass wir allein sind, Tian.«

»Ohne Anstandsdame«, ergänzte er.

»Ja, ohne Anstandsdame. Ich habe schon lange nach einer Gelegenheit gesucht, mit Ihnen zu sprechen. Ich wollte Ihnen nämlich sagen …«

Ihre Stimme stockte, sie musste sich räuspern und ärgerte sich über ihre Nervosität. Sie kam sich vor wie ein Schulmädchen.

»Ja?«, fragte Tian. »Was wollten Sie mir sagen, Amelie?«

»Ich wollte mich dafür entschuldigen, wie ich mich neulich Ihnen gegenüber benommen habe.«

»Wovon sprechen Sie?«

»Das wissen Sie sehr gut, Tian. Ich meine den Abend, als Sie bei uns zu Hause waren und wir uns im Garten über Ihre Bilder unterhalten haben. Als Sie mir sagten, dass Sie der Maler sind, da … da habe ich mich reichlich dämlich benommen, wie eine dumme Kuh. Sie müssen nämlich wissen, dass ich Sie sehr bewundere – als Maler, meine ich.«

»Nur als Maler?«

Amelie sah zu Tian auf, der direkt vor ihr stand, nur eine Armlänge entfernt. Sein Blick war auf sie gerichtet, so wie ihr Blick auf ihn. Die ganze Welt bestand nur noch aus seinen dunklen Augen, in denen Amelie versank wie in einem Meer. Es gab nichts anderes mehr außer Tian und ihr, und als seine Arme sie umschlossen, hatte sie das Gefühl zu schweben. Er zog sie an sich, beugte sich zu ihr hinab, und ihre Lippen trafen sich zu einem langen, tiefen Kuss.

Sie schloss die Augen, als könne sie diesen Moment

dadurch zur Ewigkeit werden lassen. Ja, wenn sie es vermocht hätte, sie hätte alle Götter dieses Tempels beschworen, in diesem Augenblick den Lauf der Zeit anzuhalten!

13

Amelie spürte den Kuss noch, als sie längst wieder zu Hause in ihrem Zimmer war und unverwandt das Bild ansah, das Tian ihr geschenkt hatte: *Der Kuss der Schmetterlinge*. Es hatte an diesem Nachmittag eine ganz andere Bedeutung für sie gewonnen. Vielleicht hatte sie es vorher schon geahnt, zumindest hatte sie es sich gewünscht, aber jetzt *wusste* sie es: Tian und Amelie waren die beiden Schmetterlinge auf dem Gemälde, die einander zärtlich umtanzten, bis es zu dem langersehnten Kuss kam. Dem Kuss, der alles Bisherige auslöschte und das Tor aufstieß zu etwas Neuem, einem anderen Leben – dem Leben zu zweit, Seite an Seite mit dem Menschen, mit dem man alles teilen konnte, wollte, durfte.

War sie nicht eine Närrin, wenn sie so dachte? Das flüsterte ganz tief in ihr eine kleine, kaum hörbare Stimme. Die Stimme ihres Verstandes. Wie konnte Amelie auf einen einzigen Moment, mochte der ihr auch wie die Unendlichkeit erschienen sein, ihr ganzes weiteres Leben aufbauen?

Amelies Mittel gegen diese unwillkommene Stimme war ganz einfach: Sie schloss die Augen und versank in der Erinnerung an den Kuss, stand wieder im Tempel der Himmelsgöttin und spürte Tian, wie sie noch nie zuvor einen Menschen gespürt hatte. Sie spürte seine Nähe, die Wärme seines Körpers, seine kräftigen Hände, die sie festhielten, und seine Lippen auf den ihrigen.

Sie wusste nicht, wie sie ihr Gefühl in jenem Augenblick beschreiben sollte. Vielleicht hätte es noch nicht einmal ein Schriftsteller ersten Ranges vermocht. Es war, als würde sie ihr eigenes Ich aufgeben, um mit Tian zu einer Einheit zu verschmelzen. In seinen Armen, hier in dem Tempel im fremden China, fühlte sie sich zu Hause, als sei sie nach einer langen Reise und Suche endlich am Ziel angekommen.

Gern hätte sie das Glück, das sie erfüllte, mit jemandem geteilt. Aber wem in ihrer Familie konnte sie sich anvertrauen? Helene allenfalls. Aber nach dem Gespräch in der vergangenen Nacht hatte Amelie da so ihre Zweifel. Trotzdem wollte sie mit ihrer Schwester sprechen und sich dafür bedanken, dass Helene ihr und Tian Gelegenheit gegeben hatte, für ein paar Minuten allein zu sein. Möglicherweise war dieses Verhalten ein Zeichen, dass Helene ihre Einstellung geändert hatte und die Dinge nicht mehr so sah wie bei ihrem nächtlichen Gespräch. Eine andere Erklärung dafür, warum Helene sie im Tempel ohne Anstandsdame gelassen hatte, fiel Amelie nicht ein.

Als sie Helene nicht in deren Zimmer fand, ging sie hinaus in den Garten. Ihre Schwester hatte dort einen Lieblingsort, eine Bank an einem kleinen Teich, auf der sie oft vor dem Abendessen saß, mit einem Buch oder einfach in ihre Gedanken versunken. Meistens ließ Amelie sie ungestört dort sitzen. Helene war ein Mensch, der viel Zeit für sich selbst brauchte, und das respektierte sie. Auch jetzt saß Helene auf der kleinen weißen Bank, hatte aber kein Buch in Händen, sondern sah gedankenverloren auf den Teich, in dem sich ein paar Fische tummelten. Diesmal ging Amelie nicht leise fort, sondern ließ sich neben ihr nieder.

Helene gab durch nichts zu erkennen, dass sie ihre Schwester bemerkt hatte. Sie saß weiterhin vollkommen reglos da und wirkte wie eine der steinernen Statuen aus dem Tempel. Für Helene war das kein ungewöhnliches Verhalten. Manchmal war sie so tief in Gedanken versunken, dass es wirkte, als habe ihr Geist den Körper verlassen und schwebe irgendwo über ihr.

»Danke«, begann Amelie endlich das Gespräch und hoffte, dass Helene auch hörte, was sie sagte. »Danke für heute Nachmittag.«

»Wofür?«, fragte Helene leise. »Du hast dich schon letzte Nacht dafür bedankt, dass ich mich bereit erklärt habe, die Anstandsdame zu spielen.«

»Und jetzt bedanke ich mich dafür, dass du es mit deinen Pflichten als Anstandsdame nicht allzu genau genommen hast.«

»Was meinst du?«

»Das weißt du doch. Du hast Tian und mir im Tempel Gelegenheit gegeben, unter vier Augen miteinander zu sprechen.«

Helene sah sie zum ersten Mal, seit sich Amelie zu ihr gesetzt hatte, an, und sie lächelte leicht. »Das war doch selbstverständlich. Ich hoffe, ihr habt alles geklärt.«

Jetzt lächelte auch Amelie. »Ja, das haben wir!«

»Fein.« Helene seufzte und wirkte erleichtert. »Ich wusste doch, dass ihr beide vernünftig seid und einseht, dass das einfach nicht geht.«

»Das was nicht geht?«

»Na, die Liebelei zwischen euch. Zwischen einer Deutschen und einem Chinesen. Letzte Nacht hatte ich ein wenig den Eindruck, du würdest das nicht einsehen. Aber heute, bei Tageslicht betrachtet, sagte ich mir, dass du gar nicht so verbohrt sein kannst. Und Liu Tian ist ja auch ein sehr kluger Mensch. Deshalb dachte ich mir, ich gebe euch Gelegenheit, dieses unselige Techtelmechtel in einem Gespräch unter vier Augen zu beenden.«

Amelie fühlte sich wie vor den Kopf geschlagen. Solche Worte hätte sie von Fritz erwartet, von Mutter, auch noch von Vater, aber nicht von Helene. In ihrer Magengrube krampfte sich alles zusammen, und ihr wurde übel.

In schnellen tiefen Zügen sog sie die Luft in sich hinein und spürte doch, wie ihr der Schweiß auf die Stirn trat. Dabei wehte eine kühle Brise vom Prinz-Heinrich-Berg herab. Das Gefühl, niemals wieder allein zu sein, das sie seit dem Kuss im Tempel beseelt hatte, verkehrte sich ins Gegenteil, und auf einmal kam sie sich vor wie der einsamste Mensch auf Erden. Niemand schien sie zu verstehen, niemand wollte zu ihr halten. Sie spürte Tränen in sich aufsteigen, bemühte sich aber krampfhaft, sie zurückzuhalten.

»Was ist mit dir, Amelie?«, hörte sie die besorgte Stimme ihrer Schwester. »Was hast du denn plötzlich? Ist dir nicht gut?«

Helene griff mitfühlend nach Amelies Hand, aber Amelie riss sich von ihr los und stand von der Bank auf. Der Boden unter ihr schwankte. Der Rasen unter ihren Füßen fühlte sich an wie eine weiche Masse, die keinen festen Halt bot. Aber nein, es war nicht der Rasen, erkannte sie. Sie selbst stand unsicher auf den eigenen Beinen, ergriffen von einem heftigen Schwindelgefühl, so sehr hatten Helenes Worte sie schockiert. Ausgerechnet Helene! Wenn sie kein Verständnis für Amelie aufbrachte, auf wen sonst konnte sie zählen?

Sie stützte sich mit den Händen auf der Banklehne ab und atmete bei geschlossenen Augen tief durch. Allmählich erholte sie sich, und als sie die Augen öffnete, hatte sie wieder einen festen Stand. Diesmal wies sie Helene nicht zurück, als die ihr ein weißes Taschentuch reichte, und Amelie trocknete ihre Stirn.

»Bist du krank, Amelie? Soll ich schnell ins Haus laufen und einen Arzt anrufen?«

»Ich brauche keinen Arzt, der kann mir nicht helfen.«

Amelie fühlte sich erschöpft. Sie setzte sich wieder hin und gab ihrer Schwester das Taschentuch zurück. Dabei stellte sie fest, dass ihre Hände leicht zitterten.

Auch Helene hatte das gesehen. »Ich glaube, ich rufe doch lieber einen Arzt.« Sie schickte sich an aufzustehen. »Wer weiß, was für eine exotische Krankheit du dir hier eingefangen hast.«

Amelie nahm alle Kraft zusammen und drückte ihre Schwester zurück auf die Bank. »Ich weiß es. Die Krankheit heißt Liebe.«

»Ich verstehe ja, dass es schwer für dich ist«, sagte Helene, und in ihren Worten schwang aufrichtige Anteilnahme mit. »Aber du kommst bestimmt darüber hinweg. Letztlich habt ihr beide euch doch kaum gekannt.«

»Ich will ja gar nicht darüber hinwegkommen«, seufzte Amelie. »Warum sollte ich das auch? Tian und ich, wir lieben uns, und wir werden einen Weg finden!«

Wieder war sie in Gedanken im Tempel, wo sich Tians und ihre Lippen irgendwann voneinander gelöst hatten. Leider. Gesprochen hatten sie danach nur wenig, bloß das Nötigste. In allen anderen Dingen herrschte zwischen ihnen stilles Einverständnis.

Helenes Gesicht war ein einziger Ausdruck des Unverständnisses. »Einen Weg finden? Was für einen Weg? Was soll das bedeuten?«

»Es bedeutet, dass Tian und ich beschlossen haben, zu unserer Liebe zu stehen.«

»Aber ... wohin soll euch dieser Weg führen? Das kann nur im Unglück enden, Amelie!«

»Du siehst das zu schwarz. Wahre Liebe findet immer einen Weg.«

»Schön, wenn das wahr wäre«, sagte Helene mit einem unvermittelten Beiklang von Melancholie, den Amelie sich nicht erklären konnte. Ihre Schwester ließ den Blick hinauf zu den Bergen schweifen, als suche sie dort in der Ferne etwas, dann fragte sie: »Wollt ihr heiraten?«

Amelie nickte. »Nicht sofort, aber darauf wird es hinauslaufen. Jetzt geht es erst einmal darum, dass wir uns regelmäßig sehen können.«

»Mama und Papa werden mit der Heirat niemals einverstanden sein. Und wenn sie merken, was du und Tian vorhabt, werden sie dir auch verbieten, ihn zu treffen.«

»Mama ist ein harter Brocken. Ich denke, da werde ich lieber Papa bearbeiten. Tian will mir Unterricht in Malerei geben. Wenn ich Papa im richtigen Moment bitte, wird er das sicher erlauben.«

»Nicht ungeschickt. Ich glaube zwar, dass du einen großen Fehler machst, Amelie, aber ich wäre überglücklich, sollte ich mich irren.«

»Aber du glaubst nicht, dass du dich irrst?«

Helenes Antwort bestand in einem Kopfschütteln.

»Warum denkst du so? Weil du Chinesen auch für minderwertige Menschen hältst, so wie Fritz?«

»Fritz? Was hat der damit zu tun?«

Amelie erzählte von seinem unsäglichen Auftritt in ihrem Zimmer. Helene wollte ihr erst nicht so recht glauben, also entblößte sie ihren Arm und zeigte Helene den handtellergroßen blauen Fleck.

Helene starrte ungläubig auf den Bluterguss. »Das hat Fritz getan?«

Amelie nickte. »Ich war es bestimmt nicht selbst. Du hättest seinen Blick sehen sollen. In jenem Moment habe ich ihn für fähig gehalten, mich umzubringen. Ich habe mich regelrecht vor ihm gefürchtet.«

»Fritz würde dir nichts antun, Amelie, niemals. Er ist doch unser Bruder. Ich gebe ja zu, dass er nicht gerade den liebenswertesten Charakter hat, aber so etwas würde er nicht machen.«

»Ich hoffe es.« Amelie erschauerte, als sie an die Szene zurückdachte. »Zumindest weiß ich, dass ich in Fritz keinen Verbündeten habe, sondern das Gegenteil, einen unversöhnlichen Gegner. Umso mehr zähle ich auf dich.«

»Wobei genau?«

»Vielleicht könntest du in meinem Sinn auf unsere Eltern einwirken.«

»Mein Wort hat bei ihnen kein besonderes Gewicht, noch weniger als deins. Du weißt doch, ich bin nur die kleine, stille Helene.«

Amelie streichelte ihren Handrücken. »Ich weiß, dass viel mehr in dir steckt, kleine Schwester. Manchmal gibst du dir halt nur viel Mühe, das zu verbergen.«

»Ich hoffe, das ist jetzt keine pure Schmeichelei, um mich für dich und Tian einzunehmen. Das würde dir nämlich nicht gelingen. Ich bin nach wie vor der Meinung, dass eure Liebe keine Zukunft hat. Ihr beide mögt es ja aufrichtig miteinander meinen, aber was nutzt euch das, wenn der Rest der Welt gegen euch ist? Ich werde dir keine Steine in den Weg legen, Amelie, wenn du unbedingt in dein Unglück rennen willst, aber erwarte von mir auch nicht, dass ich dich unterstütze, vielleicht gar, indem ich Mama und Papa anlüge, um dir und Tian ein Alibi zu verschaffen.«

Amelie war ein wenig enttäuscht, weil sie sich mehr von Helene erwartet hatte. Aber sie war ihrer Schwester nicht böse. Sie durfte von ihr nicht verlangen, dass sie gegen ihre innere Überzeugung handelte. Zumindest wusste sie jetzt, wo Helene stand.

»Aber du wirst Tian und mich nicht verraten, oder?«, vergewisserte sie sich.

»Das werde ich nicht, obwohl ich es vielleicht tun sollte. Wahrscheinlich wäre das besser für alle Beteiligten.«

»Ich danke dir jedenfalls für dein Verständnis«, sagte Amelie und erhob sich, obwohl sie sich müde fühlte und am liebsten noch eine Weile auf der Bank sitzen geblieben wäre und den kühlen Abendwind genossen hätte. Aber sie hatte mit Helene alles besprochen, was es zwischen ihnen zu besprechen gab.

Ihre Schwester sah zu ihr auf. »Was hast du jetzt vor?«

»Irgendwie muss ich es schaffen, dass Tian und ich uns regelmäßig sehen dürfen. Ich hoffe, ich kann Papa überreden, mir die Erlaubnis zu geben.«

Schon nach dem Abendessen, als Vater sich in die Bibliothek zurückzog, bot sich dazu eine Gelegenheit. Er liebte es, den Abend dort mit einem guten Buch, einer guten Zigarre und einem guten Likör ausklingen zu lassen, und so durfte Amelie berechtigter Hoffnung sein, ihn bei guter Laune anzutreffen. Ein Umstand, der für ihr Anliegen von maßgeblicher Bedeutung war. Sie wartete eine halbe Stunde, bevor sie sich zu ihm gesellte, um sicherzustellen, dass Tabak und Alkohol ihre Wirkung bereits entfaltet hatten. Tatsächlich hing der Rauch von Vaters geliebten Havanillos schwer in der Luft und vermischte sich mit dem eigentümlichen Geruch von Papier und Leder. Vor Vater auf dem mit chinesischen Schnitzereien verzierten Tisch standen ein Glas und eine angebrochene Flasche Rückforth, und auf seinen Knien lag ein großformatiges, schweres Buch, ein Atlas, wie sie erkannte, als sie nähertrat.

»Bist du auf Reisen, Papa?«

Er sah zu ihr auf und schien sie erst jetzt zu bemerken. »Wie?«

»Ich fragte dich, ob du auf Reisen bist.« Sie deutete auf den Atlas. »Geistig, meine ich.«

Der Mund unter seinem Kaiser-Wilhelm-Bart verzog sich zu einem Lächeln. »Wenn du das so nennen willst, ja. Dieses China ist ein mächtig großes Land.« Er klopfte mit der flachen Hand leicht auf das aufgeschlagene Buch. »Hin und wieder muss man sich das einfach vergegenwärtigen. Tsingtau und das deutsche Schutzgebiet sind im Verhältnis zum Rest nicht mehr als ein Fliegenschiss.«

»Aber ein sehr wichtiger Fliegenschiss, nicht wahr? Wirtschaftlich gesehen, für uns und für China.«

»Da hast du recht, mein Kind. Du bist ein kluges Mädchen. Du machst dich auch gut im Geschäft. Ich habe Fritz schon gesagt, er soll sich anstrengen, sonst mache ich dich zu meiner rechten Hand.« Bei dieser Bemerkung lachte er laut und herzlich.

Amelie schluckte, als er Fritz erwähnte. »Was hat Fritz geantwortet?«

»Gar nichts. Hat nur dumm aus der Wäsche geguckt.« Er nahm die halb aufgerauchte Zigarre aus dem schweren Kristallaschenbecher und lachte erneut. »Obwohl sich Fritz mit seinen dummen Bemerkungen oft nicht zurückhalten kann, selbst kann er nur selten einen Spaß verstehen.«

»Ich freue mich jedenfalls, dass du mit meinen Leistungen zufrieden bist, Papa.«

»Mit deinen und mit denen deiner Schwester. Es war gut, dass ich nicht auf Mutter gehört und euch zwei ins Geschäft geholt habe.« Er wollte gerade die Zigarre zum Mund führen, hielt dann aber inne und blickte Amelie stirnrunzelnd an. »Warte mal, du bist doch nicht etwa zu mir gekommen, weil du eine Gehaltserhöhung haben willst?«

Sie schüttelte den Kopf und lachte. »Nichts läge mir ferner, Papa.«

»Wieso das?«, fragte er, noch immer skeptisch.

»Das Gehalt ist durchaus angemessen. Außerdem macht mir die Arbeit großen Spaß, das betrachte ich als Teil der Entlohnung.«

»Hm, diese Betrachtungsweise solltest du meinen anderen Angestellten auch mal nahebringen. Die Arbeit macht dir also Spaß? Und Tanaka ist nicht zu streng mit dir?«

»Warum sollte er?«

Vater versteckte sich hinter einer großen Rauchwolke, bevor er sagte: »Ich habe Tanaka gebeten, dir gegenüber keine Rücksicht walten zu lassen, nur weil du meine Tochter bist.«

»Aha, dir habe ich also zu verdanken, dass er mich anfangs so überaus förmlich behandelt hat.«

Mit einem Wedeln der linken Hand vertrieb Vater einen Großteil des Rauches vor seinem Gesicht und beugte sich fragend nach vorn. »War es sehr schlimm?«

»Nein, weder sehr noch überhaupt schlimm. Herr Tanaka und ich, wir haben uns recht gut aneinander gewöhnt.«

»Fein, mein Kind, das freut mich sehr. Ähnlich hat er sich auch geäußert.«

Amelie stemmte die Fäuste in die Hüften. »So, ihr habt also über mich gesprochen?«

»Selbstverständlich. Ein guter Chef muss sich doch darüber informieren, wie sich seine neuen Angestellten machen.«

»Und? Wie mache ich mich?«

»Ganz leidlich.«

»Wie bitte?«

Vater lachte erneut. »Das war nur ein Scherz. Tanaka ist vollauf zufrieden mit dir. Nur deine Vorwitzigkeit, findet er, ist deiner Stellung im Laden nicht ganz angemessen.«

»Da er höchstens einmal im Monat auch nur ansatzweise fröhlich ist, muss ich das eben ausgleichen.«

»Seinen ausgeprägt großen Ernst darfst du ihm nicht übel nehmen, Amelie. Er führt kein einfaches Leben.«

Sie zuckte die Schultern. »Ich weiß sonst gar nichts über ihn.«

»Vor drei, vier Jahren war er noch Offizier der kaiserlich-japanischen Armee.«

»Deshalb ist er immer so steif, als hätte er einen Besenstiel verschluckt. Weshalb hat er seinen Abschied genommen?«

»Genaues weiß ich nicht, aber das geschah wohl nicht

so ganz freiwillig. Es hat während des Krieges zwischen Russland und Japan einen Vorfall gegeben, über den Tanaka nicht spricht und über den ich auch sonst nichts in Erfahrung bringen konnte. Jedenfalls war er wohl gezwungen, seine Offizierslaufbahn aufzugeben. Die kleine japanische Gemeinde in Tsingtau wahrt eine gewisse Distanz zu ihm. Tanaka und seine Frau sind, so sagt man, meistens für sich.«

»Hat er denn keine Kinder?«

Vater legte die Zigarre zurück in den Aschenbecher und machte anschließend mit der Hand eine vage Geste. »Es soll da einen Sohn geben, schon erwachsen und wohl auch beim Militär, aber man munkelt, er habe sich von seinen Eltern losgesagt. Jedenfalls hat er sie nicht nach Tsingtau begleitet. Mehr weiß ich nicht. Ich jedenfalls hatte nie einen Grund, mich über Tanaka zu beklagen. Ganz im Gegenteil, er verrichtet seine Arbeit ohne Fehl und Tadel.«

»Der Mann erscheint mir interessanter, als er auf den ersten Blick wirkt.«

»So habe ich es noch nie betrachtet«, brummte Vater, sah in den Atlas und stieß mit dem Zeigefinger auf einen Punkt an der zerklüfteten Küstenlinie. »Unser kleines Tsingtau ist ein richtiges Sammelbecken von Nationalitäten und Schicksalen.«

»Ich bin sehr froh, dass ich hier bin, Papa. In Tsingtau kann man so vieles lernen, Dinge, an die ich drüben in Deutschland nicht einmal gedacht hätte. Fremde Kulturen und ihre Menschen, deren Sichtweisen. Man muss nur um die Ecke gehen, und schon stößt man auf etwas Neues.«

»Da hast du recht, Kind. Es lohnt sich in Tsingtau besonders, immer die Augen offen zu halten.«

»Ich möchte gern noch mehr lernen«, lenkte Amelie das Gespräch jetzt auf das Thema, das sie eigentlich bewegte. »Etwas mehr über die chinesische Kultur, genauer gesagt, die Malerei.«

»Die Malerei?« Vater legte den Kopf schief und wirkte, als sei das ein für ihn ganz und gar abwegiger Gedanke.

»Ja, Papa. Du hast ja die Bilder gesehen, die im Haus von Liu Cheng hängen. Und das eine, das jetzt in meinem Zimmer hängt.«

»Du meinst die Bilder, die von seinem Sohn stammen, wie wir jetzt wissen. Manche Leute verbringen ihre Freizeit wirklich mit ausgefallenen Beschäftigungen. Der junge Schweiger bastelt an seinen Flugapparaten herum, und Liu Chengs Sohn pinselt.«

»Er malt, Papa.«

»Meinetwegen auch das.«

»Ich bewundere seine Bilder und würde gern auch so malen können.« Amelie atmete tief durch und unterdrückte die Aufregung, die von ihr Besitz ergreifen wollte. »Deshalb möchte ich dich fragen, ob ich bei Liu Tian Unterricht nehmen darf. Er wäre damit einverstanden, wie er mir heute gesagt hat.«

Vater legte den aufgeschlagenen Atlas vorsichtig auf den Tisch. Er stützte die Ellbogen auf die Tischplatte und drückte die Innenflächen der großen, fleischigen Hände gegeneinander. Er wirkte plötzlich sehr ernst, als er Amelie ansah. »Ich fürchte, das wird nicht gehen.«

Amelie hatte sich gute Chancen ausgerechnet. Die Antwort überraschte sie, und sie suchte ein paar Sekunden nach Worten, bis sie endlich fragte: »Warum nicht? Was spricht dagegen?«

Wieder deutete er auf den Punkt der Landkarte, an dem Tsingtau verzeichnet war. »Hier befinden wir uns, Deutsche in einem fremden Land, stark, aber zahlenmäßig verschwindend gering. Wir sind hier, um deutsche Kultur nach China zu tragen, um deutsche Interessen zu wahren, der deutschen Flotte einen Stützpunkt zu geben, und natürlich auch, um die Geschäfte, denen jeder von uns auf seine Art nachgeht, so gut wie möglich abzuwickeln. Ja, wir sind in China, aber wir sind und bleiben Deutsche. Mag dieses Land auch chinesisch sein, für neunundneunzig Jahre werden Deutsche bestimmen, was hier geschieht. Rings um unser Tsingtau befindet sich eine neutrale Zone, fünfzig Kilometer breit, in der China nur stark beschnittene Hoheitsrechte zustehen, um sicherzustellen, dass deutsches und chinesisches Gebiet auch voneinander getrennt bleiben. Und so, wie wir unsere Landgebiete voneinander trennen, so müssen wir auch die Menschen trennen, sonst gibt es einen heillosen Mischmasch, und das Deutsche geht uns verloren.«

Das Schwindelgefühl, das Amelie vorhin im Garten befallen hatte, war auf einen Schlag wieder da. Sie ließ sich in einen Sessel fallen und bemühte sich, ihre Gedanken zu ordnen. Sie war doch tatsächlich einer groben Täuschung unterlegen, als sie glaubte, Vater in der Bibliothek mit ihrem Wunsch überrumpeln zu können. Nicht sie hatte ihn überrumpelt, sondern er sie.

Amelie glaubte nicht länger daran, dass Vater hier zufällig mit dem aufgeschlagenen Atlas gesessen hatte. Nein, er hatte geahnt, dass sie zu ihm kommen würde, hatte auf sie gewartet. Und sie war ihm, ohne das Geringste zu ahnen, in die Falle gegangen – war ins offene Messer gerannt.

»Du sprichst von Ländern, Gebieten und Grenzen, Papa. Dafür mag das ja alles richtig sein. Ich aber spreche nur von zwei Menschen.«

»Was im Großen richtig ist, kann im Kleinen nicht falsch sein. Im Gegenteil, wie soll die Summe stimmen, wenn die einzelnen Bestandteile nicht passen? Wir leben Seite an Seite mit den Chinesen, aber gewisse Grenzen müssen gewahrt bleiben, damit kein Chaos entsteht. Du und Liu Tian, ihr müsst das begreifen. Deshalb haben wir beschlossen, dass ihr euch nicht mehr treffen werdet.«

Jedes Wort des letzten Satzes traf Amelie wie ein Peitschenhieb. Eine Woge von Gefühlen strömte auf sie ein. Sie spürte Traurigkeit über das eben Gehörte, Wut auf die Ungerechtigkeit, die darin lag, Verzweiflung angesichts der Hoffnungslosigkeit, die damit verbunden war. Und da war noch etwas, das in ihr nachhallte, ein kleines Wort nur, aber bedeutsam.

»Wir?«, fragte sie mit bebender Stimme. »Wer ist damit gemeint?«

»Der Familienrat. Mutter, Fritz und ich.«

»Also hat Fritz mit dir gesprochen!«

»Das hat er, und es war gut. Ich teile seine Auffassungen gewiss nicht immer, aber als er mir heute Nachmittag vorhielt, meine Entscheidung, dir den Spaziergang mit Liu Tian zu erlauben, könne unsere Familie in Verruf bringen und unserem Geschäft ernsten Schaden zufügen, musste ich ihm recht geben.«

»Aber …«

»Kein Aber«, fuhr Vater ihr ins Wort. »Es ist beschlossen und bleibt es auch. Du und Liu Tian geht in Zukunft getrennte Wege. Das heißt auch, dass du Ausflüge nach

Tapautau in Zukunft zu unterlassen hast.« Genauso plötzlich, wie die Strenge in sein Gesicht getreten war, verschwand sie wieder, und als er fortfuhr, klang auch seine Stimme weicher, milder: »Du wirst uns allen dafür noch einmal dankbar sein, mein Kind. Liebesschmerz geht vorüber. Eines Tages wirst du aufwachen, und dann wird Liu Tian für dich nicht mehr sein als ein guter Bekannter. Und wer weiß, vielleicht bist du dann froh, dass es Erich Schweiger gibt.«

In einem Punkt hatte Vater recht, jedes Aber war hier zwecklos. Das konnte Amelie seinen Worten deutlich entnehmen. Wieder stiegen Tränen in ihr auf, und diesmal, das spürte sie, würde sie sie nicht zurückhalten können. Sie stemmte sich aus dem Sessel hoch, unterdrückte das Schwindelgefühl und lief ohne jedes weitere Wort aus der Bibliothek, hinauf in ihr Zimmer. Dort warf sie sich aufs Bett und weinte, weinte so lange, bis keine einzige Träne mehr in ihr war.

14

Am nächsten Morgen fühlte sich Amelie wie gerädert, als hätte sie kein Auge zugetan. Vermutlich war sie vor Erschöpfung eingeschlafen, aber es konnten nur kurze Perioden des Schlafes gewesen sein. Die meiste Zeit hatte sie damit verbracht, sich ruhelos von einer Seite auf die andere zu wälzen und sich den Kopf darüber zu zerbrechen, wie es weitergehen sollte.

Wie?

War die Frage nicht eher, ob es überhaupt weiterging?

Aus der Sicht ihrer Eltern und ihres Bruders war die Frage bereits entschieden. Auch von Helene hatte sie keine Hilfe zu erwarten. Wenn es noch einen Weg für eine gemeinsame Zukunft mit Tian gab, musste Amelie ihn ganz allein finden.

Die merkwürdigsten Gedanken kamen ihr in dieser Nacht in den Sinn. Sie dachte daran, einfach davonzulaufen und bei Tian Unterschlupf zu suchen. Aber was hätte seine Familie dazu gesagt? Außerdem hätten Amelies Eltern sie dort wohl zuerst gesucht.

Sie verwarf diese Idee und suchte nach weiteren, aber keine erwies sich als praktikabel, und schließlich war sie kaum noch fähig, einen klaren Gedanken zu fassen. Einen Gedanken aber ließ sie erst recht nicht zu – den, dass ihr Leben sinnlos geworden und es darum am besten sei, es zu beenden. Sobald auch nur ein Funke jener Überlegung in einem abgelegenen Teil ihres Verstandes aufflammte, erstickte sie ihn auch schon. Sie wollte leben, für und mit Tian!

Die Sonne verhüllte an diesem Montagmorgen ihr Antlitz, als leide sie mit Amelie. Dicke graue Wolken hingen über Tsingtau, und immer wieder ging feiner Nieselregen in kurzen oder längeren Schüben nieder. Angesichts des Wetters fanden nicht sehr viele Kunden den Weg in das Ladengeschäft, und Amelie war das nur recht. Ihr stand heute nicht der Sinn nach belanglosem Geplauder über den hereinbrechenden Herbst, die Predigt im letzten Gottesdienst oder die neuesten Nachrichten aus Europa. Mechanisch erledigte sie ihre Arbeit und war erleichtert, wenn ein Kunde den Laden wieder verließ. Immer wieder blickte sie auf die große Wanduhr hinter dem Ladentisch und war froh über jede Minute, die verging. Sie wartete auf die Mittagspause, denn sie hatte einen Plan gefasst.

Gegen Mittag hatte sich das Wetter leicht gebessert, und ein paar zaghafte Sonnenstrahlen erkämpften sich den Weg durch die Wolken. Helene wollte das zu einem Spaziergang in der Pause ausnutzen und fragte Amelie, ob sie mitkommen wolle. Zu Helenes Überraschung lehnte Amelie ab.

»Du siehst nicht gut aus, reichlich blass«, sagte Helene. »Die frische Luft würde dir bestimmt guttun.«

»Ich habe keine Lust«, sagte Amelie matt und bemühte sich nicht einmal um den Anschein eines Lächelns.

»Ist es wegen Liu Tian?«, fragte Helene vorsichtig.

Amelie nickte kaum wahrnehmbar. »Ich habe gestern Abend mit Papa gesprochen. Er hat mir verboten, Liu Tian wiederzusehen.«

»Das ist aber ungewöhnlich streng für ihn.«

»Er hat die Entscheidung nicht allein getroffen, sondern zusammen mit Mama und Fritz.«

»Ich glaube zwar auch, dass es mit dir und Liu Tian nichts werden kann, trotzdem tut es mir leid für dich, wirklich.«

»Danke für dein Mitgefühl«, sagte Amelie. »Und jetzt genieß deine Mittagspause, bevor sie vorüber ist.«

Widerstrebend ließ Helene ihre Schwester allein. Während der Mittagspause blieb der Laden geschlossen, und Amelie fand sich allein im Verkaufsraum wieder. Das war die Gelegenheit, auf die sie gewartet hatte. Nicht aus Niedergeschlagenheit hatte sie Helene abblitzen lassen, sondern weil das zu ihrem Plan gehörte. Sie ging hinter den Tresen und schob mit einer Hand den schweren Vorhang zur Seite. Dahinter lag ein kleiner Verwaltungsraum mit einem Regal voller Akten, einem Sekretär aus Nussbaumholz, zwei Stühlen und – einem Telefonapparat.

Vor dem blieb Amelie stehen – und ihre Hand schwebte einen Augenblick zögernd über dem Telefon. Sie zögerte nicht, weil sie sich Tians nicht sicher gewesen wäre. Sie wusste nur nicht, wer am anderen Ende der Leitung an den Apparat gehen würde, und hatte Angst, etwas Falsches zu tun. Sie fasste sich ein Herz, atmete noch einmal tief ein, griff nach dem Hörer und drehte mit der anderen Hand an der Kurbel.

Eine jugendliche Männerstimme mit deutlichem chinesischen Akzent meldete sich: »Hier Postamt Tsingtau, was beliebt?«

»Nummer achtundsiebzig, bitte«, sagte Amelie und bemerkte in ihrer eigenen Stimme ein Krächzen, ein Zeichen ihrer Nervosität.

»Rufe Nummer achtundsiebzig, wenn frei«, sagte der chinesische Postangestellte in seinem geschäftsmäßigen Singsang.

Wer im Hause Liu würde das Gespräch annehmen? Sie konnte kaum darauf hoffen, dass es Tian selbst war. Also vielleicht sein Vater, seine ihr unbekannte Mutter oder ein Angestellter? Wer auch immer, sie würde einfach nach Liu Tian fragen und sagen, es handele sich um eine dringende Angelegenheit. Nur nicht zu viele Worte machen, dann war die Gefahr, sich zu verhaspeln, gering.

Keine Minute später stand die Verbindung, und am anderen Ende sagte jemand: »Liu Cheng – Agentur für Waren aller Art. Wer spricht?«

»Hier ist ...« Amelie unterbrach sich. In ihrer Aufregung hatte sie mehr auf die Worte geachtet als auf die Stimme. Das war doch ... »Tian? Bist du es, Tian?«

»Amelie!« Es klang überrascht, aber auch erfreut. »Ich bin sehr glücklich, deine Stimme zu hören.«

»Ich auch, deine zu hören«, sagte sie und wurde dann ernst. »Leider habe ich schlechte Nachrichten.«

Hastig berichtete sie von dem gestrigen Gespräch mit Vater, und Tian hörte ihr zu, ohne sie ein einziges Mal zu unterbrechen. Dann schwieg er kurz, bevor er sagte: »Wir müssen uns etwas überlegen, Amelie, und wir müssen uns sehen. Kannst du nach der Arbeit zu dem Laden in der Hai-po-Straße kommen, vor dem wir uns neulich getroffen haben?«

»Ich weiß nicht. Wenn ich nicht mit den anderen heimfahre, werden sie sich wundern. Aber ich werde es versuchen. Ich werde sagen, ich muss ein paar dringende Besorgungen machen. Schuhe, die mir kaputtgegangen sind, oder etwas in der Art.«

»Gut. Falls wir uns dort verpassen, kannst du beim Besitzer auch eine Nachricht hinterlassen. Er heißt Yao Feng, und man kann ihm vertrauen. Verlier nicht den Mut, Ai!«

»Ai? Was heißt das?«

»Liebe.«

Bei dieser Antwort wurde Amelie von einem warmen Gefühl überströmt. Auch wenn Tian nicht neben ihr stand, nur eine Stimme am Telefon war, jetzt fühlte sie sich nicht länger einsam, von allen verlassen.

»Das ist ein schöner Name, Tian. Der Himmel und die Liebe.«

Sie spielte auf seinen Namen an, das chinesische Wort für Himmel.

»Der Himmel wird immer über seine Liebe wachen, Ai! Pass gut auf dich auf!«

»Und du auf dich, Tian!«

Seine Stimme hallte noch in ihr nach, als das Gespräch längst beendet war. Das Gefühl der Geborgenheit, das sie verströmte, tat ihr gut. Am liebsten hätte sie sich diesem Gefühl ganz hingegeben, hätte sich darin eingehüllt wie in einen warmen Wintermantel. Draußen hatte es sich wieder etwas zugezogen, aber ihre Stimmung war nicht mehr so düster wie am Morgen. Das kurze Gespräch mit Tian hatte ihr neuen Mut gegeben. Sie war fest entschlossen, ihn nach der Arbeit in der Hai-po-Straße zu treffen, koste es, was es wolle.

Ihre verhältnismäßig gute Stimmung hielt nicht lange vor, denn unerwartet trat Fritz in den Laden, den er sonst nur selten aufsuchte. Er trug einen Hut, der zu seinem hellen Anzug passte, und hielt einen Spazierstock in der Hand.

»Nanu, Schwesterchen, verbringst du deine Pause hier drinnen? Dann habe ich vorhin also doch richtig gesehen, dass Helene das Haus allein verlassen hat. Sonst geht ihr doch immer gemeinsam in die Pause.«

»Oft, aber nicht immer«, versetzte sie kühl.

Sein Auftauchen war ihr unangenehm, mehr noch, machte ihr Angst. Seit dem Gespräch am Sonntagnachmittag in ihrem Zimmer hielt sie Fritz für den größten Feind, den ihre Liebe zu Tian hatte. Seine pure Anwesenheit genügte, um das Gefühl der Geborgenheit zu vertreiben. Unsicherheit und jene unbestimmte Furcht, die sie mit aller Macht zu unterdrücken versuchte, beherrschten sie jetzt.

Er sah sich um. »Hast du gar nichts gegessen?«

»Ich habe keinen Appetit.«

»Du wirst doch nicht krank werden?«

»Nur ein kleines Unwohlsein. Deshalb bin ich auch in der Pause hiergeblieben. Ich wollte mich etwas ausruhen.«

»Na, dann will ich nicht weiter stören. Ich war auf dem Weg nach Tapautau und wollte das Haus nicht verlassen, ohne nach dir gesehen zu haben. Du weißt doch, ich bin stets in Sorge um dein Wohlergehen.«

»Nach Tapautau?«, fragte Amelie vorsichtig, weil sie nicht wusste, was sie von Fritz' honigsüßen Worten halten sollte.

»Ja, ein paar Geschäftsbesuche. Kann ich dort für dich etwas erledigen oder dir etwas mitbringen?«

»Nein, nichts, danke.«

»Dann ruh dich noch ein wenig aus, bevor die nächsten Kunden kommen.«

Sie atmete auf, als er den Laden endlich verlassen hatte. Möglicherweise war er tatsächlich aus ehrlicher Besorgnis zu ihr gekommen, aber eigentlich passte das nicht zu Fritz. Während ihrer Unterhaltung hatte sie ständig das Gefühl gehabt, Katz und Maus zu spielen, und sie war dabei die Maus. Seine übergroße Freundlichkeit stimmte sie misstrauisch, aber schließlich schob sie diesen Eindruck ihren überreizten Nerven zu und dachte wieder an das bevorstehende Treffen mit Tian. Der Gedanke daran beruhigte sie ein wenig, und sie freute sich schon auf den Abend.

15

Es war einfacher gewesen, als Amelie gedacht hatte. Sie hatte Herrn Tanaka gefragt, ob sie eine halbe Stunde früher gehen dürfe, da sie noch ein paar Besorgungen zu machen habe. Auch am Nachmittag war im Laden nicht mehr Betrieb gewesen als am Vormittag, und so hatte der Japaner eingewilligt. Kurz bevor sie das Geschäft verließ, hatte sie ihm gesagt, er möge ihrer Familie ausrichten, man solle nicht auf sie warten. Sobald sie alles erledigt habe, würde sie sich eine Rikscha nehmen und rechtzeitig zum Abendessen zu Hause sein. Auf diese Weise hatte sie es vermieden, Vater, Fritz oder Helene eine Erklärung geben zu müssen. Natürlich musste sie das nachholen, wenn sie heimkam, aber da würde sie sich schon etwas einfallen lassen.

Der Himmel war weiterhin wolkenverhangen und schickte leichten Nieselregen auf Tsingtau nieder, aber Amelie war guter Dinge, als sie in einer Rikscha saß und Richtung Tapautau fuhr. Die Aussicht, Tian bald wiederzusehen, von ihm gehalten zu werden und seine Lippen auf ihren zu spüren, beflügelte sie.

Wenn man sich nur fest genug liebte, dann überwand man auch alle Hindernisse. So stand es in den *Gartenlaube*-Romanen. Natürlich waren die maßlos übertrieben, aber das Grundsätzliche musste stimmen. Sie konnte sich nicht vorstellen, dass so bekannte und erfolgreiche Schriftstellerinnen wie E. Marlitt und Wilhelmine Heimburg ihre Leserinnen nach Strich und Faden belogen.

Der Kuli zog die Rikscha in einem gleichmäßigen Lauftempo über die Friedrichstraße in Richtung Chinesenstadt. Als sie die Grenze zwischen beiden Vierteln erreichten, ließ sie ihn anhalten. Amelie wollte das letzte Stück des Weges zu Fuß gehen. Sie war ohnehin zu früh dran. Außerdem brauchte der Kuli ihr genaues Ziel nicht zu kennen. Falls man ihr hinterherschnüffelte und den Kuli ausfindig machte, konnte er nicht verraten, was er nicht wusste.

War sie übervorsichtig? Vermutlich, aber Vorsicht war besser, als das Nachsehen zu haben. Fritz' Besuch in der Mittagspause kam ihr auch jetzt noch reichlich merkwürdig vor. Bei ihm konnte man sich nicht sicher sein, was er im Schilde führte.

Sie bezahlte den Rikschaläufer großzügig, und der betrachtete staunend die Münzen in seiner Hand. Offenbar fühlte er sich ihr gegenüber zur Dankbarkeit verpflichtet. Bevor er mit seinem Gefährt auf der Suche nach neuer Kundschaft weiterzog, drehte er sich noch einmal zu ihr um und sagte: »Deutsches Fräulein vorsichtig sein müssen. Hier Tapautau. Heute Abend sehr dunkel. Nicht gut für deutsches Fräulein allein. Lieber umkehren, zurück nach Stadt der Weißen.«

Sie bedankte sich für die Warnung, ließ sich davon aber nicht beirren. Hier fühlte sie sich sicherer als heute Mittag allein mit Fritz im Ladenlokal. Außerdem war es nicht mehr weit bis zur Hai-po-Straße. Sie genoss die Abendluft und selbst die leichten Regentröpfchen, die ihr ins Gesicht wehten. Beides empfand sie als erfrischend, während sie die Schantungstraße entlangging. Links und rechts von ihr saßen Verkäufer, Schuster, Schreiner und Töpfer unter den Vordächern, fest entschlossen, sich von so einem bisschen Regen nicht vertreiben zu lassen.

Viele Augenpaare richteten sich auf Amelie, und einige der Chinesen tuschelten miteinander. Wahrscheinlich wunderten auch sie sich, dass eine junge Europäerin sich ganz allein nach Tapautau wagte. Die Stimmen wurden lauter, und sie hörte Rufe wie »Kaufen, kaufen!« oder »Hier kaufen, sehr billig!« Ein paar Chinesen traten hinaus auf die Straße, um ihr Waren anzupreisen. Jetzt fühlte sie sich doch ein wenig unsicher und beschleunigte ihre Schritte. Sie ließ die Sy-fang-Straße hinter sich und war froh, dass die nächste Querstraße zur Rechten bereits die Hai-po-Straße war.

Sie schaute weder rechts noch links, um nicht noch mehr Aufmerksamkeit auf sich zu ziehen, bog in die Hai-po-Straße ein und hielt schnurstracks auf ihr Ziel zu. Vor dem Laden war ein Chinese damit beschäftigt, Bambusmatten aufzuhängen, um seine Waren vor dem Regen zu schützen. Ein kleiner, gedrungener Mann, dessen Haar und Zopf mausgrau waren. Als er sich zu ihr umdrehte, wirkte er nur für ein, zwei Sekunden überrascht.

»Ah, Sie Ai«, sagte er lächelnd, und es war mehr eine Feststellung als eine Frage.

Amelie war erst ein wenig erstaunt, dass Tian dem Ladenbesitzer den Kosenamen verraten hatte. Dann sagte sie sich, dass der für einen Chinesen, der im Deutschen nicht sonderlich geübt schien, vermutlich leichter auszusprechen war als ihr richtiger Name.

»Das bin ich«, bestätigte sie. »Und Sie müssen Yao Feng sein.«

»Das bin ich«, kam es von dem Chinesen in einem Tonfall, als habe er sich ihre Worte genau eingeprägt, um sie seinem deutschen Sprachschatz hinzuzufügen. Er winkte ihr. »Kommen, kommen, hier trocken.« Als sie unter das schützende Vordach getreten war, fuhr er fort: »Liu Tian warten drinnen.«

»Oh, er ist schon da?«, wunderte sie sich.

Yao Feng nickte. »Schon länger da. Ungeduldig nach Ai. Sehr verständlich.« Er winkte wieder. »Kommen, kommen.«

Er führte sie in den Laden, in dem aufgrund des grauen Himmels ebenfalls ein Zwielicht herrschte. Aber es war hell genug, dass sie mehrere von Tians Bildern an den Wänden erkannte. Durch eine schmale Tür ging es in ein Hinterzimmer, in dem Tian, die Hände auf dem Rücken verschränkt, ungeduldig auf und ab ging.

»Bringen Ai zu Tian, lassen jetzt allein«, verkündete Yao Feng. »Haben Zeit wie wollen. Später bringen Tee.« Damit zog er sich auch schon zurück und schloss die Tür hinter sich.

Zwischen Amelie und Tian fiel kein einziges Wort der Begrüßung. Ihre Blicke verrieten genug, und dann lagen sie sich auch schon in den Armen und küssten sich eng umschlungen. Wieder stieg jenes warme Gefühl der Geborgenheit in Amelie auf, das sie erst kannte, seitdem sie Tian getroffen hatte. Vielleicht lag es an dem inneren Einverständnis zwischen ihnen. Wenn sie bei ihm war, schienen ihre beiden Seelen eins zu sein, eine Seele, die in zwei Körpern wohnte.

»Wie geht es dir, Ai?«, fragte Tian, als ihre Lippen sich irgendwann voneinander lösten. Er hielt sie weiterhin fest in den Armen, ganz dicht bei sich.

»Jetzt besser«, sagte sie leise, schmiegte ihr Gesicht mit der Wange an seine Brust und schloss die Augen. »Jetzt weiß ich, dass uns nichts mehr trennen kann.«

»Hast du das vorher nicht gewusst?«

»Schon, aber deine Nähe … Sie gibt mir Sicherheit. Wenn alle gegen einen sind, fühlt man sich sehr einsam. Und auch wenn man nicht an sich zweifelt, es geht einem trotzdem schlecht.«

»Vielleicht geht es einem gerade deshalb schlecht«, meinte Tian. »Weil man ungerecht behandelt wird und es doch nicht ändern kann.«

Amelie sah hoffnungsvoll zu ihm auf. »Jetzt können wir es ändern, Tian. Jetzt sind wir zusammen.«

Ein Schatten glitt über sein Gesicht. »Es ist nur nicht leicht, einen Weg zu finden, der es uns erlaubt, auch zusammenzubleiben.«

»Vielleicht sollten wir meine Familie einfach vor vollendete Tatsachen stellen.«

»Das wird schlecht gehen, Ai. Du bist noch nicht vierundzwanzig, also nach deutschem Recht nicht alt genug, um gegen den Willen deiner Eltern zu heiraten. Außerdem wäre das nicht klug. Wir müssen einen Weg finden, deine Familie zu unseren Freunden zu machen, nicht zu unseren Feinden.«

»Letzteres sind sie schon.«

Tian nahm ihr Gesicht in seine Hände und sah tief in ihre Augen. »Du urteilst zu hart über deine Leute, Ai. Sie wollen dir nichts Böses, wollen dir nicht schaden. Im Gegenteil, sie glauben, zu deinem Besten zu handeln. Ihr habt nur unterschiedliche Ansichten darüber, was das Beste ist.«

»Vor allen Dingen wollen meine Eltern und mein Bruder das Beste für sich selbst und für unser Geschäft.«

»Deine Familie lebt von dem Geschäft, also ist es nur verständlich, sich Gedanken darum zu machen.«

»Hältst du jetzt etwa zu Fritz und meinen Eltern?«, fragte Amelie erstaunt.

»Nein, aber ich versuche, meine – unsere – Gedanken in sinnvolle Bahnen zu lenken. Man kann mit einem Gegner dann am besten umgehen, wenn man ihn versteht. Deshalb bin ich dafür, nichts zu übereilen, sondern mit Klugheit und Geschick vorzugehen. Und mit Geduld, auch wenn es uns beiden schwerfällt.«

Ob Tian ihre Zweifel und die Enttäuschung in ihrem Blick sehen konnte? Sie hatte sich etwas anderes erhofft, etwas, das die Last, die der Widerstand ihrer Familie bedeutete, ein für allemal von ihren Schultern nahm. Aber wenn sie ganz ehrlich mit sich war, hätte sie selbst nicht sagen können, was.

Tian war kein Papierheld aus einem *Gartenlaube*-Roman. Kein verarmter Adliger, den die Schmähungen seiner Familie nicht anfochten und der das einfache Mädchen aus dem Waisenhaus letztlich doch zur Gräfin machte. Kein zu Unrecht als Wilddieb beschuldigter Förster, der die Tochter des Jagdpächters zu sich in die Blockhütte nahm, wo beide tapfer den Unbilden bis zum guten Ende trotzten. Tian war viel mehr: ein Mensch, der über seinen Tellerrand hinaussah und vor dem Handeln überlegte, bevor er durch eine Unüberlegtheit einen nicht wiedergutzumachenden Schaden anrichtete. Als sich diese Erkenntnis in Amelie verfestigte, fielen Zweifel und Enttäuschung von ihr ab. Sie fühlte vielmehr Stolz. Ja, sie war stolz auf

Tian und auch darauf, dass sich ein Mann wie er in sie verliebt hatte.

»Ich weiß, dass es schwer ist«, sagte Tian leise, und Sorgenfalten zeichneten sich auf seiner Stirn ab. »Besonders für dich, Ai. Wenn ich einen schnellen Weg wüsste, deinen Kummer zu beenden, ich würde keine Sekunde zögern. Aber wir müssen überlegt vorgehen, und dazu brauchen wir einen Plan. Wir sollten ...«

Amelie legte sacht eine Hand auf seinen Mund und brachte ihn dadurch zum Schweigen. Sie wollte nicht, dass er sich ihr gegenüber in irgendeiner Form entschuldigte. Liebende sollten füreinander da sein, einander unterstützen und Kraft geben, aber nicht Schuldgefühle im anderen wecken – zumindest insoweit stimmte ihre Auffassung mit denen überein, wie sie in Liebesromanen zu finden waren.

Sie stellte sich auf die Zehenspitzen und küsste Tian auf den Mund, da drangen laute Stimmen und Geräusche an ihre Ohren. Es hörte sich an wie ein heftiger Streit. Ein Streit in Yao Fengs Ladenlokal.

»Nicht wissen, nicht hier sein«, hörten sie die kreidige Stimme des Ladenbesitzers. »Bitte gehen wollen!«

»Wir lassen uns von dir nicht verladen, Chinamann!«, rief jemand in tadellosem Deutsch, aber mit sehr rauer Stimme. »Wir wissen, dass die beiden hier sind. Führ uns zu ihnen, sonst geht's dir schlecht!«

»Die suchen uns«, flüsterte Tian.

»Glaubst du wirklich?«, fragte Amelie unsicher. »Ich kenne diese Stimme nicht.«

»Die suchen uns«, wiederholte Tian, während das Wortgefecht im Laden weitergeführt wurde. »Wir müssen hier weg, schnell!«

Sein Blick huschte durch den Raum. Es gab nur die eine Tür, durch die Amelie eingetreten war. Und es gab ein Fenster, das auf einen Hinterhof voller Gerümpel und Abfall führte.

»Das ist der einzige Weg.« Tian lief zum Fenster und öffnete es. »Komm schon, Ai, ich helfe dir.«

Mit zusammengekniffenen Augen starrte Amelie auf den Innenhof, auf den vom Regen aufgeweichten Boden und auf wahre Berge von Metall- und Holzresten. »Meinst du wirklich, das ist nötig?«

Statt zu antworten, zog er sie einfach zum Fenster. Widerwillig stieg sie mit seiner Hilfe nach draußen und stellte sich dabei so ungeschickt an, dass sie stolperte und der Länge nach hinfiel. Tian kletterte weitaus eleganter auf den Hof, half ihr auf und fragte, ob sie sich etwas getan habe.

Amelie starrte an sich hinab. Ihr helles Kleid war schmutzig, und ihre Hände und Unterarme, mit denen sie den Sturz abzufangen versucht hatte, brannten. Aber das erwähnte sie nicht. Sie musste sich anstrengen, die Tränen zu unterdrücken, die in ihr aufschossen. Die Tränen kamen nicht wegen des verschmutzten Kleides oder der Schmerzen, sondern weil sie sich über sich selbst ärgerte, über ihre Dummheit und Ungeschicktheit.

»Es geht schon«, sagte sie nur und lief an Tians Seite über den Hof, der von einem brusthohen Lattenzaun umrandet war. In dem Zaun gab es ein Tor, und das war ihr Ziel.

Hinter sich hörten sie Geräusche, Stimmen und dann einen gellenden Ruf: »Da vorn laufen sie!«

Ein Blick über die Schulter zeigte Amelie einen Mann in Uniform, der hinter dem von Tian geöffneten Fenster stand und in ihre Richtung deutete. Jetzt war auch sie davon überzeugt, dass dieser Mann und seine Begleitung, wer immer sie auch sein mochten, hinter Tian und ihr her waren.

Der Unbekannte kletterte im selben Augenblick durch das Fenster, als Amelie und Tian das Tor erreichten. Tian rüttelte daran, aber es war verschlossen. Er sagte etwas auf Chinesisch, kurz und hart. Für Amelie hörte es sich an wie ein Fluch.

»Wir müssen rüberklettern, das ist unsere einzige Chance«, sagte Tian, bückte sich und verschränkte seine Hände zu einer Räuberleiter. »Schnell, Ai, schnell!«

Sie setzte einen Fuß auf die beiden Hände und wurde auch schon von Tian angehoben. Als sie auf der anderen Seite ankam, hatte sie einen langen Riss in ihrem Kleid, aber wenigstens war sie nicht erneut gestürzt. Tian folgte ihr, indem er sich auf den Zaun zog und federnd neben ihr zum Stehen kam.

»In die Richtung«, sagte er und wies mit dem Daumen über seine Schulter. »Da geht es zur Schantungstraße.«

Sie liefen über einen schmalen, von Abfällen bedeckten Weg, der sich zwischen den Hinterhöfen hindurchschlängelte. Ein, zwei Ratten fühlten sich von ihnen gestört und verschwanden mit protestierendem Quieken im Unrat.

»Los, Jungs, da vorn sind sie. Ihnen nach!«

Es war die bekannte raue Stimme, und hinter ihnen kamen drei Verfolger, die rasch aufholten, auf sie zu. Allein wäre Tian ihnen wohl entkommen. Seit dem Sportfest wusste sie, was für ein guter Läufer er war. Aber Amelie in ihrem langen Kleid war einfach zu langsam. Dann stürzte sie auch noch ein zweites Mal, und als sie, von Tian gestützt, aufstand, zog ein schmerzhaftes Stechen durch ihren linken Knöchel.

»Lauf weiter, Tian!«, flehte sie ihn an. »Es sind Deutsche wie ich, mir werden sie nichts tun.«

»Dich alleinlassen?« Sein Blick ruhte in ihrem, und er schüttelte den Kopf. »Niemals, Ai!«

Als ihre Verfolger merkten, dass Amelie und Tian nicht länger vor ihnen davonliefen, verlangsamten sie ihr Tempo und kamen schließlich ganz gemächlich auf sie zu. Es waren drei Männer, alles junge, kräftige Kerle, und sie trugen die Ausgehuniform der Matrosenartillerie.

»Geh du, Ai, mach schnell!«, zischte Tian. »Ich halte sie auf, solange ich kann.«

Jetzt schüttelte Amelie den Kopf. »Dich alleinlassen, Tian? Niemals!«

Die drei Soldaten bauten sich breitbeinig vor ihnen auf, und ihr Wortführer, dessen pockennarbiges Kartoffelgesicht ebenso unangenehm wirkte wie seine Stimme, sagte: »Treten Sie zur Seite, Fräulein, dann geschieht Ihnen nichts.«

»Nein«, sagte sie entschieden und schüttelte den Kopf. »Wer sind Sie? Was wollen Sie von uns?«

»Wir sind gute Deutsche und sehen es nicht gern, wenn sich ein schmieriger Zopfheini an unseren Frauen vergreift.«

»Niemand hat sich an mir vergriffen, am wenigsten Tian.«

»Sie sind nicht ganz bei sich, Fräulein«, sagte der mit dem Kartoffelgesicht. »Wahrscheinlich hat der Gelbe Sie mit Opium oder anderem Teufelszeug gefügig gemacht. Wird Zeit, dass wir ihm eine Lehre erteilen. Vorwärts, Leute!«

Die drei Seesoldaten kamen in einer Reihe auf Tian und Amelie zu. Amelie hatte erkannt, dass sie vernünftigen Argumenten nicht zugänglich waren, es gar nicht sein wollten. Tian wollte Amelie zur Seite schieben, aber sie klammerte sich an ihm fest.

Die Soldaten traten näher heran. Einer von ihnen zog Amelie mit Gewalt von Tian weg und schleuderte sie grob gegen die hölzerne Wand eines Schuppens. Sie schrammte mit dem Gesicht über das Holz und spürte, wie sich viele kleine Splitter in ihre Haut bohrten.

Ein anderer Mann wollte auf Tian einprügeln. Der aber duckte sich flink, packte den Angreifer so schnell, dass Amelie der Bewegung kaum folgen konnte, und warf ihn mit einer geschickten Drehung in einen Unrathaufen, was eine dicke, fette Ratte aufscheuchte. Hier zeigten sich wieder Tians Kraft und Geschicklichkeit, die Amelie schon auf dem Sportfest bewundert hatte.

Aber das bewahrte ihn nicht vor dem hinterhältigen Angriff des Kartoffelgesichts. Der hatte sich ein loses Brett gegriffen und führte einen wuchtigen Schlag, der auf Tians Schädel abzielte. Amelie stieß einen Warnruf aus, aber zu spät. Das Brett traf Tians Hinterkopf. Tian stöhnte auf und sackte auf die Knie. Wieder schlug der Mann mit dem Brett zu, und das schwere Holz traf Tian ins Kreuz. Tian fiel bäuchlings in den Schmutz.

»Na, Chinamann, der Dreck schmeckt dir wohl, ist ja auch die Lieblingsspeise von euch Gelben«, höhnte der Pockennarbige und holte zu einem weiteren Schlag aus. »Gleich kannst du dich im deinem geliebten Dreck ausruhen, ich gebe dir jetzt nämlich den Rest!«

»Das würde ich bleiben lassen, Soldat!«, sagte eine scharfe Stimme hinter ihnen.

»Erich?«, rief Amelie verwundert, als sie den Sprecher

erkannte, der wie aus dem Nichts in der Gasse aufgetaucht war. Er war es wirklich, selbst in dem schwachen Licht war sein rotes Haar deutlich zu erkennen, zumal er keine Kopfbedeckung trug.

»Wer du auch bist, Rotschopf, misch dich besser nicht ein«, warnte ihn der Anführer der Seesoldaten. »Sonst geht es dir genauso wie dem dreckigen Chinesen!«

»Wenn ich jetzt vor Angst schlottern soll, hast du was falsch gemacht«, sagte Erich. »Verschwindet jetzt lieber, sonst könnt ihr mal Dreck fressen.«

Die Blicke der beiden anderen Matrosen verrieten Unsicherheit und ruhten auf ihrem Anführer. Erichs Auftritt hatte sie offenbar aus dem Konzept gebracht, und drei Mann gegen einen war etwas anderes als drei gegen zwei.

Das Kartoffelgesicht aber war nicht bereit, klein beizugeben. »Zeigt es dem Feuerkopf!«, kam es über seine seltsam asymmetrischen Lippen. »Schlagt ihn zu Klump!«

Der Soldat, der sich zuerst mit Tian angelegt hatte, stand zwar wieder auf den Beinen, wirkte aber noch recht wackelig und zeigte wenig Neigung, der Aufforderung zu folgen. Sein Kamerad jedoch, der Amelie gegen den Schuppen gestoßen hatte, ging mit erhobenen Fäusten auf Erich los.

Der wartete den Angriff nicht ab, sondern ging zum Gegenangriff über. Seine Fäuste trafen den Uniformierten mitten ins Gesicht, einmal, zweimal, dreimal, viermal. Der Seesoldat stieß einen gurgelnden Laut aus und ging auf die Knie. Blut quoll über seine aufgeplatzten Lippen, und die Nase war so krumm, dass sie nur gebrochen sein konnte. Erich versetzte ihm fast beiläufig eine Kopfnuss, und der Mann schlug mit Oberkörper und Gesicht auf den Boden.

Erich wandte sich wieder dem Anführer zu. »Jetzt kannst

du ja deinen Kameraden fragen, wie der Dreck schmeckt. Oder möchtest du ihn selbst probieren?«

»Du Hund!«, brüllte der Mann wütend und ging mit dem zum Schlag erhobenen Brett auf Erich los. »Ich werde dir beibring…«

Was er Erich beibringen wollte, würde sein Geheimnis bleiben. Tian lag zwar noch am Boden, hatte aber offenbar verfolgt, was um ihn herum geschah. Er streckte plötzlich seine Beine so aus, dass der Pockennarbige darüber stolperte und vor Erich auf dem Boden landete.

»Na, wie schmeckt es?«, fragte Erich.

Der Soldat ließ einen wütenden Laut hören und wollte sich erheben, aber bevor er ganz auf den Beinen war, hatte Erich ihn mit einer raschen Abfolge von Fausthieben wieder zu Boden geschickt.

»Dreck gehört zu Dreck«, sagte Erich und wandte sich dem dritten Uniformierten zu. »Möchtest du auch noch probieren?«

Der Seesoldat schüttelte stumm den Kopf.

»Dann sammel deine beiden Kameraden ein und seht zu, dass ihr Land gewinnt. Aber hurtig, sonst überlege ich es mir und lasse nach der Polizei schicken!«

Der Soldat half den beiden anderen beim Aufstehen. Am schlimmsten hatte es den erwischt, der zuerst Bekanntschaft mit Erichs Fäusten gemacht hatte. Einer stützte den anderen, und schließlich wankten sie in Richtung Schantungstraße davon, nicht ohne Amelie, Tian und besonders Erich ein paar grimmige Blicke zugeworfen zu haben.

Tian versuchte aufzustehen, aber es gelang ihm nur, als Amelie und Erich ihn stützten. Jetzt erst bemerkte Amelie das Blut an seinem Hinterkopf.

»Du musst sofort zu einem Arzt, Tian«, sagte sie besorgt.

»Oder besser ins Krankenhaus«, schlug Erich vor. »Ich werde einen Ambulanzwagen rufen.«

»Nein, kein Krankenhaus und auch kein deutscher Arzt«, sagte Tian, gegen eine Mauer gelehnt, mühsam. »Das würde nur unnötiges Aufsehen erregen.«

»Warum sollte es kein Aufsehen erregen?«, fragte Amelie irritiert.

»Deinetwegen, Ai. Dein Ruf könnte Schaden nehmen, wenn bekannt wird, dass du in Tapautau in eine Schlägerei verwickelt gewesen bist.«

»Mein Ruf? Der ist doch vollkommen unwichtig.«

»Mir nicht.« Tian verzog das Gesicht vor Schmerz, aber er riss sich zusammen. »Bringt mich zu Yao Feng. Er wird einen chinesischen Arzt für mich rufen. Wären Sie so freundlich, Ai … Amelie heimzubringen, Herr Schweiger?«

»Selbstverständlich, Herr Liu.«

»Danke«, sagte Tian. »Und danke auch für die Hilfe im letzten Augenblick. Ohne Ihr Eingreifen hätten die drei Matrosen erreicht, was sie vorhatten.«

»Auch ich habe zu danken«, erwiderte Erich. »Wenn Sie den Kerl mit der hässlichen Visage nicht zu Fall gebracht hätten, hätte er mich wohl mit seinem Brett erwischt.«

»Das glaube ich nicht, Herr Schweiger, Sie sind sehr schnell.«

Amelie sah wütend von einem zum anderen. »Das ist ja rührend, wie die Herren Komplimente austauschen, während dir fleißig das Blut vom Kopf läuft, Tian. Wir sollten sehen, dass wir zu Yao Feng kommen!«

»Wie heißt es doch«, seufzte Tian. »Je schwächer der Mann, desto umbarmherziger das Weib.«

»Manchmal übertreibt ihr Chinesen es aber wirklich mit den Sprichwörtern«, sagte Amelie.

Sie war froh, dass Tian auf eigenen Füßen stehen konnte. Die Kopfwunde schien nur oberflächlich zu sein. Trotzdem machte sie sich Sorgen um ihn und hätte ihn am liebsten in der sicheren Obhut eines Krankenhauses gewusst. Aber er hatte ihr klargemacht, dass er nichts davon hielt. Also half sie Erich dabei, Tian zu stützen. Sie gingen in die entgegengesetzte Richtung wie die Seesoldaten, zurück zu Yao Fengs Haus.

Der Ladenbesitzer kam ihnen händeringend entgegen und führte sie in ein Zimmer mit einem breiten Bett, auf dem Tian sich ausstrecken konnte. Als sie dabei durch den Laden gingen, sah Amelie, dass bei dem Streit mit den Matrosen einiges von der Einrichtung zerstört worden war. Yao Feng erklärte sich sofort bereit, einen Arzt zu rufen.

»Vielleicht besser, Liu Tian hierbleiben für Weile. Ich geben Nachricht an Liu Cheng.«

»Das ist sehr nett von Ihnen, Herr Yao«, sagte Amelie.

»Das selbstverständlich. Liu Tian guter Freund.«

»Es tut mir leid, was geschehen ist«, fuhr sie fort. »Wäre ich nicht zu Ihnen gekommen …« Sie unterbrach sich und sah auf die zu Bruch gegangenen Gegenstände. »Ich werde Ihnen alles ersetzen.«

Der Ladenbesitzer hob abwehrend die Hände. »Nicht ersetzen, Fräulein Ai. Gute Freunde. Ersetzen nicht üblich.«

Erich trat zu Amelie. »Besser, Sie verabschieden sich jetzt von Liu Tian. Man kann nie wissen, ob nicht doch noch Polizei auftaucht. Um einen Skandal zu vermeiden, sollten Sie so schnell wie möglich nach Hause fahren.«

Tian versuchte zu lächeln, als Amelie zu ihm trat. Er lag auf dem Bett, um den Kopf einen behelfsmäßigen Verband, den Yao Feng ihm angelegt hatte.

»Du lächelst zwar, aber du siehst eher zum Weinen aus«, sagte Amelie.

»Du genauso, Ai. Ich fürchte, dein Kleid kannst du wegwerfen. Selbst ein Lumpensammler würde es in diesem Zustand nicht mehr nehmen.«

»Das Kleid kann ich wechseln, du aber nicht deinen Kopf.« Sie wurde ernst. »Wann sehen wir uns wieder, Tian?«

»Möglichst bald, aber ich kann nichts Genaueres sagen. Sobald es mir besser geht.«

»Keine unnötige Eile«, sagte sie. »Einen Mann ohne Kopf kann ich nicht gebrauchen.«

»Wenn etwas ist, wende dich an Yao Feng. Über ihn kannst du mir jederzeit eine Nachricht zukommen lassen.«

Sie beugte sich zu ihm hinunter und umarmte ihn vorsichtig. Ein letzter, langer Kuss, dann trennte sie sich widerwillig von Tian. Er lächelte ihr zu, als sie das Zimmer verließ, und sie lächelte zurück. In Wahrheit war ihr ganz flau im Magen. Ein ungutes Gefühl hatte Besitz von ihr ergriffen. Es war nur ein Abschied auf kurze Zeit, sagte sie sich, aber ihr kam es vor wie ein Abschied für immer.

16

Das flaue Gefühl hielt Amelie noch im Griff, als sie neben Erich in einer großen Rikscha saß und in Richtung Villenviertel durch das abendliche Tsingtau fuhr. Sie war gewiss ein jämmerlicher Anblick, aber sie scherte sich nicht darum, ob man sie sah. Der vorsichtige Erich hatte den Kuli gebeten, das Bambusverdeck der Rikscha so weit nach vorn zu ziehen wie möglich. Außerdem hatte Erich ihm den doppelten Fahrpreis versprochen, wenn er sich beeilte. Der spindeldürre Kuli legte dann auch angesichts dessen, dass er zwei Fahrgäste zog, ein erstaunliches Tempo vor. Einmal mehr fragte sich Amelie, woher die Rikschaläufer bloß ihre Kraft nahmen.

Anfangs hatte Schweigen geherrscht, bis Erich unvermittelt sagte: »Soll ich den Kuli bitten, gleich zu einem Arzt zu fahren? Oder wollen Sie einen nach Hause kommen lassen?«

»Ich brauche keinen Arzt.«

»Den brauchen Sie ganz sicher, Amelie, nicht nur wegen der Splitter in Ihrem Gesicht. Ich fürchte, Sie haben sich den linken Fuß verstaucht.«

»Wie kommen Sie darauf?«

»Jeder, der Augen im Kopf hat, kommt darauf. Sie geben sich größte Mühe, den Fuß beim Auftreten nicht zu belasten.«

»Vielleicht haben Sie recht«, sagte Amelie matt. Sie fühlte sich erschöpft, ausgelaugt. »Aber ich glaube, ich möchte mich so bald wie möglich in mein Bett legen.«

»Gut, dann fahren wir weiter zur Villa Hedwig und rufen von dort aus einen Arzt.«

Sie erreichten das Kaiser-Wilhelm-Ufer, und Amelie warf einen beiläufigen Blick hinaus aufs Meer. Das wirkte genauso grau und trüb wie die Wolken über Tsingtau und genauso grau und trüb wie Amelies Gedanken. Sie war mit so großen Hoffnungen zu Yao Fengs Geschäft aufgebrochen, und dann hatte alles in einem Desaster geendet.

Es war ihr ein Rätsel, woher die drei Seesoldaten gekommen waren und warum sie nach ihr und Liu Tian gesucht hatten. Als sie mit der Rikscha nach Tapautau gefahren war, hatte sie nicht den Eindruck gehabt, verfolgt zu werden. Sie hätte allerdings auch nicht beschwören können, dass es nicht so gewesen war. Zu sehr waren ihre Gedanken auf Tian und das bevorstehende Treffen gerichtet gewesen. Bei allem, was passiert war, konnten sie und Tian nur froh sein, dass Erich ihnen zu Hilfe gekommen war.

»Erich!« Sie merkte zu spät, dass sie den Namen laut ausgesprochen hatte.

Er sah sie an, voller Anteilnahme – und Zuneigung. »Ja, Amelie?«

»Wieso waren Sie zur rechten Zeit am rechten Ort? Das ... das kann doch kein Zufall gewesen sein!«

»Nennen wir es eine glückliche Fügung. Außerdem war ich nur zur rechten Zeit da, wenn man es mit viel Wohlwollen betrachtet. Fast wäre ich zu spät gekommen. Dieses Tapautau kann doch ziemlich unübersichtlich sein, jedenfalls wenn man sich nicht auf den Straßen bewegt, sondern in den Gassen der Hinterhöfe.«

»Eine glückliche Fügung? Wie darf ich das verstehen?«

»Stellen Sie nicht zu viele Fragen, Amelie. Seien Sie einfach froh, dass ich gerade noch rechtzeitig zur Stelle war.«

Sie schüttelte den Kopf. »Das reicht mir nicht, Erich. Seien Sie bitte offen zu mir. Sagen Sie mir, was Sie nach Tapautau geführt hat.«

»Sie, Amelie, ganz allein Sie!«, brach es aus ihm heraus. »Wenn ich Sie in Gefahr weiß, habe ich keine ruhige Minute.«

Sie schluckte angesichts dieser Erklärung und suchte vergebens nach der richtigen Antwort. »Das ehrt mich, Erich, aber ich …«

»Ich weiß, Sie haben sich in unseren erfolgreichen Athleten verliebt, der so großzügig seine Goldmedaillen verteilt.«

»Meine Gefühle für Tian haben damit gar nichts zu tun. Sie sollten mich gut genug kennen, um nicht so etwas zu denken, Erich.«

»Sie haben recht, es tut mir leid. Aber vor gar nicht langer Zeit dachte ich, dass Sie für mich etwas fühlen, etwas, das …« Er brach den Satz ab und knetete seine kräftigen Hände ineinander wie ein hilfloses Kind.

Amelie ergriff seine rechte Hand. »Sie bluten ja!«

»Nein, das Blut gehört einem meiner Gegner. Sehen Sie, auch das hat Ihr Liu Tian mir voraus. Er hat tatsächlich sein Blut für Sie vergossen.«

»Jetzt werden Sie aber kindisch! Wir sind hier doch nicht in einem Roman von Karl May.«

»Vielleicht doch«, murmelte Erich und sah auf die Hand,

an der das Blut eines Seesoldaten klebte. »Wenn ich mich recht erinnere, hat auch Old Shatterhand niemals eine Frau nach Hause geführt.«

»Brauchte er nicht. Er hatte schon eine in Deutschland, die auf ihn wartete, jedenfalls in den späteren Büchern.«

»Na dann«, sagte Erich nur und blickte hinaus auf die Bucht, die wie erstarrt wirkte.

Die Wolken schienen jede Bewegung unter ihnen zu ersticken. Es sah so aus, als würde auch nicht der leichteste Wellengang die Lethargie der Kiautschou-Bucht stören. Wie ein riesiger nasser Friedhof, dache Amelie, und die auf Außenreede liegenden Schiffe sahen aus wie gigantische Grabsteine, auf das Wasser gesetzt von chinesischen Gottheiten, von denen sie und Erich noch niemals gehört hatten.

»Sie haben meine Frage noch nicht beantwortet«, sagte sie schließlich und sah Erich fragend an. »Wieso waren Sie genau zur rechten Zeit in der Hinterhofgasse?«

»Das darf ich Ihnen nicht sagen, Amelie. Ich möchte keine Geheimnisse vor Ihnen haben, aber ich darf nicht darüber reden.«

»Dürfen Sie nicht? Oder wollen Sie nicht?«

»Ich darf es nicht. Ich hab es versprochen.«

»Wem?«

Erich lächelte plötzlich, aber es war ein bitteres Lächeln. »Das war nicht ungeschickt, aber aus mir bekommen Sie nichts heraus. Ich habe mein Wort gegeben.«

»Ein Mann, ein Wort?«

»Ja.«

»Wenn Sie mir das schon nicht verraten wollen, Erich, dann müssen Sie mir wenigstens etwas versprechen.«

»Wenn ich kann.«

»Bitte, erzählen Sie meiner Familie nicht, was sich in Tapautau ereignet hat!«

Er überlegte kurz, dann schüttelte er den Kopf. »Das kann ich nicht, Amelie. Unsere Familien sind befreundet. Ich will nicht unehrlich zu Menschen sein, die so freundlich zu mir sind wie Ihre Angehörigen. Außerdem denke ich, Ihre Eltern haben ein Recht darauf, die Wahrheit zu erfahren.«

»Es ist nur wegen …«

»Wegen Liu Tian, ich weiß. Sie würden ihn am liebsten aus der Geschichte heraushalten, nicht wahr?«

Amelie nickte.

»Und was würden Sie Ihren Eltern erzählen?«

»Dass ich überfallen wurde und dass Sie zufällig zur Stelle waren.«

»Oder noch besser, dass wir zusammen unterwegs waren, als es passierte? Dann müssten Sie sich keine Ausrede dafür einfallen lassen, warum Sie allein in Tapautau waren.«

»Das kann ich wirklich nicht von Ihnen verlangen, Erich«, sagte sie, ein wenig von der Hoffnung beseelt, er würde ihr anbieten, genau diese Geschichte ihren Eltern aufzutischen.

Zu ihrer Enttäuschung sagte er: »Nein, das können Sie nicht, und ich werde Ihren Eltern auch nicht so dreist ins Gesicht lügen. Sie können sich darauf verlassen, dass ich Liu Tian in Gegenwart Ihrer Familie keine Vorwürfe machen werde, aber ich werde auch keine Lügenmärchen erzählen!«

Ihre Ankunft löste große Hektik in der Villa Hedwig aus. Mutter war über Amelies Aussehen schrecklich entsetzt. Schwer atmend ließ sie sich in einen Sessel fallen und schickte Jen Schi nach dem Riechsalz. Erich und Fritz brachten Amelie auf ihr Zimmer, während Vater nach einem Arzt telefonierte. Helene kümmerte sich um Amelie, während Erich und Fritz wieder nach unten gingen. Mit einem feuchten Waschlappen tupfte ihre Schwester vorsichtig Amelies aus vielen kleinen Wunden blutendes Gesicht ab.

»Danke«, sagte Amelie leise.

»Das ist doch nichts Besonderes.« Helene hielt kurz inne. »Wenn ich mit dem Lappen zu stark aufdrücke, musst du es mir sagen.«

»Nein, tust du nicht. Aber nicht dafür habe ich mich bedankt.«

»Wofür dann?«

»Dafür, dass du mir keine Fragen stellst.«

Helene sah sie mitfühlend an. »Man wird dir noch genug Fragen stellen, mehr als genug. Und wenn du mir etwas sagen möchtest, kannst du es jederzeit tun.«

Amelie lächelte dankbar, aber im Augenblick war ihr nicht nach einer Unterhaltung. Sie fühlte sich erschöpft und leer, und am liebsten hätte sie einfach geschlafen. Vielleicht, so ihre trügerische Hoffnung, würde sie dann aufwachen und feststellen, dass die Ereignisse auf den Hinterhöfen von Tapautau nur ein böser Traum gewesen waren. Aber sie fand keinen Schlaf, und so lag sie mit geschlossenen Augen da und lauschte der lauten Unterhaltung, die aus dem Parterre zu ihr heraufklang. Erichs Stimme klang gemäßigt und ruhig. Er bemühte sich um einen sachlichen Bericht, aber je mehr er erzählte, desto größer wurde die Aufregung der anderen.

»Angehörige der Matrosenartillerie haben das getan, sagen Sie?«, fragte Fritz. »Das ist ja ungeheuerlich, ein Skandal. Die müssen bestraft werden, schwer bestraft. Wir sollten sofort Anzeige gegen sie erstatten!«

»Das gefährdet die Ordnung in Tsingtau, wenn sich unsere Soldaten an unseren Frauen vergreifen«, sagte Mutter, der das Riechsalz offenbar geholfen hatte. »Du musst unbedingt etwas unternehmen, Heinrich!«

»Du hast recht, Hedwig. Ich werde gleich morgen um einen außerordentlichen Termin beim Gouverneur bitten und ihm die Sache vortragen.«

»Wenn Sie erlauben, Herr Kindler«, sagte Erich vorsichtig. »Ich an Ihrer Stelle würde mir gut überlegen, ob es ratsam ist, damit gleich zu Vizeadmiral von Truppel zu gehen. Vielleicht wäre es sogar das Beste, die Sache ganz auf sich beruhen zu lassen.«

»Was?«, ereiferte sich Fritz. »Soll diese Schlägerbande, die auch noch deutsche Uniformen trägt, etwa ungeschoren davonkommen?«

»So ganz ungeschoren sind sie nicht«, sagte Erich. »Zwei von ihnen dürften ohne einen Besuch beim Arzt nicht auskommen.«

»Das ist doch keine Strafe!«, rief Fritz erregt aus. »Ihren Vorgesetzten werden sie wahrscheinlich vorflunkern, sie seien ganz und gar unschuldig hinterrücks überfallen worden.«

»Schon möglich«, sagte Erich ruhig. »Aber was wäre die Alternative? Wollen Sie wirklich eine öffentliche Untersuchung, über die jedermann in Tsingtau lang und breit in der Zeitung lesen kann? Da würde es nicht nur um die drei Soldaten gehen, sondern auch um die Frage, was Amelie in Tapautau gewollt hat. Und wenn die Zeitungsleute erst einmal angefangen haben mit ihrer Schnüffelei, hören sie so schnell nicht damit auf.«

»Das stimmt allerdings«, gab Fritz zu. »Heutzutage dürfen sie in den Zeitungen ja schreiben, was sie wollen. Eine Schande ist das.«

»Ihr Einwand ist bedenkenswert, Herr Schweiger«, sagte Vater. »Ein öffentlicher Skandal würde sich auch auf unser Geschäft auswirken. Und Amelie hat sich mit dem Sohn von Liu Cheng getroffen, sagen Sie?«

»Ja. Er hat sich wie der Teufel gegen die Matrosen gewehrt, aber drei gegen einen, das war ein ungleiches Spiel.«

»Was für ein Glück und Zufall, dass Sie in der Nähe waren, Herr Schweiger«, kam es wie ein Stoßseufzer von Mutter.

»In der Tat«, sagte Erich knapp, nicht gewillt, das Thema zu vertiefen.

Vater ergriff wieder das Wort: »Kommen wir noch einmal auf diesen Liu Tian zurück. Ist da zwischen ihm und Amelie irgendetwas … Sie wissen schon, was ich meine.«

»Ich weiß, was Sie meinen, Herr Kindler. Aber erstens ist mir davon nichts bekannt, und zweitens ist es nicht meine Angelegenheit.«

Mutter sagte: »Ich finde, Herr Schweiger hat recht, wir sollten der Sache nicht öffentlich nachgehen. Der Arzt ist zur Verschwiegenheit verpflichtet, und Herr Schweiger wird die Geschichte bestimmt auch nicht nach außen tragen.«

»Mein Wort darauf, dass ich zu niemandem außerhalb dieses Hauses darüber spreche.«

»Auch nicht zu Ihren Eltern?«, fasste Mutter nach.

»Auch nicht zu ihnen.«

»Ich danke Ihnen sehr, Herr Schweiger«, sagte Mutter erleichtert. »Wir alle sind Ihnen zu großem Dank verpflichtet. Sie müssen uns unbedingt öfter besuchen kommen. Amelie braucht in nächster Zeit bestimmt etwas Aufheiterung und würde sich über Ihre Gesellschaft sehr freuen.«

»Im ersten Punkt stimme ich vollkommen mit Ihnen überein, Frau Kindler«, sagte Erich. »Im zweiten erliegen Sie allerdings, so fürchte ich, einem großen Irrtum. Und jetzt ist es für mich an der Zeit, mich zu verabschieden. Kümmern Sie alle sich gut um Amelie!«

Als sie die Haustür hinter Erich zuschlagen hörte, fühlte sich Amelie irgendwie verlassen. Natürlich gab es für ihn keinen Grund, länger zu bleiben, aber im Augenblick war ihr, als sei er der einzige Fürsprecher, den sie und Tian hatten. Ausgerechnet Erich, der allen Grund gehabt hätte, ihnen die kalte Schulter zu zeigen.

Helene blieb bei ihr, bis der Arzt kam. Es war der alte Dr. Pietsch, der Hausarzt der Familie in Tsingtau. Er legte einen engen Verband um Amelies schmerzenden Fuß und zog dann vorsichtig die vielen kleinen Splitter aus ihrem Gesicht. Dabei murmelte er immer wieder: »Wie hast du das bloß angestellt, Mädchen?«

Amelie verriet es ihm nicht.

17

Dr. Pietsch hatte Amelie geraten, ihren Fuß in den nächsten Wochen zu schonen und am besten im Bett zu bleiben. Sie fühlte sich matt und antriebslos und hätte kein Problem damit gehabt, seinen Rat zu befolgen, wäre da nicht die Sorge um Tian gewesen.

Sie überlegte krampfhaft, wie sie Näheres über seinen Gesundheitszustand herausfinden konnte, hier von ihrem Bett aus. Nicht einmal ans Telefon konnte sie gehen. Wen hätte sie auch anrufen sollen? Tians Vater? Ob Tian ihn in alles eingeweiht hatte? Und wenn ja, würde er gut auf sie zu sprechen sein? All das waren überflüssige Überlegungen, wäre sie in ihrem Zustand doch nicht einmal unbemerkt ins Erdgeschoss zum Telefon gelangt. Kurz dachte sie daran, ob sie Helene bitten konnte, Erkundigungen über Tian einzuziehen, aber da ihre Schwester mit Vater und Fritz ins Geschäft gefahren war, konnte sie Helene frühestens am Abend darum bitten.

Mutter sah hin und wieder mit ernster Miene nach Amelie, erkundigte sich nach ihrem Zustand und fragte sie, ob ihr etwas fehle. Mit keinem Wort erwähnte sie Amelies Ausflug nach Tapautau, Tian oder den Vorfall mit den Seesoldaten. Vermutlich hatten ihre Eltern beschlossen, sie vorläufig zu schonen, bis es ihr gesundheitlich besser ging. Amelie wäre es fast lieber gewesen, Mutter hätte ihr Vorwürfe gemacht. So aber war es wie das Warten auf ein Unwetter, das irgendwann doch über sie hereinbrechen würde.

Sie hatte keinen Hunger, aß aber ein wenig, um sich Mutters diesbezügliche Ermahnungen zu ersparen. Zu Mittag war es eine Fleischbrühe, »von Franz eigens für dich zur Kräftigung zubereitet«, wie Mutter sagte. »Die tut dir bestimmt gut, mein Kind.« Das war fast ein Lob für Franz, was in letzter Zeit häufiger vorkam. Offenbar hatte Mutter ihren Frieden mit dem Koch gemacht oder zumindest eingesehen, dass ein neuer Krieg gegen ihn für sie leicht in einer weiteren Niederlage enden konnte.

Nach dem Verzehr der Brühe fühlte sich Amelie noch träger, und bald fielen ihr die Augen zu. Sie träumte von Tsingtau, von chinesischen Tempelfiguren, die zum Leben erwachten und sich in deutsche Marinesoldaten verwandelten. Es ergab keinen Sinn, auch nicht die lauten Geräusche, die sie plötzlich hörte.

Verstört öffnete sie die Augen und blinzelte in das trübe Nachmittagslicht, das in ihr Zimmer fiel. Tsingtau lag noch immer unter Wolken, und leichter Regen tröpfelte gegen ihr Fenster. Sie dachte an ihren Traum, aber die Bilder verblassten bereits. Amelie hatte den Augenblick, um sie festzuhalten und vielleicht doch noch einen Sinn in ihnen zu finden, verpasst. Oder träumte sie noch, und das Erwachen war bloß ein Teil ihres Traums? Sie hörte wieder diese Geräusche. Ihr noch nicht ganz wacher Geist rang sich zu der Erkenntnis durch, dass jemand an ihre Tür klopfte.

Mutters Stimme ertönte: »Amelie, mein Kind, hier ist Besuch für dich. Dürfen wir eintreten?«

»Ja, herein«, sagte Amelie mit vom Schlaf belegter

Stimme und richtete sich ein wenig auf, neugierig, wer dieser Besuch sein mochte.

Mutter rauschte herein und strahlte wie ein Honigkuchenpferd. »Schau mal, wer da ist!« Und als sei Amelie nicht nur am Fuß und im Gesicht etwas lädiert, sondern auch erblindet, fügte sie hinzu: »Der Herr Schweiger kommt, um nach dir zu sehen, obwohl er doch sicher in seinem Betrieb viel zu tun hat. Ist das nicht aufmerksam von ihm?«

Erich trat hinter ihr ein, einen Strauß bunter Herbstblumen in der Hand. »Guten Tag, Amelie. Ich hoffe, es geht Ihnen den Umständen entsprechend gut. Da Sie ja Deutsche sind und keine Chinesin, dachte ich, ein paar Blumen könnten Sie erfreuen.«

Mutter starrte ihn mit dem Ausdruck plötzlicher Verwirrung an. »Freuen sich die Chinesen denn nicht über einen hübschen Blumenstrauß?«

»Erst, wenn sie tot sind«, sagte Erich trocken. »In China ehrt man mit Blumen die Verstorbenen, nicht aber die Lebenden.«

Mutter schlug die Hände vor der Brust zusammen. »Ach, diese Chinesen haben schon putzige Ansichten. Kein Wunder, dass sie so viel von uns zu lernen haben.«

»Sie haben ja auch lange darauf gewartet«, sagte Erich mit einer Ironie, die für Mutter zu fein war.

»Da sagen Sie etwas Wahres, Herr Schweiger. Soll ich die Blumen in eine Vase stellen?«

Mutter nahm Erich die Blumen ab und verließ das Zimmer.

»Darf ich mich setzen?«, fragte Erich vorsichtig.

»Natürlich.« Amelie lächelte, obwohl die vielen kleinen

Wunden in ihrem Gesicht dabei schmerzten. »Ich freue mich so, dass Sie gekommen sind, Erich.«

Er zog einen Stuhl an ihr Bett und setzte sich. »Warum freut Sie das?«

»Weil ich in Ihnen einen Freund sehe, und ich habe im Augenblick das Gefühl, nicht allzu viele Freunde zu haben.«

»Da dürfen Sie sich nicht wundern«, sagte er ernst. »Die Deutschen in Tsingtau sind eine kleine, verschworene Gemeinde. Wer sich gegen ihre Regeln stellt, muss nicht lange warten, bis er außen vor ist.«

»Außen vor? Heißt das, es hat sich herumgesprochen, was gestern Abend geschehen ist?«

»Nein, keine Sorge. Wer sollte es weitererzählen? Die drei Soldaten ganz sicher nicht, der Arzt kennt die Hintergründe nicht, und meine Lippen sind versiegelt. Ich wollte Ihnen nur verdeutlichen, mit welchen Befürchtungen Ihre Eltern und Ihre Geschwister derzeit leben.«

»Sie halten mich wohl für sehr selbstsüchtig, Erich?«

Er schüttelte den Kopf. »Ich habe nicht die geringste Berechtigung, über Sie zu urteilen.«

»Und wenn ich Sie darum bitte, mir Ihre ehrliche Meinung zu sagen? Als Freund?«

Ein erneutes Kopfschütteln. »Glauben Sie mir, Amelie, das wollen Sie nicht hören.«

»Doch, das will ich«, sagte sie mit einem Anflug von kindlichem Trotz.

»Ich hätte vermutlich dasselbe getan wie Sie«, sagte Erich langsam und blickte dabei zum Fenster hinaus, an dessen Scheibe die abgeprallten Regentropfen hinunterrannen. »Wäre die Frau, die ich liebte, eine Chinesin, ich wäre auch nach Tapautau gegangen, ohne Rücksicht auf alles andere. Aber …«

»Was aber?«, fragte Amelie, als er nicht weitersprach.

»Aber die Frau, die ich liebe, ist keine Chinesin.«

»Oh«, sagte Amelie nur und schwieg betreten.

Erich richtete seinen Blick auf sie. »Ich habe es Ihnen ja gesagt, Sie wollen es nicht hören.«

Es klopfte an der Tür, doch niemand trat ein. Das musste Mutter sein, aber sonst war sie nicht so rücksichtsvoll.

»Ja?«, rief Amelie. »Nur herein.«

Mutter trat ein, in einer Hand eine Kristallvase mit den Blumen, und sagte überflüssigerweise: »Ich bin es.« Nach einem kurzen Blick auf Amelie und Erich fragte sie: »Störe ich?«

»Wie könnten Sie in Ihrem eigenen Haus stören, Frau Kindler?«, erwiderte Erich.

Mutter stellte die Vase neben das Kopfende des Bettes. »Ach, bei jungen Leuten weiß man nie. Ich lasse euch auch schon wieder allein. Nachher bringe ich euch Tee und Plätzchen.«

Als sie gegangen war, betrachtete Amelie den Strauß. »Die Blumen sind sehr schön, sie leuchten geradezu. Wenigstens etwas Buntes. Zurzeit erscheint mir alles grau in grau, nicht nur das Wetter da draußen.«

»Dann habe ich ja das Richtige ausgewählt, das freut mich.« Erich richtete sich ein wenig auf und saß jetzt so gerade auf dem Stuhl wie ein Pennäler auf der Schulbank. »Aber deshalb bin ich nicht gekommen.«

»Nicht? Weshalb dann?«

»Auch wenn ich Verständnis für Ihr Verhalten habe, Amelie, möchte ich Sie doch vor weiteren Extratouren wie der von gestern warnen. Nicht immer kann es so halbwegs glimpflich ausgehen.«

»Dank Ihres Eingreifens, Erich. Aber Sie haben mir noch immer nicht erzählt, weshalb Sie gestern ...«

»Ich habe es Ihnen gestern nicht erzählt, und ich werde es Ihnen auch heute nicht erzählen«, unterbrach er sie. »Wie ich Ihnen bereits sagte, habe ich mich in dieser Angelegenheit zum Stillschweigen verpflichtet. Führen Sie mich bitte nicht in Versuchung, mein Wort zu brechen.«

»Könnte ich denn Erfolg damit haben, wenn ich es versuche?«

»Nein«, sagte er entschieden.

»Ich akzeptiere das, Erich, und ich werde Sie nicht mehr danach fragen.«

Er nickte. »Also, ich bin hier, um Sie von weiteren Ausflügen nach Tapautau abzuhalten.«

Amelie streckte ihren verbundenen Fuß unter der Bettdecke hervor. »Das ginge im Augenblick sowieso nicht.«

»Ich halte Sie nicht für eine Frau, die sich von einem verstauchten Fuß abhalten lässt.«

»Das klang jetzt fast wie ein Kompliment.«

Erich räusperte sich. »Ich habe mir gedacht, Sie würden sich brennend dafür interessieren, wie es Liu Tian geht. Deshalb habe ich mich nach ihm erkundigt. Das erspart Ihnen möglicherweise schwierig durchzuführende Nachfragen beziehungsweise Ausflüge.«

Dem letzten Wort legte er eine besondere Betonung bei, aber das nahm Amelie nur am Rande wahr. Was Erich eben gesagt hatte, konnte nur eines bedeuten ...

»Erich, haben Sie etwas von Tian gehört?«

»Mehr noch, ich habe ihn gesehen und gesprochen, und

ich soll Sie von ihm grüßen. Jedenfalls dann, wenn Sie auch unter dem Namen Ai bekannt sind.«

»Ja, so nennt er mich.«

»Das chinesische Wort für Liebe, richtig?«

Sie nickte. »Woher wissen Sie das, Erich?«

Er ging nicht auf ihre Frage ein und fuhr fort: »Der chinesische Arzt, den Yao Feng gestern gerufen hat, war klug genug, Liu Tian ins Faber-Hospital einzuweisen. Da ist er in besten Händen. Keine Sorge, niemand hat Ihren Namen ins Spiel gebracht. Offiziell war Liu Tian allein unterwegs und wurde von ein paar Chinesen zusammengeschlagen. Ein Streit unter Chinesen ist für unsere deutschen Behörden nicht sonderlich bedeutungsvoll und wird wohl keine weiteren Nachforschungen zur Folge haben.«

Amelie kannte das Hospital, das auf eine Stiftung des 1899 in Tsingtau verstorbenen Missionars und Botanikers Dr. Ernst Faber zurückging. Es war ein großer Gebäudekomplex im Norden der Stadt, wo deutsche Missionsärzte Chinesen behandelten. Wer kein Geld hatte, wurde dort kostenlos versorgt. Das Hospital hatte einen hervorragenden Ruf und wurde von Dr. Richard Wunsch geleitet, ehemals kaiserlich-koreanischer Hofarzt. Zu hören, dass man sich dort um Tian kümmerte, beruhigte sie ein wenig.

»Und wie geht es Tian?«, fragte sie. Wahrscheinlich konnte Erich ihre Angst um Tian dem leichten Zittern ihrer Stimme entnehmen.

»Ein paar Prellungen, eine leichte Gehirnerschütterung, aber nichts wirklich Ernsthaftes. Kurzum, in wenigen Wochen wird er wieder auf den Beinen sein.«

»Hat Tian Ihnen das gesagt?«

»Nein, Dr. Wunsch. Mit dem habe ich nämlich auch gesprochen. Tian hat mich dringend gebeten, ihm mitzuteilen, wie es Ihnen geht, Amelie. Daher werde ich ihn morgen noch einmal besuchen. Wenn Sie ihm etwas auszurichten haben, bitte. Aber das ist dann auch das letzte Mal. Nicht, dass Sie beide glauben, ich spiele auch noch den Liebesboten für Sie.«

Wärme breitete sich in Amelie aus. Sie hatte in Erich einen wahren Freund, das spürte sie, und wäre Tian nicht gewesen, vermutlich hätte sie dann noch mehr in dem großen, rothaarigen Mann gesehen.

»Wissen Sie, dass Sie ein guter Mensch sind, Erich?«

»Ziehen Sie keine voreiligen Schlüsse. Vielleicht tue ich das alles nur, um Sie zu beeindrucken.«

»Dann haben Sie Ihr Ziel erreicht«, sagte Amelie und bat ihn, ihr aus dem kleinen Sekretär neben der Tür das Schreibpapier und den Soennecken-Füllfederhalter, den sie zum letzten Weihnachtsfest bekommen hatte, zu holen.

Während Erich geduldig am Fenster stand und in den Regen hinaussah, schrieb sie Tian einen Brief. Das war im Bett nicht so ganz einfach, aber sie scherte sich nicht weiter um die Tintenkleckse auf den Bezügen. Als sie fertig war, reichte Erich ihr das Löschpapier und verstaute anschließend alle Schreibutensilien wieder in dem Sekretär. Amelie faltete den Brief zusammen, und Erich nahm ihn an sich.

»Wollen Sie ihn nicht verschließen?«, fragte er.

»Nein, Sie dürfen ihn gern lesen. Es steht nur Gutes über Sie drin, Erich.«

»Danke, ich verzichte.« Er steckte den Brief ein und reichte Amelie die Hand. »Ich wünsche Ihnen gute Besserung und vor allem …« Er zögerte, schien zu überlegen und sagte dann: »Alles Gute für Ihre Zukunft, Amelie. Alles, was Sie sich wünschen.«

»Ich würde mich freuen, wenn Sie mich wieder besuchen.«

»Unter den gegebenen Umständen halte ich das für keine gute Idee. Außerdem werde ich Tsingtau bald verlassen.«

»Aber warum das?«

»Eine kleine Seereise, um mir die Handelsniederlassungen unserer Geschäftspartner im ostasiatischen Raum mal aus der Nähe anzusehen. Das hatte ich schon lange vor, und jetzt scheint mir die richtige Zeit dafür zu sein.«

»Ich werde Sie vermissen, Erich, wirklich. Wann kommen Sie zurück?«

Er zuckte mit den Schultern. »In China gibt es ein Sprichwort, eines von vielen, aber ich finde es sehr schön und passend: Ein Weg entsteht, wenn man ihn geht.«

»Warum ist Herr Schweiger denn schon gegangen?«, fragte Mutter ein wenig pikiert, als sie kurz danach in Amelies Zimmer trat. »Der Tee ist doch noch gar nicht fertig.«

»Er hatte es eilig. Er muss noch viel erledigen, weil er bald verreisen will.«

»Verreisen, so? Wohin?«

Amelie blickte zum Fenster. »Dahin, wohin sein Weg ihn führt.«

»Das klingt wie eines dieser vollkommen unsinnigen chinesischen Sprichwörter«, fand Mutter und seufzte. »Manchmal denke ich, die Chinesen haben den lieben, langen Tag nichts anderes zu tun, als sich diese merkwürdigen Sprüche auszudenken.«

»Ja«, sagte Amelie gedehnt. »Es ist schon ein putziges Volk.«

Wieder bekam Mutter die Ironie nicht mit und nickte heftig. »Da sagst du mal etwas Wahres, mein Kind.« Ihr Blick fiel auf den Stuhl, der noch neben Amelies Bett stand. »Aber du hättest zu Herrn Schweiger ruhig etwas freundlicher sein können, dann wäre er bestimmt noch länger geblieben.«

»Nein, dann wäre er noch eher gegangen.«

»Wie?« Mutter schüttelte den Kopf. »Ach Kind, manchmal redest du genauso unverständliches Zeug wie all diese Chinesen. Ich glaube, dieses Land bekommt uns Deutschen nicht. Da fehlt die richtige Kultur.«

»Jaja, und dann gibt es auch noch *all diese Chinesen* hier in China. Wirklich schlimm.«

Diesmal hatte Mutter die Ironie mitbekommen und bedachte sie mit einem strafenden Blick. Der Blick wurde nicht freundlicher, als er auf die Tintenkleckse fiel, die Amelie auf der Bettdecke hinterlassen hatte.

»Was ist denn das? Das sieht ja schlimm aus!«

»Hm, mein Blut kann es nicht sein, das ist ja rot.« Amelie tat, als überlege sie, dann setzte sie ein freches Grinsen auf. »Vielleicht ist es ja das eines Chinesen.«

»Ich glaube, du solltest besser etwas schlafen«, sagte Mutter und schloss die Tür von außen.

Amelies Grinsen erstarb augenblicklich. Hätte Mutter jetzt einen Blick auf ihr Gesicht geworfen, hätte sie die große Traurigkeit darin gesehen.

18

»Du wirst Liu Tian nicht wiedersehen, Amelie, das ist beschlossene Sache. Diese ganze Liebelei mit dem Chinesen ist doch nichts als eine verrückte Idee, eine Laune von dir. Jetzt ist es an der Zeit, dass du sie dir aus dem Kopf schlägst. Hat dir nicht genügt, was an jenem Abend in Tapautau passiert ist? Siehst du nicht, was für ein Unglück du damit anrichtest?«

Mehr als vier Wochen waren vergangen. Vier Wochen, in denen Amelie keinerlei Nachricht von Tian erhalten hatte. Vier lange, qualvolle Wochen. Qualvoll nicht wegen der körperlichen Schmerzen in Gesicht und Fuß. Die wurden weniger und weniger. Nein, qualvoll wegen der Ungewissheit, wie es Tian ging, körperlich und seelisch. Und qualvoll wegen der Einsamkeit, der Isoliertheit, die Amelie empfand. Und jetzt diese Worte ihres Vaters, die ihr vielleicht auch die letzte Hoffnung rauben würden.

Amelie durfte sich mithilfe einer Krücke in Haus und Garten bewegen. Dr. Pietsch hatte sie sogar ausdrücklich dazu ermuntert. Und an diesem Sonntagnachmittag im November, der noch einmal so richtig sonnig und warm war, hatte Vater sie gefragt, ob sie Lust auf einen Spaziergang durch den Garten habe. Sie saßen auf der Bank an dem kleinen Weiher, und ausgerechnet vor dieser so lieblichen Kulisse schoss Vater gnadenlos seine harten Worte auf sie ab wie ein Jäger die Schrotladung auf ein Stück Wild.

Amelie sah Vater an und reckte dabei kampfeslustig das Kinn vor. »Was für ein Unglück richte ich denn an?«

»Liu Tian hätte man fast den Schädel eingeschlagen, und dir hätte auch weitaus Schlimmeres zustoßen können, wäre Erich Schweiger nicht gewesen. Apropos, den hast du aus Tsingtau vertrieben. Hättest du ein bisschen mehr Interesse für ihn gezeigt, wäre er bestimmt nicht zu dieser seltsamen Geschäftsreise aufgebrochen. Er konnte die Schande nicht länger ertragen, dass du ihn mit dem Chinesen hintergehst, das ist die Wahrheit. Darum ist er aus Tsingtau geflohen. Und wer weiß, wann er wiederkehrt. Ich habe erst vor zwei Tagen mit seinem Vater gesprochen. Er sagte, er wisse nicht, wann Erich zurückkomme, vermutlich erst im nächsten Jahr.«

Sie dachte an ihr letztes Gespräch mit Erich und sagte leise: »Ein Weg entsteht, wenn man ihn geht.«

»Wie bitte?«

»Ach nichts, nur so ein Gedanke.«

»Gedanke, Gedanke. Du solltest aufpassen, dass du nicht wunderlich wirst. Von da an ist es nicht mehr weit bis zur wunderlichen alten Jungfer.«

»Ich liebe Erich nun einmal nicht. Außerdem waren wir weder verlobt noch einander versprochen, also konnte ich ihn auch nicht hintergehen.«

Vater rollte mit den Augen. »Du liebst ihn nicht – wenn ich das schon höre. Der Appetit kommt beim Essen!«

»Ich habe bereits Appetit, aber nicht auf Erich. Dir geht es doch in Wahrheit nicht um ihn, sondern um Schweiger & Sohn. Nicht wahr, Papa?«

»Mir geht es um dich. Uns allen geht es um dich, deiner Mutter, Fritz, Helene und mir. Wir wollen, dass du glücklich bist und dir später keine Vorwürfe machst, weil du einer törichten Schwärmerei gefolgt bist.«

»Wie kannst du wissen, dass es nur eine Schwärmerei ist?«

Vater schüttelte den Kopf und wirkte auf einmal erschöpft. »Jeder weiß es, nur du nicht.«

»Jeder anständige Deutsche, der hochmütig auf die rechtmäßigen Einwohner dieses Landes hinabsieht. Das ist es doch, oder?«

»Nein, das ist es nicht. Sowohl Chinesen als auch Deutsche wohnen in Tsingtau, beide zu Recht und Seite an Seite. Aber es gibt auch Grenzen, das habe ich dir schon einmal zu erklären versucht.«

»Grenzen, die wir Deutsche ziehen, nicht die Chinesen.«

»Unsinn!«, fuhr Vater sie an und wirkte jetzt richtiggehend wütend. »Jeder, der bei klarem Verstand ist, zieht diese Grenzen. Liu Cheng sieht das Ganze genauso wie ich.«

Das war vielleicht das Schlimmste, was er an diesem Nachmittag zu ihr gesagt hatte. Sie glaubte, sich verhört zu haben, und fragte: »Was hast du gerade gesagt?«

»Ich sagte, dass Liu Cheng und ich in dieser Angelegenheit einer Meinung sind.«

»Du hast mit Tians Vater über uns gesprochen?«

»Selbstverständlich, wie es sich unter Ehrenmännern gehört. Trotz der unangenehmen Begleitumstände war es ein angenehmes Gespräch. Er ist ein sehr verständiger Mann und war von Anfang an meiner Meinung. Ich habe eigens einen Dolmetscher mitgenommen, damit es keine Missverständnisse zwischen uns gibt, aber das wäre gar nicht nötig gewesen. Wir hätten uns auch so verstanden.«

»Einen Dolmetscher? Dann hat Tian sich also geweigert, zwischen euch zu übersetzen?«

»Selbst wenn Liu Tian das Gespräch hätte übersetzen wollen, wäre er dazu kaum in der Lage gewesen. Schließlich hat er Tsingtau vor vier Tagen verlassen. Und er wird auch so bald nicht wiederkommen. Liu Cheng hat ihn nach Hongkong geschickt, um dort die Zweigstelle seiner Firma zu verstärken. Die führt bislang ein Bruder von Liu Cheng, der aber allmählich zu alt dafür wird.«

»Das kann nicht sein! Tian hätte mit mir gesprochen, wenn er vorgehabt hätte, nach Hongkong zu gehen. Du lügst, um Tian vor mir schlechtzumachen!«

»Er hat es seinem Vater zuliebe getan. Und weil er eingesehen hat, dass es keine gemeinsame Zukunft für euch beide gibt. Es ist an der Zeit, dass du das auch einsiehst, Amelie.«

»Du lügst!«, schrie sie Vater ins Gesicht, bevor sie sich erhob und so schnell, wie es mit der Krücke nur ging, aufs Haus zueilte.

In ihrem Zimmer schloss sie sich ein und warf sich aufs Bett. Ihr war zum Heulen zumute, aber die Tränen kamen nicht. Sie lag da, starrte auf das Bild mit den beiden Schmetterlingen und zermarterte sich das Hirn.

Dass Tian sie verlassen haben sollte, ohne vorher mit ihr darüber zu sprechen, ohne ein einziges Wort des Abschieds, das wollte nicht in ihren Kopf und schon gar nicht in ihr Herz. Ein Mensch, der solche Bilder malte, konnte nicht derart herzlos sein.

Vater musste sie angelogen haben. Der Grund lag auf der Hand: Er wollte sie und Tian auseinanderbringen, wollte ihn bei Amelie schlechtmachen. Was sie irritierte, war nicht der Umstand an sich, dass Vater dabei zu einer Lüge griff. Wahrscheinlich tat er das in der festen Überzeugung, damit nur das Beste für sie zu wollen. Nein, die Art der Lüge machte Amelie nachdenklich. Ob Tian sich noch in Tsingtau aufhielt oder nicht, ließ sich verhältnismäßig leicht nachprüfen. Dachte Vater wirklich, sie würde ihm das einfach so glauben? Dass er sie für so einfältig hielt, enttäuschte sie. Aber es gab ihr auch neuen Mut. Sie würde sich persönlich davon überzeugen, dass Tian nicht nach Hongkong abgereist war – und das noch heute!

Da es draußen so schön war, ließ Mutter den Kaffeetisch im Garten decken, und Amelie erschien pünktlich. Ihre Eltern, Fritz und Helene betrachteten sie mit kaum verhohlener Neugier. Anscheinend hatte Vater den anderen von dem Gespräch am Teich berichtet, und jetzt warteten sie auf einen Gefühlsausbruch Amelies – allerdings vergebens. Amelie trank ihren Kaffee, aß ein Stück von Mutters selbst gebackener Sahnetorte – »der Franz hat mir bei der Verzierung geholfen, da ist er recht geschickt drin« – und beteiligte sich an der Unterhaltung, die sich um so banale Dinge wie das Wetter und die bevorstehenden Überseetransporte von Kindler Import & Export drehte.

Später setzte sie sich mit einem Band von Freiherr von Richthofens Chinabeschreibungen auf die Bank am Teich und tat so, als bemerke sie nicht, dass die anderen Familienmitglieder häufig in der Nähe vorbeispazierten und ihr forschende Blicke zuwarfen.

Auch das Abendessen nahm sie mit der Familie ein und tat weiterhin unbekümmert, zog sich aber früh auf ihr Zimmer zurück. Sie sagte, die viele frische Luft heute habe sie ermüdet, weshalb sie früh zu Bett gehen wolle.

Das tat sie auch, aber eine Stunde vor Mitternacht, als im Haus längst alles still war, stand sie wieder auf und zog sich an. Auf die Krücke verzichtete sie. Es musste ohne das sperrige Ding gehen. Es war ohnehin an der Zeit, dass sie sich wieder an ein normales Gehen gewöhnte. Dafür nahm sie eine kleine, handliche Acetylenlaterne an sich, die sie am Nachmittag unbemerkt aus dem Wirtschaftsraum mitgenommen hatte, als sie von ihrer Lesestunde im Garten zurückgekehrt war.

Das weiße Licht der Laterne erlaubte es ihr, sich im Haus zurechtzufinden, ohne das elektrische Licht einzuschalten und ohne irgendwo anzustoßen und dadurch verräterischen Lärm zu verursachen. Im Erdgeschoss angekommen, blieb sie vor dem Telefonapparat stehen und überlegte, ob sie es wagen konnte, ein Gespräch in die Schantungstraße anzumelden. Sie entschied sich dagegen. Wenn jemand im Haus durch das Telefongespräch geweckt wurde, würde sie vielleicht nicht in Erfahrung bringen, was sie wissen wollte. Außerdem musste sie damit rechnen, dass man ihr im Hause Liu die Auskunft verweigerte, falls Vater insoweit die Wahrheit gesagt hatte, dass Liu Cheng seine Ansichten teilte.

Ihrem ursprünglichen Plan folgend, verließ sie das Haus. Sie vermied es, den breiten Kiesweg zu benutzen. Jemand hätte das Knirschen ihrer Schritte auf den Steinen hören können. Sie ging neben dem Weg in Richtung Straße, und wieder leistete ihr die Acetylenlaterne gute Dienste. Sie schaltete das Licht aus, sobald sie die Straße erreichte, die dank der elektrischen Laternen gut ausgeleuchtet war. In ihrem Bemühen, Tsingtau zu einem Musterbild deutscher Stadtplanung zu machen, hatten die neuen Herren des Pachtgebiets die Stadt Tsingtau schon frühzeitig mit einer modernen Straßenbeleuchtung versehen.

Die Stadt lag rechts von ihr, aber Amelie ging nach links bis zu jenem Platz, an dem für gewöhnlich die Rikschas auf Fahrgäste aus dem Villenviertel warteten. Ob dort allerdings zu dieser vorgerückten Stunde noch Kulis auf späte Passagiere hofften, stand in den Sternen. Sie musste einfach ihr Glück versuchen. Wenn sie Pech hatte und den Platz verlassen vorfand, würde ihr nichts anderes übrig bleiben, als wieder heimzugehen. Auch wenn es nur zwei Kilometer bis zum Haus der Familie Liu in der Schantungstraße waren, für ihren noch nicht ganz wiederhergestellten linken Fuß war es zu weit.

Kurz vor der Biegung, hinter der der Rikschaplatz lag, hörte sie Stimmen, die der Nachtwind ihr zutrug. Sie blieb stehen und lauschte. Es waren chinesische Stimmen. Von neuem Mut beseelt, setzte sie ihren Weg fort und sah bald, dass tatsächlich zwei Rikschas auf dem Platz standen. Die beiden Kulis waren in ein angeregtes Gespräch verstrickt, stutzten aber, als sie Amelie sahen. Auch wenn sie auf Nachtschwärmer warteten, mit einer Frau ohne Begleitung hatten sie kaum gerechnet.

Jetzt nur nicht ängstlich erscheinen, sagte sie sich, trat forschen Schrittes auf die beiden zu und fragte: »Würde mich einer der Herren in die Schantungstraße bringen?«

Kurz darauf saß sie in einer Rikscha und fuhr den Weg, den sie bis hierher gegangen war, zurück und dann weiter in Richtung Stadt.

Auch wenn es tagsüber angenehm warm gewesen war, jetzt war davon nichts mehr zu spüren. Von der Bucht wehte der Wind kühl herein, und Amelie war froh, dass sie ihre dicke Pelzjacke angezogen und das dazu passende Pelzbarett aufgesetzt hatte.

Trotzdem fröstelte sie. Aber das mochte weniger an dem salzigen Seewind liegen als an ihrer Aufregung. Nur zu gut erinnerte sie sich an ihren letzten Ausflug nach Tapautau und daran, welchen Ausgang er genommen hatte. Sie fürchtete nicht um ihre Person, sondern verspürte eine ungewisse Angst, dass auch diesmal alles schlimm enden mochte. Andererseits musste sie Gewissheit darüber haben, ob Vaters Worte wahr waren, und eine andere Möglichkeit, sich diese Gewissheit zu verschaffen, sah sie nicht.

Vielleicht lag es an der Furcht und der Unsicherheit, die an ihr nagten, dass die nächtliche Kiautschou-Bucht gespensterhaft auf Amelie wirkte. Die vor Anker liegenden Schiffe waren nur umrisshaft auszumachen, und lediglich die Positionslichter sowie die sonstige Beleuchtung gaben einen klaren Hinweis auf ihre Lage. Aufgrund des Seegangs waren diese Lichter in ständiger Bewegung wie Wassergeister, die in der Dunkelheit tanzten. Der Anblick ließ Amelie noch mehr frösteln, und sie war froh, als der Kuli das Kaiser-Wilhelm-Ufer verließ und in die Friedrichstraße einbog. Bald waren die tanzenden Lichter vergessen, und sie dachte nur noch daran, dass es nicht mehr weit bis zur Schantungstraße war.

Als der Kuli anhielt und seine Bezahlung in Empfang nahm, sagte er: »Spät sein, Fräulein. Nicht mehr viele Rikschas da. Ich warten hier?«

Nach kurzem Überlegen willigte sie ein. Falls sich die

Dinge anders entwickeln sollten, konnte sie den Mann immer noch mit einem Entgelt für die Wartezeit belohnen und ihn fortschicken.

Als Amelie unter dem Vordach von Liu Chengs Haus stand und die Türglocke gefunden hatte, zögerte sie. Ihr Besuch um diese Zeit würde einige Aufregung verursachen, aber sie sah keine andere Möglichkeit, mit Tian zu sprechen. Also läutete sie – und erschrak darüber, wie laut das in der Nacht klang. Sofort fingen ein paar Hunde in der Nachbarschaft an zu kläffen. Lange Sekunden, oder waren es gar Minuten, tat sich nichts. Aber dann hörte sie schlurfende Schritte, begleitet von einem unverständlichen Gemurmel. Ein Schlüssel wurde herumgedreht, ein schwerer Riegel zurückgezogen, dann endlich wurde die Tür mit dem Anflug eines Quietschens geöffnet.

Das Licht einer Kerze fiel auf Amelie. In der zu einem Drittel geöffneten Tür erkannte sie den halbwüchsigen Boy, der bei ihrem ersten Besuch vor dem Haus gefegt hatte. Die Falte über seiner Nasenwurzel verriet deutlich seine Verwunderung, vielleicht auch Empörung über die nächtliche Störung.

Sie wünschte höflich einen guten Abend, entschuldigte sich für den Besuch zu so später Stunde und sagte: »Ich bin Amelie Kindler, die Tochter von Heinrich Kindler. Kindler Import & Export. Ist es möglich, mit Liu Tian zu sprechen?«

»Ich erkennen Sie«, sagte der Boy. »Leider nicht möglich, mit Liu Tian sprechen.«

»Warum nicht?«, fragte Amelie, und ihr Herz schlug wie wild.

Der Boy kam nicht dazu, ihr zu antworten. Hinter ihm

ertönte eine Stimme auf chinesisch. Als sie verstummte, blickte der Boy über seine Schulter und antwortete etwas. Wieder sagte die andere Stimme ein paar Worte, und der Boy trat beiseite. In der Tür erschien Liu Cheng. Als er Amelie erblickte, verengten sich seine Augen.

»Fräulein Kindler hier in Nacht, nicht gut.« Und mit Nachdruck wiederholte er: »Nicht gut!«

Amelie war nicht klar, ob er sich Sorgen um sie machte oder ihre Anwesenheit aus anderen Gründen ablehnte.

»Ich bin gekommen, um mich nach Ihrem Sohn zu erkundigen, nach Tian.«

»Tian nicht hier, er weg.«

In Amelie stieg der unselige Gedanke auf, dass Vater ihr am Nachmittag die Wahrheit gesagt haben könnte. Aber sie klammerte sich an die Hoffnung, die Worte des Kompradors mochten etwas anderes bedeuten. Vielleicht besuchte Tian nur jemanden in der Umgebung von Tsingtau.

»Darf ich fragen, wo Tian ist?«

»Hongkong. Er nach Hongkong, Onkel helfen.«

Sie wurde von einer plötzlichen Hitzewelle überflutet, die sie jede Nachtkälte vergessen ließ. Mit der Hitze kam die Panik, die Angst, verlassen worden zu sein. Aber da war noch etwas anderes: das Vertrauen in Tian, das nicht zu dem passte, was Vater und Liu Cheng ihr erzählten.

»Mein Vater ist bei Ihnen gewesen, um mit Ihnen über Tian und mich zu sprechen, nicht wahr?«

Der Komprador nickte. »Ja, er hier.«

»Haben Sie und mein Vater sich etwa abgesprochen, mir diese Geschichte aufzutischen?«

»Auf Tisch? Nicht verstehe Sie.«

Der Boy hatte sie offenbar besser verstanden und sagte

etwas zu seinem Herrn. Daraufhin nahm Liu Chengs Gesicht einen ärgerlichen Ausdruck an.

»Sie sagen, ich lüge? Ich niemals lüge. Das gegen Ehre.«

»Aber wenn das wahr ist …« Amelie musste tief Luft holen, um nicht die Fassung zu verlieren. »Warum ist Tian nach Hongkong gegangen? Nur, weil sein Onkel Hilfe braucht?«

»Ich ihm sagen, besser nach Hongkong. Nicht gut, wenn Mann von China und Frau von Deutschland zusammen.«

Obwohl sie das Gefühl hatte, ihr würde der Boden unter den Füßen weggezogen, musste sie einfach noch eine Frage stellen: »Hat Tian keine Nachricht für mich hinterlassen? Keinen Brief?«

Liu Cheng schüttelte den Kopf. »Nicht weiß von Brief.«

Das Gefühl, den Halt zu verlieren, wurde stärker. Amelie schwankte und stützte sich mit beiden Händen an einem Stützpfeiler des Vordaches ab. Alles schien gegen Tian zu sprechen, aber sie weigerte sich, den Glauben an ihn zu verlieren. Doch eine Frage blieb: Selbst wenn sein Vater Druck auf ihn ausgeübt hatte, nach Hongkong zu gehen, warum hätte er nicht vorher mit ihr gesprochen, ihr wenigstens ein paar erklärende Zeilen geschickt? Das alles sah ihm nicht ähnlich, und sie fühlte sich hin und her gerissen zwischen Vertrauen und Verzweiflung, Liebe und Enttäuschung.

Der Komprador trat auf sie zu und sagte etwas zu ihr, aber sie nahm seine Worte kaum wahr. Da war das Schwindelgefühl, das Pochen ihres eigenen Blutes in ihren Ohren, ihr heftiger, stoßweiser Atem wie das Nachluftschnappen einer Ertrinkenden. Wahrscheinlich hatte Liu Cheng ihr seine Hilfe angeboten, denn er machte jetzt ein besorgtes, mitfühlendes Gesicht. Aber sie verstand einfach nicht, was er sagte.

Aus den Augenwinkeln nahm sie wahr, dass eine zweite Rikscha vor dem Haus hielt, und der Kuli kam ihr seltsamerweise bekannt vor. Das Nachdenken darüber, woher sie ihn kannte, half ihr dabei, die innere Erregung zu bekämpfen. Es war der zweite Kuli vom Rikschaplatz, da war sie sich jetzt sicher. Und der junge Mann im dunklen Anzug, der aus der Rikscha stieg und auf sie zukam, war niemand anderer als ihr Bruder Fritz.

»Guten Abend, Herr Liu«, sagte Fritz zu dem Komprador. »Es tut mir sehr leid, dass meine Schwester Sie zu dieser späten Stunde behelligt. Es wird nicht wieder vorkommen.«

»Gespräch mit Fräulein vielleicht gut«, antwortete Liu Cheng. »Sie vielleicht besser verstehen.«

Nach einem verärgerten Seitenblick auf Amelie sagte Fritz: »Ich fürchte, mit dem Verstehen hat meine Schwester so ihre Schwierigkeiten. Aber ich danke Ihnen für Ihr Verständnis, Herr Liu, auch im Namen meines Vaters.«

Amelie wischte sich mit einem Ärmel ihrer Pelzjacke über die Stirn, wo sich ein Schweißfilm gebildet hatte. »Wie kommst du hierher, Fritz?«

»Der Kuli ist ein schlauer Bursche. Er hatte uns schon öfter als Passagiere und hat dich erkannt, wusste, wo du zu Hause bist. Und weil er eben ein schlauer Bursche ist, dachte er sich: Ein deutsches Fräulein allein um diese Uhrzeit, da kann etwas nicht stimmen. Also kam er zu uns, wohl in der Erwartung einer hübschen Belohnung, die er auch erhalten hat. Er hatte gehört, dass du in die Schantungstraße wolltest. Den Rest konnten wir uns denken.«

»Und warum ist nicht Vater gekommen?«

»Weil ich schneller angezogen war. Und jetzt komm mit!«

Fritz fasste Amelie am Ellbogen und wollte sie zu den Rikschas ziehen, aber sie hielt sich mit beiden Händen an dem Pfeiler fest. Sie wollte noch nicht nach Hause. Das wäre für sie das Eingeständnis einer Niederlage gewesen. Sie hoffte noch immer, irgendetwas aus Liu Cheng herauszubekommen, das ihr ein wenig Mut machen würde. Das ihr helfen würde, Tians Handlungsweise zu verstehen.

»Sei nicht störrisch, komm!«, forderte Fritz sie auf. »Du hast für genug Unruhe gesorgt. Mit deinen Ausflügen nach Tapautau ist es vorbei, ein für alle Mal!«

»Nein, lass mich in Ruhe!«

Als Fritz sie erneut zu den wartenden Rikschas ziehen wollte, stieß sie ihn mit solcher Heftigkeit zurück, dass er stolperte und auf dem Hosenboden landete. Amelie konnte sich selbst nicht ganz erklären, warum sie bei dem Anblick kicherte wie ein kleines Mädchen. Vielleicht war es ein Ausdruck ihrer großen inneren Anspannung, die sich auf diese Weise Luft machte.

Fritz aber war darüber erkennbar verärgert. Selbst bei den schlechten nächtlichen Lichtverhältnissen war die Zornesröte erkennbar, die in sein Gesicht schoss. Er stand langsam auf, trat abermals auf Amelie zu und schlug sie ohne Vorwarnung mit der flachen Hand ins Gesicht. Der Schlag war hart, so heftig, dass ihr übel wurde und sie sich fast übergeben musste. Sie wusste nicht recht, was sie mehr schockierte: der Schmerz oder die Brutalität ihres Bruders.

Dieser packte sie roh, zerrte sie mit sich und verfrachtete sie in eine der Rikschas. Er setzte sich in die andere, und schon ging es los, hinaus aus Tapautau.

Sie wandte sich um und warf einen letzten Blick auf das Haus, vor dem Tians Vater stand. Als er aus ihrem Blickfeld verschwunden war, erschien es ihr auch wie ein Abschied von Tian. Ein bitteres, trostloses Gefühl breitete sich in ihr aus: das Gefühl, alles, wonach sie sich jemals gesehnt hatte, verloren zu haben.

Zweiter Teil:

Zurück in Berlin

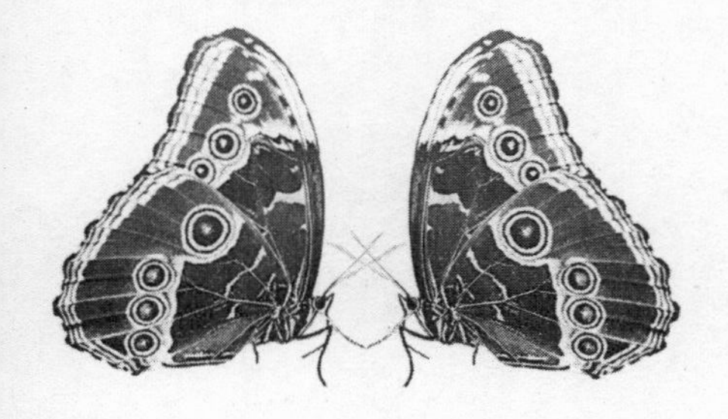

1

Montag, 1. August 1910.

»Hoch soll sie leben, hoch soll sie leben, dreimal hoch!«

Der schrille Gesang riss Amelie aus dem Schlaf, und unwillig blinzelte sie in das helle Licht des Sommermorgens. Jemand hatte die Vorhänge in ihrem Zimmer zurückgezogen. Es war ihre Schwester Helene, die jetzt lächelnd an ihr Bett trat und ihr zum Geburtstag gratulierte. Aber es war nicht ihre Stimme gewesen, die Amelie mitten aus einem Traum gerissen hatte, in dem sie über eine sommerliche Wiese getollt war und in kindlicher Unbeschwertheit zwei Schmetterlingen nachgestellt hatte. Die Schmetterlinge hatten sich nicht einfangen lassen; je schneller Amelie gelaufen war, desto weiter hatten sie sich von ihr entfernt.

Die Sängerin war Mutter. Sie stand am Fußende des Bettes und hielt einen kleinen Kuchen in Händen, aus dessen Mitte eine brennende rosa Kerze aufragte. »Alles Gute zu deinem vierundzwanzigsten Geburtstag, mein Kind. Vierundzwanzig Kerzen erschienen mir für diesen Kuchen etwas viel, also habe ich es bei einer belassen. Die große Torte gibt es später. Das hier ist dein Lieblingskuchen, Kirsche mit Schokolade, und ich habe ihn eigens für dich gebacken. Er ist dein Frühstück, wenn du möchtest.«

Amelie schlug die leichte Bettdecke, die angesichts der sommerlichen Temperaturen fast schon zu dick war, beiseite, stand auf und küsste erst Helene und dann Mutter auf die Wange. »Danke! Danke euch beiden! Ich komme gern zum Frühstück, wenn ihr mir Zeit zum Waschen und Anziehen lasst.«

Mutter winkte ab. »Ach, das kannst du auch später erledigen. Schließlich ist heute dein Geburtstag.«

Also setzte sich Amelie im Morgenrock zu den beiden anderen auf die weitläufige Veranda, die einen romantischen Blick auf das baumbestandene Ufer des Großen Wannsees gewährte. Der Kaffee, den sie ohne Zucker und nur mit wenig Milch trank, weckte ihre Lebensgeister.

»Stärk dich nur ordentlich«, wurde sie von Mutter ermuntert, als sie mit Genuss ihren Frühstückskuchen aß. »Nachher kannst du dich dann in aller Ruhe für deinen Ehrentag fein machen.«

»Es ist nur ein Geburtstag, Mama«, sagte Amelie, und ein paar Kuchenkrümel rieselten an ihrem Kinn hinab. »Es gab schon früher welche, und es wird auch später welche geben.«

»Aber ja, Kind, du hast ja recht«, sagte Mutter und lächelte in einer eigenartigen Weise, die Amelie stutzig machte.

»Ist irgendetwas, Mama? Du weißt doch was, was ich nicht weiß.«

»Nein, nein«, erwiderte Mutter und verbarg den unteren Teil ihres Gesichts hinter der Kaffeetasse.

Amelie sah ihre Schwester an. »Helene, was ist los? Du bist doch bestimmt eingeweiht.«

»Ich darf nichts sagen«, sagte sie mit einem Seitenblick auf Mutter. »Das musste ich hoch und heilig versprechen.«

»Eine Verschwörung gegen mich? Und das an meinem Geburtstag?«

»Hab noch ein bisschen Geduld«, bat Mutter. »Umso größer ist später die Überraschung.«

»Ah! Was ist es denn für eine Überraschung?«

»Wenn ich dir das jetzt sagen würde, wäre es jedenfalls eine nicht sehr überraschende Überraschung.«

»Na gut«, murrte Amelie ein wenig, aber sie war nicht ernsthaft verstimmt. Es war nur Schauspielerei. »Dürft ihr mir wenigstens sagen, wann die Überraschung stattfindet?«

»Vermutlich heute Nachmittag, so zur Kaffeezeit«, sagte Mutter. »Ganz genau kann ich es nicht sagen, das hängt von den Umständen ab.«

Amelie zog eine Schnute. »Ich fürchte, wenn ich mich nach den Umständen näher erkundige, erhalte ich doch keine Antwort.«

»Dann frag gar nicht erst«, erwiderte Mutter und lächelte zufrieden vor sich hin.

Auch am Nachmittag wurde auf der Veranda gedeckt, die jetzt im Schatten einer großen Markise lag. Mutter zögerte allerdings mit der Anweisung an das Personal, auftragen zu lassen. Amelie war sich ziemlich sicher, dass das mit der Überraschung zusammenhing. Wahrscheinlich waren das die Umstände, von denen Mutter am Morgen gesprochen hatte.

In immer kürzeren Abständen ging Mutter zu einem der Fenster an der Vorderfront ihrer Villa und blickte auf die Auffahrt, die zur Straße führte. Einmal murmelte sie: »Wo sie nur bleiben?«

»Wer denn?«, fragte Amelie schnell, die hinter ihr gestanden hatte, ohne von Mutter bemerkt zu werden. »Etwa die Leute, die meine Überraschung bringen?«

»Sozusagen.« Mehr ließ sich Mutter nicht entlocken.

Ein Geräusch, erst schwach, dann stärker werdend, drang an Amelies Ohren: Hufgeklapper. Dann sah sie auch schon eine Pferdedroschke in die Auffahrt biegen, gefolgt von einer zweiten. Schnell drehte sich Mutter um und schob Amelie vom Fenster weg.

»Wer kommt denn da?«, wollte Amelie wissen.

Mutter erhob den Zeigefinger zu einer spielerischen Drohung. »Kinder dürfen zwar alles essen, aber nicht alles wissen.«

»Na, hör mal, heute werde ich vierundzwanzig.«

»Und doch bleibst du immer mein Kind.«

Mutter hielt sie von den Fenstern fern, bis die Droschken vor dem Haus angehalten hatten. Dann aber entwischte Amelie ihr, lief zur Haustür und öffnete.

»Papa!«

Sie fiel ihrem Vater um den Hals und küsste ihn auf die Wangen. Seitdem sie mit Helene und ihrer Mutter wieder in Berlin lebte, hatte sie ihn nur zweimal gesehen, zum letzten Weihnachtsfest und im vergangenen Sommer. Da hatte er aber schon vor ihrem Geburtstag wieder nach Tsingtau abreisen müssen. Zwar war Vater damals bei ihrer Rückkehr für eine Weile mit nach Berlin gekommen, aber an diese Zeit hatte sie kaum noch eine Erinnerung, da sie in die Phase ihrer Erkrankung fiel.

»Nicht so stürmisch«, sagte Vater lachend. »Du wirfst mich ja um. Außerdem solltest du dir ein wenig der Begeisterung für deine anderen Gäste aufheben.«

Sie löste sich von Vater, der zu Mutter ging und sie umarmte. Hinter ihm stand ein Mann in der Tür, den sie erst auf den zweiten Blick erkannte.

»Fritz«, sagte sie zögernd und ohne die überschwängliche Freude, mit der sie Vater begrüßt hatte.

Im Gegensatz zu Vater, der damit bloß kokettiert hatte, war Fritz in den etwas mehr als eineinhalb Jahren, die sie ihn nicht gesehen hatte, deutlich gealtert. Er war noch nicht ganz dreißig, sah aber zehn Jahre älter aus. Fülliger war er geworden, auch im Gesicht, und der blonde Backenbart, den er üppig sprießen ließ, tat ein Übriges.

Er lächelte zurückhaltend. »Ich habe Papa schon gesagt, dass ich wohl kein willkommener Gast auf deiner Geburtstagsfeier sein werde. Wenn du es wünschst, Amelie, geh ich gern in ein Hotel.«

»So weit kommt es noch.« Amelie umarmte ihn und küsste ihn auf die Wange. »Lass uns das Vergangene vergessen, Fritz!«

Er drückte sie an sich. »Herzlichen Glückwunsch zum Geburtstag, Amelie. Aber die eigentliche Überraschung steht hinter mir.«

Fritz ging ins Haus, um Mutter und Helene zu begrüßen, die ihn ebenfalls seit der Abreise aus Tsingtau nicht mehr gesehen hatten.

Amelie nahm das nur beiläufig wahr. Ihre Augen hingen an dem großen Mann, der hinter Fritz gewartet hatte und sie etwas verlegen ansah. Sein Lächeln wirkte noch zurückhaltender als das ihres Bruders.

»Ich kann auch ins Hotel gehen, wenn Sie das wünschen, Amelie.«

»Bevor Sie das tun, schließe ich Sie im Keller ein und werfe den Schlüssel weg!« Sie ging auf ihn zu und wollte ihm die Hand reichen, dann aber umarmte sie ihn ebenfalls und küsste ihn auf die Wange.

»Auch ich wünsche Ihnen von Herzen alles Gute zum Geburtstag, Amelie«, sagte er. »Ich bin sehr glücklich über die herzliche Begrüßung, zumal ich nicht wirklich damit rechnen durfte.«

»Ein Weg entsteht, wenn man ihn geht, Erich«, sagte sie lächelnd. »Sie waren immer ein treuer Freund für mich, damals in Tsingtau und hier in Berlin in meinen Gedanken. Was führt Sie ausgerechnet an meinem Geburtstag nach Berlin? Oder sind Sie schon länger in der Stadt?«

Er schüttelte den Kopf. »Ihr Vater, Ihr Bruder und ich, wir waren Reisegefährten, erst auf dem Postdampfer und anschließend in der Eisenbahn, den ganzen Weg über vom Großen Hafen in Tsingtau bis zum Anhalter Bahnhof. Aber es ist gut, dass die Reise zu Ende ist.«

»Wieso?«

»Weil Fritz ein verteufelt gerissener Kartenspieler ist und ich pleitegehen würde, wäre ich noch länger auf engstem Raum mit ihm beisammen.« Erich sah zu Vater und Fritz hinüber. »Ich habe für unsere Firma einige Angelegenheiten in der alten Heimat zu regeln. Wir drei waren nicht wenig erstaunt, als wir in Tsingtau feststellten, dass wir für die ganze Reise Gefährten sind. Und dann hat Ihr Vater mir auch noch angeboten, während meines Aufenthalts in Berlin in Ihrem Haus zu logieren.«

»Sie haben das Angebot doch hoffentlich angenommen.«

Erich zeigte zu der hinteren Pferdedroschke. »Noch ist mein Gepäck nicht abgeladen. Ich habe es nämlich von einem Punkt abhängig gemacht, ob ich in Ihrem Haus wohne.«

»Wovon denn?«

»Von Ihrem Einverständnis, Amelie.«

Er sah sie abwartend an, aber sie ging an ihm vorbei und blieb vor der hinteren Droschke stehen, um dem bärtigen Kutscher zuzurufen: »Laden Sie bitte das Gepäck dieses Herrn ab und bringen Sie es hinein!«

Es wurde ein wunderschöner Geburtstag, und es gab viel zu erzählen, bis tief in die Nacht hinein. Vater und Fritz berichteten von den jüngsten Entwicklungen in Tsingtau, wo es, wie Vater es ausdrückte, »weiterhin in allen Belangen steil aufwärts« ging. Mutter erkundigte sich nach den Zuständen im Haushalt und fragte: »Wie geht es denn dem lieben Franz? Ihr müsst ihn unbedingt von mir grüßen.«

Erich erzählte von seinen Reisen und Abenteuern an der chinesischen Küste, in Japan und in Korea, das, wie er glaubte, kurz vor der vollständigen Annexion durch Japan stand. Für Amelie hatte er ein besonderes Geschenk mitgebracht: eine gerahmte Vergrößerung jener fotografischen Aufnahme, die sie beide auf dem Iltisplatz zeigte, vor dem einst so stolzen *Adler von Tsingtau*.

»Ein Jammer, dass Ihr Flugzeug zu Bruch gegangen ist«, seufzte Amelie. »Der Flug über Tsingtau damals war wunderschön. Sie sollten ein neues bauen!«

Erich lächelte verschmitzt. »Das wird vielleicht geschehen. Winterkorn hat jedenfalls schon mit den Vorarbeiten begonnen. Sobald ich wieder in Tsingtau bin, werde ich ihm helfen. Vielleicht schaffen wir es diesmal, eine Flugmaschine zu bauen, die auch heil wieder zu Boden kommt.«

»Sie sollten aber sehr vorsichtig sein, wenn Sie sich damit wieder in die Lüfte wagen!«, sagte Helene mit echter Anteilnahme.

»Keine Sorge, Fräulein Helene, ich werde meinem Freund Jakob den ersten Testflug überlassen«, scherzte Erich.

Helene wirkte pikiert. »Ich habe das durchaus ernst gemeint, Herr Schweiger. Und übrigens, das ›Fräulein‹ dürfen Sie gern weglassen.«

Er hob sein Sektglas und prostete ihr zu. »Und Sie das ›Herr Schweiger‹, Helene.« Wieder zu Amelie gewandt, sagte er: »Ich hoffe, Sie freuen sich über mein kleines Mitbringsel.«

»Ich freue mich sehr.«

Sogar mehr, als sie ihm sagte. Das Foto war eine schöne Erinnerung an ihre erste, noch unbeschwerte Zeit in Tsingtau. Was für Amelie aber noch wichtiger war: Der Umstand, dass Erich es auf seiner Reise mitgeführt hatte, verriet ihr, dass er nicht ganz so zufällig mit Vater und Fritz nach Berlin gekommen war, wie er ihr glauben machen wollte. Er musste zumindest mit der Möglichkeit gerechnet haben, sie wiederzusehen, vielleicht gar damit, auf ihrer Geburtstagsfeier anwesend zu sein. Möglicherweise hatten Vater, Fritz und er das Ganze auch von vornherein so geplant. Und Mutter war gewiss auch eingeweiht gewesen. Als sie heute Morgen von der Überraschung für Amelie sprach, hatte sie wohl nicht nur Vater und Fritz gemeint.

Wie auch immer es genau gewesen sein mochte, Amelie war darüber nicht böse. Ganz im Gegenteil, sie freute sich sehr über das Wiedersehen mit Erich. Sie hatte ihn vermisst. Wie einen guten Freund, der sich irgendwann nicht mehr meldet. Und das war er ja auch, sagte sie sich.

2

Mitternacht war längst vorüber, als Amelie auf ihr Zimmer ging. Eins der Geburtstagsgeschenke hatte sie vom Gabentisch mitgenommen: das Foto, das Erich ihr mitgebracht hatte. Sie wollte es gleich aufhängen. In einer Wand steckte sogar noch ein geeigneter Nagel, an dem aber schon lange kein Bild mehr hing. Sie hatte das Gemälde, das die Wand nach ihrer Rückkehr geschmückt hatte, schon vor mehreren Monaten abgenommen, und jetzt stand es unbeachtet auf dem Dachboden. *Der Kuss der Schmetterlinge* war weiterhin ein wunderschönes Bild, aber für Amelie war es mit zu vielen Erinnerungen verbunden, beileibe nicht nur mit schönen.

Obwohl sie es nicht wollte, wanderten ihre Gedanken zurück zu jener Nacht, als Fritz sie unter Aufbietung körperlicher Gewalt aus Tapautau geholt hatte. Wie hatte er damals doch gesagt: »Mit deinen Ausflügen nach Tapautau ist es vorbei, ein für alle Mal!« Er hatte recht behalten, Amelie war nicht wieder ins Chinesenviertel zurückgekehrt.

Wie auch, hatten sie, Mutter, Vater und Helene Tsingtau doch keine zwei Wochen später verlassen. Der Grund war eine schwere Erkrankung Amelies gewesen, die sich niemand so recht erklären konnte. Selbst der alte Dr. Pietsch hatte kopfschüttelnd gesagt: »Seltsam, ganz seltsam, dieses Fieber und die immerwährende Mattigkeit. Ich denke, es liegt am Klima in Tsingtau. Es gilt ja allgemein als sehr gesund, aber Fräulein Amelie scheint es einfach nicht zu vertragen.«

Für Mutter, die in Tsingtau nie ganz heimisch geworden war, war es eine willkommene Gelegenheit, ihren Aufenthalt im fernen China zu beenden. »Für die Mädchen ist es einfach besser, wenn sie in Deutschland sind«, hatte sie zu Vater gesagt. »Ich reise natürlich mit ihnen, damit ich mich um sie kümmern kann. Besonders Amelie braucht mich jetzt.«

Mutter und Helene hatten sich tatsächlich hingebungsvoll um Amelie gekümmert, die fast die gesamte Reise in der Schiffskabine oder im Zugabteil verbracht hatte. Zurück in Berlin, hatte sie sich allmählich erholt – hier in der großen Villa am Wannsee, in der sie einen Teil ihrer Kindheit verbracht hatte. Vater hatte sie gekauft, als es mit seinen Geschäften besser und besser gelaufen war. Als er aber an einen Punkt gekommen war, an dem er in Deutschland nicht weiterkam, hatte er seine Tätigkeit kurzerhand nach Tsingtau verlagert.

»Das Klima in Berlin ist für dich einfach gesünder als das in China«, hatte Mutter zu ihr gesagt, obwohl es beide besser wussten. Nicht das Klima in Tsingtau trug die Schuld an ihrer Erkrankung, sondern die schmerzhafte Trennung von Tian und die Widerstände von allen Seiten, gegen die Amelie vergeblich versucht hatte anzukämpfen. Alle in der Familie wussten das, aber niemand sprach darüber.

Amelie hegte gegen keinen von ihnen Groll. Anfangs schon, aber das hatte sich mit der Zeit gelegt. Sie hatte eingesehen, dass ihre Eltern und ihre Geschwister nur das taten, was sie für das Beste hielten. Sie konnten nicht anders, waren Gefangene ihrer Vorstellungen und Vorurteile, und das traf wohl auf die meisten Menschen zu.

Nicht einmal auf Fritz war sie mehr böse. Natürlich hatte sie sein Verhalten damals in Tapautau tief getroffen und geschmerzt, nicht nur körperlich. Aber sie musste ihm zugutehalten, dass er erregt gewesen war und dass sie ihn herausgefordert hatte. Letztlich war es nur ein kurzer Augenblick gewesen, in dem er sich nicht unter Kontrolle gehabt hatte, aber er blieb doch das, was er ihr ganzes Leben lang gewesen war: ihr Bruder. Als sie ihn heute Abend wiedergesehen hatte, hatte sie das deutlich gespürt.

Sie waren eine Familie und blieben es, selbst über eine Entfernung von achttausend Kilometern hinweg. Auch Vater hatte sich damals, nach ihrer Rückkehr, rührend um Amelie gekümmert, hatte die Geschäfte in Tsingtau Fritz überlassen, und war erst im Februar des Jahres 1909, als Amelies Genesung feststand, wieder nach China abgereist.

Amelie hielt die Fotografie in ihren Händen und starrte auf die Wand, wo einst Tians Bild gehangen hatte. Lange Zeit hatte sie nicht wahrhaben wollen, dass alles, was zwischen ihr und Tian gewesen war, vorbei sein sollte oder vielleicht niemals das gewesen war, wofür sie es gehalten hatte. Noch nach Monaten suchte sie nach einer Erklärung für sein Schweigen und hoffte auf eine Nachricht von ihm, auf einen Brief.

Mehr noch, sie suchte eine Bibliothek auf und fand dort in einem Adressverzeichnis internationaler Handelsniederlassungen die Anschrift der Niederlassung, die Tians Onkel in Hongkong leitete. In den folgenden Monaten hatte sie zehn Briefe unter dieser Anschrift an Tian geschrieben, ohne je eine Antwort zu erhalten.

Den elften Brief hatte sie angefangen, dann aber wieder zerrissen. Ihr war klar geworden, dass sie noch zehn Briefe schreiben konnte oder zwanzig und doch keine Antwort erhalten würde. Was immer das Band zwischen ihr und Tian, das ihr einst so fest erschienen war wie nichts sonst auf dieser Welt, durchtrennt hatte, es hatte eine nachhaltige Wirkung. An dem Tag, an dem sie den Brief zerrissen hatte, hatte sie auch den *Kuss der Schmetterlinge* abgehängt, und seitdem war der leere Platz an der Wand wie ein Symbol für die Leere, die Tian in ihrem Leben hinterlassen hatte.

Sie streckte die Arme aus und versuchte, das Foto in dem Nagel einzuhängen, und beim dritten Versuch war sie erfolgreich. Mit einem melancholischen Gefühl dachte sie an jenen fernen Sonntag in Tsingtau zurück, als Erich mit ihr zu dem Rundflug gestartet war. Es waren schöne Erinnerungen, trotz des traurigen Ausgangs, den der Flug genommen hatte. Als es ihr gelungen war, Erich aus dem Wrack zu befreien, und sie dann in der Fischerhütte zusammensaßen, hatte sie sich ihm so nah gefühlt wie noch nie zuvor einem Menschen.

Ein ähnliches Gefühl hatte sie dann bei Tian gehabt, sogar ein stärkeres Gefühl, aber vielleicht war die Intensität nicht maßgeblich. War ein Glück, das von Dauer war, nicht wertvoller, als ein starkes Empfinden, das aber schnell verlosch wie eine Kerze mit einem schadhaften Docht?

Eine Frage, die sie zu der Überlegung führte, ob Erich für sie je mehr sein konnte als ein guter Freund, ein Kamerad. Sie fand keine Antwort darauf, aber das Wiedersehen mit ihm hatte sie sehr aufgewühlt und ihr erst klargemacht, dass sie ihn vermisst hatte. Sie war von Herzen froh, dass er hier war, in Berlin, und dass er in ihrem Haus zu Gast war, sodass sie sich täglich sehen und sprechen konnten. Alles andere würde sich finden.

In dieser Nacht schlief sie zum ersten Mal seit langer Zeit nicht mit dem Gedanken an Tian ein, sondern mit dem an Erich.

Ihr Gefühl, dass Erich noch immer an ihr interessiert war, hatte Amelie nicht getäuscht. Manchmal glaubte sie fast, dass seine Geschäfte in Berlin nur zweitrangig für ihn waren. Fast jeden Tag lud er sie zu einer Unternehmung ein, und sie sagte immer freudig zu.

Bestrahlt von der warmen Augustsonne, bummelten sie Unter den Linden oder durch den Zoologischen Garten, wo Amelie einen riesigen Elefanten mit einer Tüte Nüsse fütterte, der sich dadurch bedankte, dass er aus seinem Rüssel ein Duschbad über sie und Erich ausgoss; sie lachten darüber, und bald hatte die Sonne ihre Kleider getrocknet. Abends ging es dann in die Philharmonie, in die Lindenoper oder die Kroll-Oper, ins Friedrich-Wilhelmstädtische Theater oder ins Apollo-Theater.

War es bewölkt, bewunderten sie die luxuriösen Auslagen in den sich ständig vergrößernden Kaufhäusern, bei Wertheim in der Leipziger Straße, bei Tietz am Alexanderplatz, bei Hertzog zwischen Brüderstraße und Breite Straße oder im noch jungen KaDeWe am Wittenbergplatz, das alle anderen Häuser an Pracht überstrahlte. In den weit über hundert Abteilungen konnte man viel Geld für Dinge ausgeben, von denen Amelie nicht einmal gewusst hatte, dass es sie gab. Verzückt betrachtete sie in der Juwelierabteilung einen elegant geschwungenen Ring aus achtzehnkarätigem Gelbgold, der mit drei großen und zwölf kleinen Brillanten, in Platin gefasst, verziert war. Als ihr Blick aber auf den Preis fiel, fiel auch sie, und zwar fast in Ohnmacht.

»Fünfhundertfünfzig Mark«, keuchte sie und hielt erschrocken eine Hand vor den Mund, weil ihr allein das Aussprechen dieses Betrags schon obszön erschien. Und in dem vertrauensvollen Ton, der in den vergangenen Tagen zwischen ihnen entstanden war, sagte sie: »Lass uns schnell weitergehen, Erich, sonst werde ich verrückt!«

Erich lachte. »Warum? Weil du nicht genug Geld dabeihast, um diesen Ring auf der Stelle zu kaufen? Hier im Haus gibt es eine Filiale der Deutschen Bank, da gewährt man dir bestimmt einen Kredit.«

»Nein, weil ich auch nur eine Sekunde daran gedacht habe, wie er mir stehen würde.«

»Bestimmt wundervoll.«

»Eine Geisteskranke mit einem wundervollen Brillantring?« Sie schüttelte vehement den Kopf. »Nein, nein, nichts wie weg hier!«

Sie zog ihn mit sich fort, weg aus der Abteilung mit den glitzernden, sündhaft teuren Kleinodien, verfolgt von den irritierten Augen eines kahlköpfigen Verkäufers.

»Und?«, fragte Erich mit einem kleinen Augenzwinkern. »Bereust du deine Entscheidung, den Ring nicht gekauft zu haben?«

»Nicht, wenn ich an den Preis denke.«

»Dann darf ich dich als kleine Entschädigung zum Mittagessen in die Silberterrasse einladen. Bei diesem Wetter können wir draußen sitzen und haben einen schönen Blick auf die Stadt.«

»Das ist ein nobler Gedanke von dir, Erich«, sagte Amelie und hakte sich bei ihm ein.

Die Silberterrasse war das exklusive Restaurant im fünften Stock. Beide gingen zum nächsten Personenaufzug, aber Erich sprang im letzten Augenblick wieder hinaus.

»Fahr du schon mal nach oben, Amelie, ich komme gleich nach.«

Bevor sie noch fragen konnte, was er habe, hatte er den Aufzug verlassen, und sie fuhr ohne Erich nach oben, wo sie den letzten unbesetzten Tisch unter freiem Himmel ergatterte, der einen guten Ausblick über die Dächer von Charlottenburg bot. Um sich die recht lange Wartezeit zu vertreiben, trank sie eine eisgekühlte Limonade und betrachtete die übrigen Gäste auf der Terrasse. Leute mit wenig Geld befanden sich nicht darunter, aber für die war das KaDeWe auch nicht gedacht. Ihr kam zu Bewusstsein, dass sie als Tochter des erfolgreichen Kaufmanns Heinrich Kindler ein sehr privilegiertes Leben führte. Aber alles hatte Grenzen, zum Beispiel der Ring, den sie sich vorhin angesehen hatte. Sie sah das Preisschild vor ihrem inneren Auge und schüttelte den Kopf über sich selbst.

Erich erschien auf der Terrasse, ließ seinen Blick kurz in die Runde schweifen, bis er Amelie entdeckte, und setzte sich dann zu ihr.

»Du musst aber etwas sehr Dringendes zu erledigen gehabt haben«, sagte sie. »So eilig, wie du aus dem Aufzug gesprungen bist.«

»Ich musste etwas besorgen.«

»Und das duldete keinen Aufschub?«

»Nein, nicht den geringsten.«

»Jetzt machst du mich aber neugierig, was es ist.«

»Das hier«, sagte er und stellte ein kleines, sehr hübsch eingewickeltes Päckchen vor Amelie auf den Tisch.

»Was ...« Sie hatte fragen wollen, was darin sei, aber dann sah sie Erichs erwartungsvollen Blick und kannte die Antwort. Für einen Augenblick blieb ihr die Luft weg. »Bitte sag, dass das nicht dein Ernst ist!«

»Was denn?«

»Dass du mir das schenken willst?«

»Ja, es ist ein Geschenk für dich. Aber du weißt ja noch gar nicht, was es ist.«

»Ich habe da so eine Ahnung.«

»Sieh doch einfach nach«, forderte er Amelie auf.

»Das heißt aber nicht, dass ich es annehme.«

»Einverstanden.«

Vorsichtig öffnete sie die Samtschleife und bemerkte, dass ihre Hände leicht zitterten. Dann kam das Seidenpapier an die Reihe, und ein weinrotes Schmuckkästchen schälte sich hervor. Ihre Hände schwebten über dem Kästchen, öffneten es aber nicht.

»Soll ich wirklich?«

»Wenn du nicht verhungern willst«, sagte Erich. »Bevor du das Kästchen nicht geöffnet hast, rufe ich nicht den Ober, um die Bestellung aufzugeben.«

»Das ist glatte Erpressung.«

»So?« Erich tat unbeeindruckt. »Der nächste Polizeiposten nimmt deine Anzeige bestimmt entgegen.«

»Na gut«, sagte Amelie mit gespieltem Zähneknirschen. »Aber nur, weil ich allmählich Appetit bekomme.«

Ganz langsam öffnete sie die das Kästchen, und darin lag der Ring aus achtzehnkarätigem Gelbgold, mit drei großen und zwölf kleinen Brillanten, in Platin gefasst.

»Du bist verrückt, Erich.«

»Mag sein. Du hast ja vorhin selbst festgestellt, dass man hier leicht verrückt werden kann.«

Amelie schüttelte den Kopf. »Ich wusste gar nicht, dass du mit so viel Geld in der Tasche herumläufst.«

»Tue ich nicht. Aber ich habe ein Konto bei der Deutschen Bank.«

Sie holte tief Atem, riss sich vom Anblick des Ringes los und schloss das Kästchen wieder, um es zu Erich zu schieben. »Dann hol dir dein Geld zurück und zahl es wieder auf dein Konto ein. Das kann ich niemals annehmen.«

»Niemals?« Erich sah ihr in die Augen. »Nicht einmal dann, wenn ich dich bitte, dies als deinen Verlobungsring zu betrachten?«

Bei diesen Worten wurde ihr abwechselnd heiß und kalt. Sie fühlte sich, als hätte das Schicksal ihr eine zweite Chance gegeben. Vor allem fühlte sie sich unendlich glücklich.

»Du bist verrückt, Erich.«

»So weit waren wir schon. Ich bin mir aber nicht ganz sicher, ob das Ja oder Nein heißt.«

Sie schluckte mehrmals und sagte heiser: »Es heißt natürlich Ja! Aber dazu braucht es diesen Ring nicht.«

Wortlos öffnete er den Kasten und nahm den Ring heraus. Dann stand er auf, umrundete den Tisch, kniete sich unter den verwunderten Blicken von Kellnern und Gästen vor ihr auf den Boden und steckte den Ring an den Ringfinger ihrer linken Hand. Er saß wie für sie gemacht. Achtzehn Karat, fünfzehn Brillanten, eine Platinumfassung, aber Amelie sah nicht auf den Ring. Sie hatte nur Augen für Erich, dessen Gesicht so dicht vor ihr war.

Und dann gab es keine anderen Gäste auf der Terrasse mehr und keine Kellner. Es gab nur noch Erich und Amelie, als sich ihre Lippen trafen.

3

Samstag, 20. August 1910.

Schon vom frühen Morgen an kam Amelie die Villa am Großen Wannsee mehr wie ein Tollhaus vor als wie ein geordneter Haushalt, und sie fragte sich ernsthaft, ob abends bei dem »kleinen Empfang«, den Mutter schon seit Tagen generalstabsmäßig vorbereitete, wirklich alles glatt über die Bühne gehen würde. Allerdings hätte Amelie im Gegensatz zu Mutter einen Empfang mit zweihundert geladenen Gästen auch nicht als »klein« bezeichnet.

Am Lieferanteneingang herrschte ein Betrieb wie auf dem Anhalter Bahnhof, ein ständiges Kommen und Gehen. Mutter schien halb Berlin leer gekauft zu haben: Champagner, Wein, Spezialitäten aus den besten Feinkostläden der Stadt, Zigarren und Zigaretten, Girlanden und Gestecke aus Blumen und was sonst noch alles. Und immer wieder kam der Telegrammbote mit neuesten Glückwünschen, etliche davon aus dem fernen Tsingtau: Erichs Eltern, Jakob Winterkorn, Otto Frederking und andere Geschäftsleute aus dem deutschen Pachtgebiet schickten ihre Glückwünsche zur Verlobung. Ganz besonders aus dem Häuschen waren Vater und Mutter, als der Bote mit hochrotem Kopf ein Eiltelegramm brachte, dessen Absender Prinz Heinrich von Preußen war, der jüngere Bruder des Kaisers.

Vater musste die wenigen Zeilen vor der versammelten

Familie samt Erich mehrmals vorlesen, und Mutter klatschte begeistert in die Hände. »Sogar Seine Königliche Hoheit schickt uns Glückwünsche, der Bruder Seiner Majestät, des Kaisers. Dass er an uns gedacht hat!«

»Er ist ein eifriger Förderer des Kolonialgedankens und den Deutschen in Tsingtau eng verbunden, er hat unser Pachtgebiet sogar schon in Person besucht«, versuchte sich Vater an einer Erklärung. »Wenn den Kindlers und den Schweigers eine Verlobung ins Haus steht und damit auch eine engere Verzahnung unserer Unternehmen näher rückt, interessiert das gewiss auch Seine Hoheit.«

»Ja, gewiss«, seufzte Mutter glückselig. »Aber dass Seine Hoheit daran gedacht hat. Dass er sich dafür interessiert!«

»Vermutlich hat Jakob ihm davon berichtet«, sagte Erich wie beiläufig.

Mutters Kopf ruckte zu ihm herum. »Was sagen Sie, Erich? Welcher Jakob?«

»Mein Freund Jakob Winterkorn, Sie kennen ihn aus Tsingtau.«

Die Verzückung auf Mutters Gesicht milderte sich etwas. »Ach ja, der Herr, der Ihre Begeisterung für den Motorflug teilt.«

»Nicht nur er teilt sie, sondern auch Seine Königliche Hoheit. Ich habe von Jakob gehört, Prinz Heinrich gedenkt, noch in diesem Jahr den Pilotenschein zu erwerben.«

Mutter legte den Kopf in den Nacken und blickte zur stuckverzierten Decke des Salons auf. »Seine Königliche Hoheit – da oben?«

Erich nickte. »Der Prinz und Jakob kennen sich schon viele Jahre, und er nimmt regen Anteil an unseren Anstrengungen im Flugmaschinenbau. Nachdem Prinz Heinrich vom Absturz unseres *Adlers* erfahren hatte, hat er uns sogar durch ein Telegramm zum Weitermachen ermutigt.«

»Das wusste ich ja gar nicht«, murmelte Mutter und richtete ihren Blick auf Vater. »Heinrich, dass wir nicht vergessen, Herrn Winterkorn auf die Einladungsliste für die Hochzeit zu setzen.«

Schon hatte Mutter ein neues Thema gefunden: die Hochzeit, die im Dezember stattfinden sollte. Was ihr daran weniger gefiel, war der Ort der Eheschließung. Gegen ihren Willen hatten Vater, Fritz und auch Erich durchgesetzt, dass er und Amelie in Tsingtau heiraten würden. Mutter sah das als nicht standesgemäß an und war außerdem wenig erpicht darauf, noch einmal »diese schrecklich weite Reise« auf sich nehmen zu müssen. Aber in diesem Punkt hatte sie sich nicht durchsetzen können. Vater war der Meinung, er und Fritz könnten nicht so lange dem Geschäft fernbleiben, und auch Erich fand es praktischer. Seine Eltern wollten und sollten unbedingt an der Hochzeit teilnehmen, aber er sah es ebenfalls als problematisch für das Geschäft an, wenn er und sein Vater dem gleichzeitig zu lange fernblieben.

Für Amelie spielte es keine Rolle, ob sie und Erich sich in Berlin oder in Tsingtau das Jawort gaben. Die Hauptsache für sie war, bei ihm zu sein. Seit Erich an ihrem Geburtstag so unerwartet vor ihr gestanden hatte, fühlte sie in sich wieder jene Lebenslust, die sie früher beseelt hatte und die sie seit ihrem erfolglosen nächtlichen Ausflug nach Tapautau verloren geglaubt hatte. Ihr Leben hatte wieder einen Sinn bekommen, ein Ziel: Sie wollte Erich eine gute Frau sein und ihn in allen Dingen unterstützen, so wie er sie sogar dann unterstützt hatte, als er glaubte, sie an Tian verloren zu haben.

Als Erichs Frau würde sie in Tsingtau leben, und er hatte sie gefragt, ob sie das wirklich wolle. Er wusste nur zu gut, welche unliebsamen Erinnerungen sie an die Stadt im fernen China hatte. Amelie hatte darüber nicht lange nachdenken müssen. Selbst wenn sie Tsingtau gehasst hätte, wäre sie mit Erich gegangen, um seinetwillen. Aber sie hasste Tsingtau gar nicht, ganz im Gegenteil. Noch immer war sie von der Stadt an der Kiautschou-Bucht fasziniert, die nichts dafür konnte, dass ihrer Liebe zu Tian kein glücklicher Ausgang beschieden gewesen war.

Wenn sie an Tsingtau dachte, hatte sie den süßen Duft nach Honig in der Nase, den der Wind ihr damals zugetragen hatte, als sie mit dem Postdampfer *Goeben* dort angekommen war. Fast zwei Jahre war das jetzt her, aber ihr war alles noch vertraut: Tapautau mit seinem geschäftigen Treiben; der romantische Badestrand an der Auguste-Viktoria-Bucht; die Außenreede mit den dort ankernden Schiffen, die Kunde aus allen Weltteilen brachten oder dorthin bringen würden; das Aufeinandertreffen verschiedener Kulturen.

Die Schattenseite waren die vielen Voreingenommenheiten, die auch das Zusammenleben von Menschen unterschiedlicher Nationalität nicht hatte aus der Welt schaffen können. Sie hatte das am eigenen Leib erfahren. Aber sie hatte die Hoffnung, dass sich das ändern würde. Es mochte lange dauern und nur in kleinen Schritten vorangehen, aber es würde geschehen, wenn man den Menschen die Möglichkeit gab, einander besser kennenzulernen und zu verstehen. Sie kannte keinen Ort, der dafür besser geeignet war als Tsingtau.

Gemessen an Berlin war Tsingtau eine Kleinstadt. Dort gab es kein KaDeWe und keine Prachtstraße, die sich auch nur annähernd mit Unter den Linden vergleichen ließ. In Tsingtau gab es keine Philharmonie und keine Kroll'sche Oper, keine Operetten und Revuen – alles Dinge, die sie in den vergangenen zweieinhalb Wochen mit Erich genossen hatte. Aber wenn sie an ihre Zeit in Tsingtau zurückdachte, so hatte sie das alles niemals vermisst.

Es war schön, sich dem Luxus und der kulturellen Vielfalt Berlins hinzugeben, zumindest für eine gewisse Zeit, aber es war nicht der Inhalt des Lebens, wie sie ihn sich vorstellte. Auf Dauer wollte sie ihre Zeit mit etwas verbringen, das etwas bewirkte, bei dem sie für andere da sein und etwas für sie tun konnte. Das konnte eine berufliche Tätigkeit sein oder auch die Sorge für eine Familie, für einen Mann und Kinder, die sie brauchten.

Sie hatte das für einige Zeit aus dem Fokus verloren, aber das Wiedersehen mit Erich hatte ihr bewusst gemacht, dass sie ihr Leben nicht als Tochter aus gutem Hause in einer Prachtvilla am Wannsee verbringen wollte, aller Annehmlichkeiten eines solchen Daseins zum Trotz. Der Antrag, den Erich ihr im Terrassenrestaurant des KaDeWe gemacht hatte, war für sie nicht nur die Einladung gewesen, an der Seite eines wundervollen Mannes zu leben, der sie aus ganzem Herzen liebte. Es war auch die Einladung, etwas aus ihrem Leben zu machen, ein erfülltes Leben zu führen, auf das sie eines fernen Tages voller Stolz zurückblicken konnte.

Später fanden sie und Erich trotz aller Turbulenz ein paar Minuten für sich allein, die sie unter den Schatten spendenden Weiden am Ufer verbrachten.

»Bist du glücklich, Amelie?«, fragte er unvermittelt.

Sie blickte zu ihm auf. »Musst du das fragen, Erich?«

»Es ist nur, weil du so ernst aussiehst, die ganze Zeit schon.«

»Heute ist ein wichtiger Tag in unserem Leben. Ein Tag, der vieles verändert, besonders für mich.«

»Noch ist nicht Hochzeit, leider«, seufzte er. »Du kannst es dir noch anders überlegen, auch nach dem heutigen Tag.«

»Das will ich doch gar nicht. Aber bald schon sind wir unterwegs nach Tsingtau, in ein anderes Leben.«

»Ich weiß, dass du nicht nur Gutes mit Tsingtau verbindest.« Er blickte hinaus aufs Wasser, aber Amelie wusste, dass sein innerer Blick viel weiter ging, bis zur Küste Chinas. »Für meinen Vater – und auch für mich, möchte ich betonen – war es immer beschlossene Sache, dass ich unser Geschäft weiterführe. Vielleicht wäre es anders, wenn mein Bruder Anselm noch lebte, aber so bin ich der Einzige, der dafür in Betracht kommt. Nichts gegen deine Eltern, Amelie, aber ich möchte es nicht so halten wie sie. Wenn ich in Tsingtau bin, sollte auch meine Frau da sein, und …«

Amelie unterbrach ihn mit einem Kuss auf den Mund. »Das musst du doch nicht betonen. Natürlich werde ich mit dir in Tsingtau leben. Ich freue mich darauf!«

Lächelnd fragte er: »Hat dir eigentlich schon einmal jemand gesagt, dass du über eine sehr schlechte Angewohnheit verfügst?«

»Nur über eine? Da bin ich aber erleichtert. Von welcher konkret sprichst du?«

»Davon, dass du deinen zukünftigen Mann nicht aussprechen lässt. Ich wollte dir nämlich sagen, dass ich, so schwer es auch für meinen Vater sein mag, aus der Geschäftsleitung ausscheiden würde, wenn du lieber in Berlin leben möchtest.«

Sie sah ihn ungläubig an. »Aber dann würdest du dein ganzes Leben umkrempeln, Erich. Mehr noch, du würdest deinen Vater todunglücklich machen!«

»Ich wünsche meinem Vater nichts Schlechtes, aber lieber er ist todunglücklich als du, Amelie.«

Erich sagte das voller Ernst, aber in einem sachlichen Tonfall, als handle es sich um eine geschäftliche Angelegenheit von nicht allzu besonderer Tragweite. Er schien nicht zu bemerken, welche Bedeutung seine Worte für Amelie hatten.

»Warum weinst du plötzlich?«, fragte er. »Habe ich etwas Falsches gesagt?«

»Nein, Erich, du hast das Richtigste gesagt, was du nur sagen konntest.« Amelie sah auf den brillantgeschmückten Ring an ihrer linken Hand. »Als du mir diesen Ring geschenkt hast, dachte ich, es sei das Wertvollste, was ein Mann mir schenken könnte. Aber das war dumm von mir. Das Wertvollste hast du mir gerade eben geschenkt, Erich. Dein Leben und dein Glück. Ich hoffe nur, dass ich dich niemals enttäusche!«

»Wie könntest du das?«, frage er, ohne eine Antwort zu erwarten. Er zog sie an sich und küsste sie leidenschaftlich.

Es wurde ein gelungener Empfang, dafür sorgte allein schon Mutter, die überall war und auf alles ein Auge hatte. Und wenn sie an der Zubereitung oder der Präsentation der Speisen etwas auszusetzen hatte, hieß es mehr als einmal: »Also, der Franz hätte das ganz anders gemacht!«

Der Tisch für die Geschenke bog sich schließlich fast unter der Last. Amelie wusste nachher nicht zu sagen, wie vielen Generaldirektoren, Kommerzienräten, Geheimräten, Abgeordneten, epaulettengeschmückten Offizieren samt Gattinnen, Söhnen und Töchtern sie die Hand geschüttelt hatte. Ihr war gar nicht bewusst gewesen, dass ihre Familie so viele Leute in Berlin kannte. Natürlich vergaß Mutter nicht, vor der versammelten Gesellschaft das Glückwunschtelegramm Seiner Königlichen Hoheit zu verlesen, gleich zweimal, damit es auch jeder verstand.

Als Amelie lange nach Mitternacht ins Bett ging, war sie überglücklich, ein bisschen beschwipst vom Champagner und sehr, sehr müde. Unten im Parterre und draußen, wo wegen des schönen Wetters auch gefeiert worden war, klapperten noch zahlreiche Dienstboten mit Geschirr und Gläsern, mit Tischen und Stühlen. Sie schlief trotzdem schnell ein und träumte von Tsingtau, von dem allerersten Blick auf die Stadt, wie sie ihn damals von Bord des Postdampfers aus gehabt hatte. Der Traum war wie eine Einladung zu einem zweiten Versuch, einem Neubeginn in der Stadt an der Kiautschou-Bucht.

Irgendwann wurde sie wach, und durch die Fenster drang schon ein schwacher Schimmer des beginnenden Morgens. Längst war im Haus und auch draußen alles ruhig, und doch glaubte sie, dass etwas sie geweckt hatte. Ein Geräusch. Oder eine Stimme? Je länger sie darüber nachdachte, desto mehr glaubte sie, dass es eine Stimme gewesen war, die ihren Namen gerufen hatte.

Wahrscheinlich war das im Traum geschehen, und doch

stieg sie aus dem Bett und ging langsam ans Fenster. Es war, als würde sie magisch angezogen. Sie blickte hinaus auf den Garten, auf die Weiden und das Wasser, das im ersten frühen Morgenlicht glänzte wie dunkles Silber. Die Konturen draußen waren noch verwaschen, die Schatten stärker als das Licht. Aber wenn sie sich nicht täuschte, stand dort zwischen den Weiden eine menschliche Gestalt, groß und schlank, den Blick aufs Haus gerichtet. Und dann glaubte sie, das Gesicht zu erkennen.

»Tian!«, flüsterte sie voller Unglauben und wischte sich über die schlafverklebten Augen, um deutlicher sehen zu können. Danach aber war die Gestalt verschwunden, als hätte die Morgendämmerung ihr ein Trugbild vorgaukeln wollen.

Ein Trugbild!

Nur das konnte es gewesen sein. Das musste an der Übermüdung liegen und dem Champagner. Sie blieb noch eine ganze Weile am Fenster stehen und blickte auf die Stelle, an der sie etwas zu sehen geglaubt hatte, das sie an Tian erinnerte. Aber dort war nichts.

Ein Trugbild.

Sie ging zurück zum Bett und legte sich wieder hin, aber sie fand lange Zeit keinen Schlaf mehr. Erst als es schon merklich hell wurde und die Vögel ihr Morgenkonzert gaben, fielen ihre müden Augen wieder zu. Bis dahin sah sie die ganze Zeit über Tians Gesicht vor sich, das enttäuscht wirkte, anklagend, und sie zitterte am ganzen Körper.

4

Am Sonntag fühlte sich Amelie nicht wohl und blieb die meiste Zeit über im Bett. Erich und ihre Familie sahen den Grund dafür in der langen, anstrengenden Feier, und Amelie widersprach ihnen nicht. Vielleicht war das auch gar nicht so falsch. Je länger sie über das nachdachte, was sie gesehen hatte, als sie in der Nacht am Fenster stand, desto stärker wurden ihre Zweifel.

Tian?

In Berlin?

Im Garten ihrer Villa?

Wenn er hier war, warum sollte er dort unten stehen und ganz plötzlich wieder verschwinden? Warum hatte er sich dann nicht bei ihr gemeldet?

Hatte sie alles nur geträumt? Vielleicht war sie gar nicht erwacht und zum Fenster gegangen, sondern alles war nur einer jener wirren Träume gewesen, die einen zuweilen die Grenze zwischen Traum und Wirklichkeit vergessen ließen.

Amelie beschloss, sich an diesem Tag im Bett auszuruhen. Morgen würde es ihr besser gehen, und sie würde nicht mehr an diesen seltsamen Vorfall denken. Aber das Gegenteil war der Fall: Immer und immer wieder sah sie Tians Gesicht, seinen anklagenden Blick vor sich. Sie fühlte sich wie eine Verräterin, weil sie sich mit Erich verlobt hatte.

»Aber du hast mich verlassen!«, sagte sie immer wieder, erst nur in Gedanken, dann laut. »Du hast mich verlassen!«

Am Montag ließ man sie ausschlafen, und Amelie nahm das Frühstück auf der Veranda erst am späten Vormittag ein. Vater, Fritz und Erich hatten das Haus bereits verlassen, weil sie irgendwelche Bankgeschäfte zu erledigen hatten.

»Wer weiß, wer weiß«, sagte Mutter, die ihr gemeinsam mit Helene beim Frühstück Gesellschaft leistete. »Vielleicht bereiten sie ja schon die Verschmelzung der beiden Firmen vor, Kindler & Schweiger, das klingt doch gut.«

»Vielleicht heißt es dann aber auch Schweiger & Kindler«, gab Helene zu bedenken.

»Meinetwegen, ist doch nicht so wichtig«, sagte Mutter, aber ihr säuerlicher Gesichtsausdruck zeigte deutlich, dass sie es doch wichtig nahm.

»Ich hoffe jedenfalls, sie lassen sich mit der Firmenzusammenführung Zeit«, sagte Amelie, während sie die obere Hälfte einer frischen Schrippe mit Heidelbeerkonfitüre bestrich.

Mutter blickte sie fragend an. »Wieso das?«

»Erich und ich haben erst vorgestern Verlobung gefeiert. Ich denke aber, mit solchen wichtigen Entscheidungen sollte man bis nach der Hochzeit warten. Außerdem wird Erichs Vater da sicher auch ein Wörtchen mitzureden haben.«

»Ach, die Männer«, sagte Mutter und winkte ab. »Sie werden schon wissen, was sie tun. Gut, dass wir uns nicht mit all den komplizierten Geschäften befassen müssen.«

Amelie schmunzelte innerlich. Das war typisch Mutter. Die von ihr selbst angestoßene Diskussion wurde ihr zu kompliziert, also erklärte sie das Thema einfach für beendet. Mutter machte sich die Welt stets so, wie sie ihr am besten passte, aber wer wollte ihr das vorwerfen? Bislang war sie gut damit gefahren. Amelie war froh darüber, dass Mutter und Helene mit ihr am Tisch saßen. Die Unterhaltung lenkte sie von den bedrückenden Gedanken ab, die das Trugbild zwei Nächte zuvor in ihr geweckt hatte.

Es war ein neuer herrlicher Augusttag mit hellem Sonnenschein, bestens geeignet, düstere Gedanken zu vertreiben. Nur ein paar winzige weiße Wolken zogen über den blauen Himmel, zu unbedeutend, um die Menschen zu beeindrucken, die auf Jachten und Ausflugsdampfern den Wannsee bevölkerten. Als Amelie ihren Blick über das Ufer gleiten ließ, blieb er nur kurz an jenen Weiden hängen, unter denen sie Tian zu sehen geglaubt hatte. Die Schatten der vorletzten Nacht waren verflogen, und mit jedem fröhlichen Vogelzwitschern kehrte ihre gute Laune ein Stück mehr zurück.

Mutter war gerade im Haus verschwunden, um irgendetwas mit der Köchin zu besprechen, als Klara, eines der Dienstmädchen, auf die Veranda trat und Amelie ein kleines Silbertablett hinhielt. »Ein Eiltelegramm für Sie, Fräulein Amelie.«

Amelie zog verwundert die Brauen hoch. »Ein Eiltelegramm für mich? Von wem kann das sein?«

»Vielleicht ein verspäteter Gratulant zu deiner Verlobung«, mutmaßte Helene. »Öffne das Telegramm einfach und sieh nach.«

»Ein sehr praktischer Vorschlag.«

Amelie nahm das Papier vom Tablett und nickte Klara zu, die daraufhin die Veranda wieder verließ. Sie öffnete das Telegramm – und musste sich alle Mühe geben, ihre plötzliche Erregung, die sie wie ein Schock traf, nicht nach außen dringen zu lassen. Wieder und wieder las sie den kurzen Text und konnte es doch kaum glauben.

»Was ist mit dir, Amelie?«, hörte sie Helenes Stimme wie aus weiter Ferne. »Du wirkst ja wie erstarrt.«

Amelie bemühte sich, unbefangen zu erscheinen. »Erstarrt? Das täuscht.«

»Von wem ist es denn?«

»Wie du schon sagtest, ein verspäteter Gratulant.«

»Warum guckst du dann so ungläubig auf den Text?«

»Habe ich das getan? Vermutlich habe ich überlegt, warum ein Rittmeister von Pleskow mir ›ganz persönliche Glückwünsche zur Verlobung‹ zukommen lässt. Ich kann mich beim besten Willen an niemanden mit diesem Namen erinnern.«

»Von Pleskow?« Helene dachte nach. »Das sagt mir auch nichts. Aber wenn du dich schon nicht an deine ehemaligen Verehrer erinnern kannst, wie soll ich es dann?«

»Wie wahr, Schwesterherz.« Nach außen hin so unbekümmert wie möglich, erhob sich Amelie und faltete das Telegramm wie beiläufig zusammen. »Allmählich wird es mir auf der Veranda doch zu warm. Ich werde mich bis zum Mittagessen hinlegen.«

»In letzter Zeit scheint dir nicht besonders wohl zu sein. Soll ich nicht lieber nach einem Arzt schicken?«

Amelie bedachte ihre Schwester mit einem Lächeln, auch wenn es ihr schwerfiel. »Das ist lieb von dir, aber du musst dir keine Sorgen machen. Das sind lediglich die

Nachwirkungen der Verlobungsfeier. Ich vertrage einfach nicht so viel Champagner, bin davon noch immer ein bisschen duselig im Kopf.«

Helene erwiderte das Lächeln nicht, sondern fragte mit ernster Miene: »Bist du sicher, dass es nur das ist?«

»Wenn ich es dir sage. Ich habe nicht vor, wieder für Wochen vor mich hin zu kränkeln. Du warst eine hervorragende Krankenpflegerin, Helene, und dafür bin ich dir überaus dankbar, aber ich möchte deine diesbezüglichen Dienste nicht noch einmal beanspruchen.«

»Na, dann bin ich beruhigt«, sagte Helene, aber Amelie bemerkte ihren skeptischen Blick, bevor sie, das zusammengefaltete Telegramm in der Hand, die Veranda verließ.

Trotz des inneren Aufruhrs, der Amelie gepackt hatte, als sie das Telegramm las, ging sie zielstrebig vor. Nur so konnte sie verhindern, dass sie kopflos wurde. Sie blieb nur so lange auf ihrem Zimmer, wie sie benötigte, um sich für ihren Ausflug anzukleiden. Das cremefarbene Sommerkleid und der dazu passende leichte Hut ließen sie aussehen wie jemand, der einfach nur den schönen Sommertag genießen wollte.

Vorsichtig schlich sie nach unten, bemüht, von niemandem bemerkt zu werden, besonders nicht von Mutter und Helene. Sie wollte das Haus durch den seitlich gelegenen Eingang für Dienstboten und Lieferanten verlassen, traf aber dort auf Klara, die an der Tür herumwienerte.

Amelie setzte eine unbeteiligte Miene auf und sagte: »Ich gehe ein wenig spazieren. Sollte ich zum Mittagessen nicht zurück sein, so sagen Sie meiner Mutter und meiner Schwester bitte, sie bräuchten nicht auf mich zu warten.«

»Sehr wohl, Fräulein Amelie.«

Mehr sagte Klara nicht, aber Amelie sah ihr die Verwunderung darüber an, dass Amelie nicht den Haupteingang benutzte.

Wie eine Sommerfrischlerin schlenderte sie die von Rosenbeeten gesäumte Auffahrt entlang, bis sie endlich auf die Landstraße einbog und damit aus dem Sichtfeld der Villa verschwand. Sofort beschleunigte sie ihre Schritte. Schließlich lief sie mehr, als dass sie ging, und mit keuchendem Atem erreichte sie die Anlegestelle, wo einer der Ausflugsdampfer kurz davor stand, die Leinen zu lösen. Die meisten Passagiere strömten auf das luftige Oberdeck, aber darunter, im überdachten Passagierraum, war es dermaßen stickig, dass auch Amelie die enge Treppe nach oben erklomm, wo sie tatsächlich noch einen freien Sitzplatz nah am Heck fand.

Ohne auf das Geschnatter der vielen Leute um sie herum zu achten, beobachtete sie das Ablegemanöver, während sie allmählich wieder durchatmen konnte. Natürlich war es Unsinn gewesen, in der Augustsonne, die wärmer und wärmer wurde, je näher der Mittag rückte, so zu hasten. Im Sommer verkehrten die Ausflugsschiffe in kurzen Abständen, und es hätte kaum einen Unterschied gemacht, hätte sie auf das nächste gewartet. Aber die Unruhe, die sie ergriffen hatte, seit sie das Eiltelegramm gelesen hatte, trieb sie voran. Sie musste wissen, woran sie war!

Amelie griff in ihre braune Ledertasche und nahm das zusammengefaltete Telegramm heraus. Einen Augenblick zögerte sie, bevor sie es öffnete. Sie kannte den Inhalt auswendig, aber es erschien ihr noch immer unglaublich. Also las sie es erneut:

Ai, meine Liebe! Mein Herz sehnt sich nach dir seit so langer Zeit. Ich warte auf dich im Libellengarten, bis die Sonne versinkt. Wirst du kommen? Tian.

Diese wenigen Zeilen genügten, um in ihr einen Widerstreit der Gefühle auszulösen: Überraschung, Verwunderung, Glück, Wut, Angst, Zweifel.

Überraschung darüber, dass Tian in Berlin war – falls das Telegramm echt war. Dann hatte sie sich wohl nicht getäuscht und ihn nachts tatsächlich gesehen. Gleichzeitig empfand sie Verwunderung darüber, dass er hier war, nach so vielen Monaten, ausgerechnet jetzt, da sie sich mit Erich verlobt hatte.

Das Glück, das sie bei dem Gedanken daran überströmte, dass es wahr sein konnte, paarte sich mit Wut. Mit Wut auf Tian. Welche Erklärung konnte es dafür geben, dass er sie so lange ohne Nachricht gelassen hatte und sich jetzt auf diese seltsame Art bei ihr meldete? Mit einem Eiltelegramm, als hätte er nicht fast zwei Jahre Zeit gehabt.

Aber was war, wenn er wirklich im Libellengarten, einem Biergarten gleich beim nächsten Anlegeplatz, auf sie wartete und wenn er wirklich eine gute Erklärung für sein langes Schweigen hatte? Davor hatte sie vielleicht die meiste Angst, jetzt, wo Erich bei ihr war und sie verlobt waren.

Letztlich blieben ihr aber starke Zweifel an der Echtheit des Telegramms. Tian sollte in Hongkong sein, bei seinem Onkel, nicht in Berlin. Wer konnte sich einen so bösen Scherz mit ihr erlauben? Sie musste unwillkürlich an Fritz denken. Wollte er sie auf die Probe stellen? Wollte er herausfinden, ob sie doch noch an Tian hing?

Hing sie denn noch an ihm? Darüber dachte sie nach, während sie auf das Telegramm starrte.

Ein Kellner, der auf dem Oberdeck die Bestellungen aufnahm, rempelte sie aus Unachtsamkeit an. Er entschuldigte sich sofort bei ihr und sah dem Telegramm nach, das ihrer Hand entglitten war und, von einem Windstoß erfasst, hinter dem Dampfer im Wasser landete. Auch Amelie blickte auf das Stück Papier, bis es im Wasser versank.

Der Kellner sah sie betrübt an. »Ich bitte nochmals um Entschuldigung, gnädiges Fräulein. Heute ist es besonders voll, obwohl kein Wochenende ist. Ich hoffe, es war nichts Wichtiges.«

»Das«, sagte sie nachdenklich und mehr zu sich selbst, »wird sich bald herausstellen.«

Eine ganze Gruppe älterer Frauen stieg am Libellengarten aus, wahrscheinlich ein Vereinsausflug, und Amelie wurde von ihnen mitgerissen, bis die Damen sich entschieden hatten, einen freien Tisch unter einer großen, blau-weiß gestreiften Markise zu okkupieren. Ein wenig ratlos stand sie den eifrig hin und her eilenden Kellnern im Weg und blickte sich um. Sie war seit einigen Jahren nicht mehr hier gewesen, und der Biergarten war viel größer, als sie ihn in Erinnerung hatte. Vermutlich hatte der Besitzer ihn aufgrund des guten Zuspruchs gehörig erweitert.

Als sie sich langsam um sich selbst drehte und aufmerksam die endlosen Reihen von Tischen musterte, bemerkte sie einen Mann, der allein an einem kleinen Tisch im Schatten einer Eiche saß, sich bei ihrem Anblick erhob und ihr zuwinkte. Aber das war nicht Tian, der Mann trug europäische Kleidung und einen Strohhut zum Schutz gegen die

Sonne. Sie konnte das Gesicht des Mannes nicht deutlich erkennen, aber eins sah sie doch genau: Er trug keinen Zopf. Meinte er auch wirklich Amelie? Wieder blickte sie sich um, sah aber niemanden, der sonst gemeint sein könnte.

Als sie ihre Aufmerksamkeit wieder dem Mann im hellen Sommeranzug zuwandte, trat er ihr langsam entgegen. Jetzt sah sie sein Gesicht genauer und erkannte die klar geschnittenen Züge. Also doch!

»Tian!«, keuchte sie.

Das Ganze kam ihr unwirklich vor, und sie fragte sich, ob sie alles nur träumte. Für ein, zwei Sekunden schloss sie fest die Augen und meinte, danach müsse der Spuk, wenn es denn einer war, vorüber sein. Als sie die Augen wieder öffnete, stand Tian nur eine Armlänge vor ihr und sah sie aus seinen dunklen Augen an.

Leise sagte er nur ein Wort: »Ai.«

Er war es wirklich, Tian. Sein Zopf fehlte, und die von Kopf bis Fuß europäische Kleidung verlieh ihm auf die Ferne ein ganz anderes Aussehen. Doch es war derselbe Mann, den sie in Tsingtau kennengelernt und an den sie ihr Herz verloren hatte.

Jetzt aber, da er leibhaftig vor ihr stand, brachte sie kein Wort hervor. Sie hätte nur den Arm ausstrecken müssen, um ihn zu berühren, aber sie tat es nicht. Sie stand nur da wie angewachsen und starrte ihn an wie eine unwirkliche Erscheinung. Sie konnte ihn nicht berühren, zu viel stand zwischen ihnen.

Ein Kellner zwängte sich mit einem Tablett voller leerer Gläser an ihnen vorbei, und Tian fragte mit einer einladenden Geste in Richtung seines Tisches: »Wollen wir uns nicht setzen?«

Sie folgte ihm wie eine Schlafwandlerin, und noch immer erschien es ihr unwirklich wie ein Traum, der Dinge vermischte, die nicht zusammengehörten: Tian im Aufzug eines Europäers, hier, in Berlin. Sie setzte sich ihm gegenüber und bestellte bei dem augenblicklich auftauchenden Kellner eine Sinalco-Brause mit Eis. Vor Tian stand ein halb leeres Glas Weizenbier, aber er schenkte dem keine Beachtung, sondern sah unverwandt sie an.

»Ich bin froh, dass du gekommen bist, Amelie«, sagte er. »Ich hatte Angst, ich würde dir nichts mehr bedeuten.«

»Nun, dasselbe dachte ich eine ganze Weile von dir.« Amelie blickte ihn forschend an. »Und auch jetzt weiß ich nicht recht, was ich in dieser Frage denken soll.«

Zögernd streckte er über die Tischplatte hinweg seine Hände nach ihr aus, aber Amelie ergriff sie nicht. »Meine Gefühle für dich sind unverändert, Ai. Und wenn sich doch etwas geändert hat, dann sind sie eher noch stärker geworden. Aber ich komme wohl zu spät?«

»Was meinst du?«

»Deine Verlobung mit Erich Schweiger.«

»Davon weißt du?«

»In der Zeitung war eine große Anzeige.«

»Ach ja, Mutters Reklame«, sagte sie und lächelte gezwungen. »Bist du deshalb vor zwei Nächten auf unserem Grundstück aufgetaucht?«

»Du hast mich also doch gesehen.« Er nickte leicht. »Ich wollte zu dir, so schnell wie möglich, nachdem ich die Verlobungsanzeige gesehen hatte, aber ich wusste nicht, wie. Ich konnte unmöglich in den Empfang hineinplatzen. Deine Eltern hätten mich vermutlich kurzerhand hinausgeworfen. Diesen peinlichen Auftritt wollte ich dir ersparen. Also wartete ich bis spät in die Nacht, aber auch da sah ich keine Möglichkeit, zu dir zu gelangen.«

»Und da hast du mir heute das Telegramm geschickt.«

»Zugegeben, es ist eine eigenwillige Art, sich zu melden. Aber ich hielt es für den besten Weg. Auch für dich selbst. Es hätte ja sein können, dass du mich gar nicht sehen willst.«

»Was hättest du getan, wenn ich nicht gekommen wäre?«

»Gewartet.«

»Und wenn die Sonne versunken wäre?«

»Ich weiß es nicht«, seufzte Tian und wirkte plötzlich verloren.

»Wie lange bist du schon in Berlin?«

»Seit ungefähr einem Monat. Ich arbeite als Dolmetscher in der chinesischen Gesandtschaft am Kurfürstendamm.«

»Seit einem Monat?«, wiederholte sie ungläubig. »Und du meldest dich erst jetzt bei mir?« Sie schüttelte den Kopf und war versucht, aufzustehen und einfach zu gehen. »Für einen Moment hatte ich wirklich geglaubt, du seist meinetwegen nach Berlin gekommen.«

»Das bin ich auch, Ai. Aber ich wollte mir erst eine anständige Position verschaffen, bevor ich deinen Eltern unter die Augen trete. Ich wollte nicht als ein mittelloser Bittsteller vor ihnen erscheinen.«

»Wieso mittellos? Geht es dem Unternehmen deiner Familie nicht gut?«

»Doch, das will ich zumindest hoffen. Aber seitdem ich unsere Niederlassung in Hongkong im Streit mit meinem Onkel verlassen habe, kann ich schlecht ihn oder meinen Vater um Geld angehen. Das wäre ehrlos.«

»Worum ging dieser Streit?«

»Um dich, Ai. Oder um uns, wenn du so willst. Ich hatte herausgefunden, dass du mir über eine lange Zeit geschrieben hast und dass mein Onkel sämtliche Briefe unterschlagen hat. Der Boy im Haus meines Onkels hat es mir verraten, weil ich ihm in einer Notlage helfen konnte. Mein Onkel hat es nicht einmal geleugnet, als ich ihn zur Rede stellte. Er sagte, es sei zum Besten der Familie gewesen, und in gewisser Weise kann ich es verstehen.«

»Du kannst das verstehen?«, fragte Amelie fassungslos.

Tian nickte und wirkte auf einmal müde. »Ich fürchte, er wollte nur meinen Vater schützen, ihn vor unnötigen Aufregungen bewahren.«

»Jetzt kommt auch noch dein Vater ins Spiel. Mir scheint, deine Geschichte wird immer verworrener. Warum wolltest du ihn vor Aufregungen bewahren?«

»Wegen seiner Krankheit natürlich, ich habe dir doch davon geschrieben.«

»Ich weiß nichts von einer Krankheit deines Vaters, Tian. Und ich weiß auch nicht, wann du mir das geschrieben haben willst.«

»Vor meiner Abreise nach Hongkong. Ich habe dir einen langen Brief geschrieben, dir alles erklärt und dir mitgeteilt, ich würde mich bei dir melden. Auch später habe ich dir nach Tsingtau geschrieben, ohne zu wissen, dass du längst nicht mehr dort warst.«

»Ich habe keinen Brief von dir bekommen.«

»Und ich keinen von dir, Ai.«

»Dann wurden auch deine Briefe unterschlagen.«

Diese Erkenntnis traf Amelie hart, bestürzte sie und beschämte sie gleichzeitig. Sie schämte sich ihres abweisenden Verhaltens, das sie Tian gegenüber gezeigt hatte. Bisher hatte sie ihn als den Hauptschuldigen daran gesehen, dass die Verbindung zwischen ihnen abgebrochen war. Jetzt dämmerte ihr die Erkenntnis, dass die Schuld ihn nicht mehr traf als sie.

»Wer könnte meine Briefe unterschlagen haben?«, fragte Tian.

»In Tsingtau?« Amelie dachte kurz nach. »Den ersten jeder aus meiner Familie, obwohl ich meiner Schwester so etwas wirklich nicht zutraue. Die anderen nur Fritz oder mein Vater. Seinem Verhalten vor meiner Abreise nach zu urteilen, wohl eher Fritz.« Sie berichtete Tian, der davon nichts wusste, von ihrem nächtlichen Ausflug in die Schantungstraße und davon, wie er geendet hatte.

Tian wirkte wie am Boden zerstört und sah sie traurig an. »Es tut mir alles so leid, Ai. Ich erkenne jetzt, dass ich einen großen Fehler gemacht habe, als ich Tsingtau verließ, ohne vorher mit dir zu sprechen. Mein Vater hat ein schweres Herzleiden, und der Arzt hat ihm jede Aufregung verboten. Unsere Liebe, Ai, hat ihn sehr aufgeregt. Ich wollte ihm weitere Aufregung ersparen und bin deshalb so schnell seinem Wunsch gefolgt, nach Hongkong abzureisen. Nur für eine Weile wollte ich dortbleiben, bis ich einen Weg gefunden hätte, meinen Vater für uns zu gewinnen, aber dann hörte ich nichts mehr von dir. Und jetzt … jetzt bist du verlobt mit Erich Schweiger.«

»Muss ich mich dafür bei dir entschuldigen, Tian? Du warst für mich verschollen.«

»Du weißt jetzt, warum«, sagte er leise und fragte zögernd: »Ändert das etwas?«

Sie las die Hoffnung in seinen Augen und wusste, worauf er hinauswollte. Trotzdem fragte sie: »Du meinst, zwischen Erich und mir? An meinen Gefühlen für ihn? An unserer Verlobung?«

»Ja, Ai, all das meine ich.«

»Ich weiß nicht, Tian. Ich brauche Bedenkzeit.«

»Bedenkzeit?« Er sprach es aus wie einen Begriff, der in seinem Wortschatz nicht vorkam. »Bedenkzeit, ob du mich liebst, Ai?«

»Wenn du mir eine Adresse hinterlässt, werde ich mich bei dir melden. Aber schick mir bitte keine Eiltelegramme mehr und tauch auch nicht mitten in der Nacht unter meinem Fenster auf!«

»Ich hatte Sehnsucht nach dir!«

»Du bist seit einem Monat in Berlin, und plötzlich hattest du Sehnsucht nach mir? Sei mir nicht böse, Tian, aber da haben Frauen von Männern schon schmeichelhaftere Dinge gehört.«

»Ich will dir nicht schmeicheln, Ai. Ich will dir nur erklären, warum ich tat, was ich tat. Ich wollte als ein Mann vor dir stehen, der frei und unabhängig ist, nicht als ein mittelloser Bittsteller. Vielleicht war das falscher Stolz. Aber was kann ich jetzt daran noch ändern?«

Amelie beantwortete die Frage nicht, und sie unternahm nichts, um Tian zu trösten. Eine Stimme in ihrem Hinterkopf schimpfte sie deshalb herzlos, aber sie fand die Lage einfach zu verworren. Sie musste über alles nachdenken, besonders über ihre Gefühle für Tian und Erich, und dazu benötigte sie Zeit.

»Ich muss jetzt gehen, sonst vermisst man mich. Willst du mir also eine Adresse geben, unter der ich dich erreichen kann?«

Tian zog eine Visitenkarte hervor und reichte sie ihr. Darauf standen eine Telefonnummer und eine Adresse im Ortsteil Schmargendorf, in der Salzbrunner Straße. »Abends kannst du mich in der Regel erreichen. Heute habe ich einen freien Tag in der Gesandtschaft, aber sonst muss ich tagsüber anwesend sein. Wirst du dich auch bestimmt melden?«

Sie versprach es, erhob sich und reichte ihm förmlich die Hand. »Ich darf mich doch als eingeladen betrachten?«

»Ai …«, begann er.

»Nicht, Tian«, unterbrach sie ihn. »Für heute ist alles gesagt.«

Amelie drehte sich um und ging in Richtung Bootsanleger, wo bereits eine Menschentraube auf den nächsten Dampfer wartete. Sie widerstand der Versuchung, stehen zu bleiben und sich nach Tian umzusehen, aber mit jedem Schritt fiel es ihr schwerer, einfach weiterzugehen.

5

»Wo bist du gewesen Kind? Zum Glück hat Klara uns erzählt, dass du außer Haus bist. Wir hätten sonst das ganze Anwesen nach dir durchsucht.« Mutter, der Amelie leider auf der Treppe ins Obergeschoss begegnet war, blickte sie mehr vorwurfsvoll als besorgt an.

»Ich bin erwachsen, Mama, ich kann auch mal unbeaufsichtigt aus dem Haus gehen, ohne gleich in einen orientalischen Harem verschleppt zu werden«, sagte Amelie gequält. Im Augenblick war ihr nicht nach einer Diskussion zumute. Sie wollte einfach nur allein sein und in Ruhe über die Begegnung mit Tian nachdenken.

»Warum bist du denn so patzig? Also wirklich. Außerdem hat das nichts mit dem Alter zu tun, sondern einfach mit Höflichkeit. Helene und ich hatten uns darauf eingerichtet, das Mittagessen mit dir gemeinsam einzunehmen.«

»Ich werde in Zukunft daran denken, Mama. Ich brauchte einfach frische Luft und etwas Zeit für mich allein, Zeit zum Nachdenken.«

Mutters Miene hellte sich auf. »Natürlich, Kind, du hast viel zu bedenken. Schließlich bist du bald Erichs Frau und wirst über kurz oder lang einen eigenen Haushalt zu führen haben. Habt ihr euch eigentlich schon Gedanken darüber gemacht, ob ihr in Tsingtau gleich ein eigenes Haus beziehen oder damit noch warten wollt? Eigentlich ist in unserem Haus ja genügend Platz, wenn Helene und ich nach der Hochzeit wieder abgereist sind.«

»Nein, darüber haben wir noch nicht gesprochen.«

»Tut das mal, das ist schließlich wichtig. Und jetzt geh erst einmal hinauf und mach dich frisch. Bertha hat Braten, Klöße und Gemüse für dich warm gehalten. Ich sage ihr inzwischen, dass du gleich zum Essen kommst.«

»Lieber nicht, ich habe gar keinen Hunger. Ich glaube, ich habe zu viel zum Frühstück gegessen.«

»So, hast du?« Mutter sah skeptisch drein und seufzte. »Du musst es ja wissen, schließlich bist du erwachsen.«

Amelie war froh, als sie endlich in ihrem Zimmer war und sich aufs Bett legen konnte. Sie starrte die Decke an, aber ihre Augen hätten genauso gut geschlossen sein können. Ihre Gedanken waren nicht im Hier und Jetzt, sondern wanderten zwei Jahre zurück, nach Tsingtau. Sie durchlebte noch einmal jede Begegnung mit Tian und jedes Wort, das sie miteinander gewechselt hatten. Alles war so deutlich in ihrer Erinnerung verankert, als sei es erst kürzlich gewesen.

Je länger sie daran dachte, desto stärker und schmerzhafter wurde ihr bewusst, dass ihre Gefühle für Tian sich nicht geändert hatten. Aber trotzdem hatte ihr falscher Stolz die Oberhand behalten, und sie hatte Tian im Libellengarten zurückgelassen. Bei dem Gedanken daran, wie er sich gefühlt haben musste, drehte sie sich um und weinte hemmungslos ins Kissen.

»Hallo? Niemand zu Hause?«

Die Stimme und ein Klopfgeräusch weckten Amelie. Sie war eingeschlafen, tatsächlich.

Wieder hörte sie die Stimme: »Amelie, bist du da?«

Das war Erich. Hastig griff sie nach einem Taschentuch, das auf dem Nachttisch lag, und wischte über ihr Gesicht in der Hoffnung, alle Tränenspuren zu beseitigen.

»Komm herein, Erich«, sagte sie. »Entschuldige, ich war eingeschlafen.«

Er trat ein und stutzte bei ihrem Anblick. »Hast du geweint?«

»Ich? Wie kommst du darauf?«

»Ich will ja nicht Sherlock Holmes spielen, aber dein gerötetes Gesicht und das Taschentuch in deiner Hand würden einen gewissen Verdacht zumindest rechtfertigen.«

Amelie bemühte sich, ihn anzulächeln. »Für einen Doktor Watson reicht es immerhin. Ich habe wohl einen Heuschnupfen.«

»Ich wusste gar nicht, dass du darunter leidest.«

»Ich bis heute auch nicht. Vielleicht war ich zu viel im Freien.«

Erich trat näher und setzte sich zu ihr auf die Bettkante. »Ich habe schon gehört, dass du das Mittagessen hast sausen lassen und einen Ausflug gemacht hast.«

»Höchstwahrscheinlich von Mama.«

»Warum nicht von Helene?«

»Weil sie eher das Gegenteil einer Klatschbase ist, was man von Mama nun nicht behaupten kann.«

»Das hast aber du gesagt, nicht ich«, lachte Erich. »Erste Regel für einen angehenden Schwiegersohn: Verdirb es dir nicht mit der Schwiegermutter.«

»Wo hast du das gelernt?«

»Von meiner Mutter. Die ist nämlich genauso klug wie du.«

»Wie ich? Was meinst du?«

»Es war tatsächlich deine Mutter, die deinem Vater, Fritz und mir von deinem Ausflug berichtet hat. Also nimm für deine messerscharfe Schlussfolgerung die Gratulation von Doktor Watson entgegen, Fräulein Sherlock. Wo bist du eigentlich gewesen?«

»Nicht weit. Nur mit dem Dampfer zum Libellengarten und wieder zurück.«

Sie war froh, Erich zumindest in diesem Punkt nicht anlügen zu müssen. Müssen? Niemand zwang sie dazu, musste sie sich eingestehen. War es nicht das Einfachste, sie erzählte ihm jetzt die ganze Wahrheit? Aber was war die Wahrheit?

Sie hatte sich mit Tian getroffen, hatte mit ihm gesprochen, aber das war nicht das eigentlich Wichtige. Wichtig war, welche Konsequenzen sie daraus zog. Aber eben darüber war sie sich nicht im Klaren. Sollte sie Erich Schmerz zufügen, wenn es gar nicht nötig war? Sie wusste nicht, was richtig und was falsch war.

Nur eins wusste sie: Was sie auch tat und sagte, sie fühlte sich immer wie eine Betrügerin, entweder gegenüber Tian oder gegenüber Erich. Beides waren Männer, wie eine Frau sie sich nicht besser wünschen konnte. War es nicht ein unglaubliches Glück, dass sich gleich zwei solche Männer in sie verliebt hatten? Vermutlich, aber sie empfand es als Unglück.

»Denk nicht so viel nach, Amelie, davon bekommst du nur Sorgenfalten«, sagte Erich augenzwinkernd. »Fürs Denken hast du ja jetzt mich.«

»Oho, seit wann denkt Doktor Watson für Sherlock Holmes?«

Er musterte sie wie eine Auslage im Warenhaus. »Blitzgescheit, alles andere als auf den Mund gefallen und auch noch bildhübsch. Ich glaube, so ein Prachtexemplar finde ich nicht noch einmal.«

Seine Lippen näherten sich ihren. Erst erwiderte sie seinen Kuss nur zögernd, dann mit ganzer Leidenschaft. Sie schloss dabei die Augen und versuchte, nur Erich vor sich zu sehen und Tian ganz aus ihren Gedanken zu verdrängen. Es gelang ihr nicht. Im Gegenteil: Sie sehnte sich in den chinesischen Tempel in Tsingtau zurück und danach, noch einmal den ersten Kuss mit Tian zu erleben.

Zwei Abende später hielt sie es nicht länger aus und rief die Telefonnummer an, die auf Tians Visitenkarte stand. Vater, Mutter, Fritz, Helene und Erich saßen auf der Veranda beisammen und unterhielten sich lautstark. Niemand von ihnen konnte also bemerken, dass Amelie telefonierte.

Sobald der leicht nuschelnde Mann vom Reichspostamt die Verbindung hergestellt hatte, meldete sich auch schon Tian, als hätte er nur auf diesen Anruf gewartet.

»Ich bin es«, sagte Amelie halblaut, damit ihre Stimme nicht bis auf die Veranda drang. »Können wir noch einmal persönlich miteinander sprechen?«

»Ja, Ai, sofort.«

»Abends geht es schlecht, wegen meiner Familie, tagsüber wäre es besser.«

»Mein nächster freier Tag ist erst Samstag, aber ich lasse mir etwas einfallen. Zur Not melde ich mich morgen einfach krank.«

Amelie brauchte nicht lange zu überlegen. »Nein, Samstag passt gut. Fritz reist schon vor Vater wieder nach Tsingtau ab, um in der Firma nach dem Rechten zu sehen. Wir wollen ihn am späten Samstagvormittag alle zum Zug bringen. Ich werde sagen, dass mir nicht gut ist, und mich schon hier von ihm verabschieden. Dann könnten wir uns so gegen elf sehen.«

»Gut, wo?«

»Wieder im Libellengarten, wenn es dir recht ist. Dort komme ich ohne großen Zeitaufwand hin.«

»Ich werde da sein. Bedeutet das Treffen, dass ich wenigstens etwas Hoffnung haben darf?«

»Ich muss mit dir sprechen, Tian, mehr kann ich jetzt nicht sagen.«

Amelie beendete das Gespräch. Als sie zu den anderen auf die Veranda trat, begrüßte Erich sie mit einem glücklichen Lächeln. Sie lächelte zurück, aber am liebsten wäre sie vor Scham im Boden versunken.

6

Samstag, 27. August 1910.

Der Wochenendbetrieb machte sich bemerkbar, und der mit Ausflüglern vollgestopfte Dampfer legte mit einiger Verspätung am Libellengarten an. Während Amelie in dem Gedränge darauf wartete, das Schiff verlassen zu können, dachte sie an ihre Familie und an Erich, denen sie die Lüge von ihrem Unwohlsein aufgetischt hatte. Sowohl Helene als auch Erich waren nur schwer davon abzubringen gewesen, am Wannsee zu bleiben und sich um sie zu kümmern. Mit sehr schlechtem Gewissen, besonders Erich gegenüber, aber offenbar mit genügend schauspielerischem Talent hatte Amelie sie davon abbringen können. Heute hatte auch niemand vom Personal etwas von Amelies Ausflug mitbekommen. Wie es bei ihrer Rückkehr sein würde, wusste sie nicht. Aber daran dachte sie kaum, während sie im Strom der Fahrgäste, die im Libellengarten eine stärkende Mahlzeit oder auch nur ein kühles Getränk zu sich nehmen wollten, das Schiff verließ. Ihre Gedanken waren jetzt ganz bei Tian, der, kaum hatte sie festen Boden unter den Füßen, auf sie zutrat und ihr zögernd die Hand reichte.

»Ich freue mich sehr, Ai«, sagte er und lächelte leicht, aber seine Miene verriet die innere Unsicherheit, die er in Bezug auf das Treffen spürte. »Ich hätte nicht geglaubt, dass hier so viele Leute aussteigen. Wenn wir noch einen Tisch kriegen wollen, müssen wir uns beeilen.«

»Hier ist mir zu viel Trubel, lass uns lieber ein Stück durch den Wald gehen. Da ist es kühl und hoffentlich ruhig.«

Als sie den Biergarten mit drängelnden Gästen und geschäftigen Kellnern hinter sich zurückließen und auf den nahen Wald zuliefen, hätte sich Amelie beinahe bei Tian eingehakt, so vertraut war ihr seine Nähe trotz der langen Trennung. Aber sie widerstand dem Impuls. Immer stärker war in den letzten Tagen in ihr das Verlangen nach Tians Nähe, seiner Umarmung, nach der Wärme seines Körpers geworden. Doch sie zwang sich, bei klarem Verstand zu bleiben. In Anbetracht der verflossenen Zeit war sie sich nicht sicher, was Tian wirklich antrieb. Selbstverständlich konnte sie verstehen und nachempfinden, dass er sich um die Gesundheit seines Vaters sorgte. Aber ihr erschien es fragwürdig, dass er sich so stark von den Ansichten seines Vaters leiten ließ.

Sie tauchten in den Wald ein, der von mehreren schmalen Wegen durchzogen wurde, und je weiter sie gingen, desto weniger Spaziergänger begegneten ihnen. Noch hatte keiner von ihnen seit der Begegnung am Anleger ein Wort gesprochen. Tian wartete ganz offensichtlich ab, was Amelie ihm zu sagen hatte. Vielleicht war er der Ansicht, sich ihr gegenüber bei ihrem letzten Gespräch ausreichend erklärt zu haben.

Amelie sah das anders und sagte: »Du hast mir erzählt, warum du dich dem Wunsch deines Vaters, nach Hongkong zu gehen, gebeugt hast. Ich verstehe das. Was ich allerdings nicht verstehe, sind seine Ansichten. Ich habe meine Eltern und Fritz für verbohrt gehalten, weil sie die Chinesen nicht als gleichwertig ansehen. Eine Ansicht, die wohl leider auf die meisten meiner Landsleute zutrifft.

Aber ich hätte nicht gedacht, dass dein Vater es ähnlich sieht. Hält er uns Deutsche nicht für gut genug, dass eine von ihnen seinen Sohn heiraten darf?«

»Wer so etwas glaubt, tut meinem Vater unrecht. Ich kenne keinen rechtschaffeneren Mann als ihn. Was er auch tut, er tut es zum Wohle seiner Familie. So war es schon immer, und er könnte gar nicht anders handeln.«

»Wenn das stimmt, dürftest du dich gar nicht mit mir treffen, Tian. Damit handelst du nämlich gegen die Interessen eurer Familie, jedenfalls wenn dein Vater recht hat.«

»Ich hoffe, dass mein Vater unrecht hat. Aber selbst wenn ich wüsste, dass er recht hat, könnte ich nicht anders handeln.« Er blieb abrupt stehen und fasste sie bei den Armen. »Weil ich dich liebe wie keinen Menschen sonst, Ai. Diese Liebe ist stärker als jeder Gedanke und jedes andere Gefühl.«

Obwohl sie seine Berührung herbeisehnte, löste sie sich sanft von ihm. »Wir sollten jetzt nicht von Liebe sprechen, Tian. Wir waren bei deinem Vater und seinen Motiven. Ich möchte sie gern verstehen.«

»Aber genau darum geht es doch auch meinem Vater. Er handelt aus Liebe zu meiner Mutter und zu mir. Er will uns beide beschützen, will verhindern, dass mir – und damit auch dir, Ai – das geschieht, was ihm und meiner Mutter widerfahren ist.«

»Im Augenblick kann ich dir nicht folgen, Tian.«

»Meine Eltern wurden verfolgt und angefeindet, weil sie ihre Liebe zueinander über alles andere stellten. In Tsingtau hat unsere Familie endlich Frieden gefunden, aber meine Mutter lebt aus gutem Grund sehr zurückgezogen. Es gab eine Zeit, da mussten sie und mein Vater bitter darunter leiden, dass sie, Angehörige zweier verfeindeter Nationen, miteinander verheiratet sind.«

»Angehörige zweier verfeindeter Nationen?«, wiederholte Amelie und sah Tian verständnislos an.

»Meine Mutter ist Japanerin.«

»Das … das habe ich nicht gewusst. Das hast du mir nie erzählt.«

»Wir hatten nicht viele Gelegenheiten, um ausführlich miteinander zu sprechen, Ai.«

»Das ist wahr. Also ist die Liebe eines Chinesen zu einer Japanerin in China genauso ungern gesehen wie die einer Deutschen zu einem Chinesen in Tsingtau?«

»Bei vielen Menschen leider ja. China und Japan sind einander nicht gerade grün. Auch wenn man in Tsingtau viele Japaner trifft, im übrigen China wird man nicht so viele auf so engem Raum finden. Mein Vater lernte meine Mutter kennen, als er bei meinem Onkel in Hongkong zu tun hatte. Ihr Vater war ein japanischer Kaufmann, der Geschäfte mit meinem Onkel machte. Meine Eltern verliebten sich sofort ineinander und heirateten schnell, aller Warnungen, auch seitens meines Onkels, zum Trotz. Sie zogen in die Stadt Tsimo, im Hinterland der Kiautschou-Bucht, wo sie ein kleines, aber florierendes Geschäft betrieben. Sie bekamen einen Sohn, dem sie den Himmel wünschten und darum Tian nannten. Alles schien gut zu sein, und ihr Leben gefiel ihnen. Gelegentliche Sticheleien ihrer Nachbarn über die ›japanische Frau‹ ignorierten sie einfach. Dann aber, im Jahr 1894, kam es zum Streit zwischen China und Japan über die Vorherrschaft in Korea, und aus dem Streit wurde schnell ein Krieg. Ein Krieg, den die Japaner gewannen, und das schürte die Abneigung gegenüber meiner Mutter nur noch mehr. Einige aus der Nachbarschaft hatten im Krieg den Sohn, den Bruder oder den Mann verloren, und eines Nachts kamen sie, um sich zu rächen – an meiner Mutter.«

Amelie und Tian standen jetzt auf einer kleinen Lichtung, an deren Rand ein Bach vor sich hin plätscherte. Ein sehr idyllischer Platz, aber dafür schien Tian keine Augen zu haben. Sein Blick war in die Vergangenheit gerichtet, und was er da sah, erfüllte ihn offenbar mit Schaudern. Amelie drängte ihn nicht, wartete aber gespannt, dass er fortfuhr. Es war wohl nichts Gutes, was er berichten würde, aber sie wollte es unbedingt hören, weil sie den Eindruck hatte, das würde einiges erklären.

»Wir schliefen längst alle«, fuhr er schließlich fort. »Ich weiß nicht, was meinen Vater geweckt hat, die Hitze, das Knistern der Flammen oder der Rauch, der uns husten ließ. Das Dach über uns brannte bereits lichterloh, als die aufgeregten Rufe meines Vaters uns weckten. Ich war zu verwirrt, um schnell zu reagieren, ein Kind von fünf Jahren. Hustend und weinend stand ich in dem Rauch und wusste nicht, wie mir geschah. Meine Mutter kam zu mir gelaufen und hob mich hoch, um mich aus dem Haus zu tragen. In dem Augenblick brach ein Teil des Daches über uns zusammen, und wir wurden unter einigen Balken eingequetscht. Mein Vater konnte uns beide befreien, bevor der in Flammen stehende Rest des Daches uns endgültig unter sich begraben konnte. Noch heute tragen meine Mutter und ich die Narben am Körper.«

»Hat euch denn niemand geholfen?«

»Wer? Der eine Teil unserer Nachbarn hatte das Feuer ja selbst entzündet. Der andere wagte nicht, eine Hand für uns zu rühren, aus Angst, selbst unter einem brennenden Dach zu erwachen. Als wir ins Freie traten und hinter uns das Haus einstürzte, standen sie alle da, taten nichts und glotzten nur: der Fleischer, der Barbier, der Fischhändler und der Postbote, aber niemand half. Kurz darauf hatte mein Vater zum ersten Mal seine Herzbeschwerden. Wir zogen von Tsimo weg ans Meer, in das kleine Fischerdorf, das unter den Deutschen zur Handelsstadt Tsingtau aufsteigen sollte. Insofern hat meine Familie deinen Landsleuten einiges zu verdanken, zumindest den wirtschaftlichen Erfolg. Aber der Verlust bleibt.«

»Du meinst den Verlust eures Hauses und des Geschäfts in Tsimo?«

»Das? Nein, das ist nicht wichtig. Man kann neue Häuser bauen und neues Geld verdienen. Wichtig sind nur die Menschen. Wir hatten einen Menschen verloren, bevor er überhaupt ganz zu uns gehörte.« Als Tian Amelies ratlosen Blick sah, fügte er hinzu: »Meine Mutter erwartete ein zweites Kind. In jener Nacht hatte sie eine Fehlgeburt, und danach konnte sie keine Kinder mehr zur Welt bringen.«

Amelie war tief erschüttert, und plötzlich verstand sie alles: das Verhalten Tians und das seines Vaters. Tians Bericht über das lange zurückliegende Ereignis war wie ein Buch, das er vor ihr geöffnet hatte und in dem sie all das, was sie in den letzten Tagen beschäftigt hatte, erklärt fand.

Sie ergriff Tians Hände, hielt sie ganz fest und sagte: »Verzeih mir, Tian. Ich erkenne jetzt, dass dein Vater aus Liebe gehandelt hat, aus Verantwortung und Sorge, wohl auch aus Angst, aber nicht aus niederen Beweggründen. Dasselbe gilt für dich. Die Einzige, die sich für ihre Haltung schämen muss, bin ich.«

»Du, Ai?«

Amelie nickte. »Ich sollte dich gut genug kennen, um zu wissen, dass du nichts Ehrloses tun würdest. Aber im Widerstreit meiner Gefühle habe ich einen Schuldigen für die missliche Lage gesucht, in der ich mich befinde. Und du warst einfach der geeignetste Kandidat für diese Rolle.«

»Du darfst dir keine Vorwürfe machen. Vielleicht hast du nicht alles richtig gemacht, aber ich ganz gewiss auch nicht. Ich hätte mich sofort nach meiner Ankunft in Berlin bei dir melden sollen, aber ich wollte erst etwas erreicht haben, um vor deiner Familie gut dazustehen. Letztlich war das nichts anderes als reine Eitelkeit.«

Er löste sich von ihr, kniete sich neben dem Bach hin und schöpfte mit beiden Händen Wasser heraus. Dann wartete er, bis das Wasser aus seinen Händen herausgelaufen war.

»Hast du das Wasser gesehen, Ai? Es ist im Boden versickert, und niemand kann es zurückholen. Ich kann neues Wasser schöpfen, aber dieses hier ist unwiederbringlich verloren. So ist es mit den Fehlern. Wir können darüber sprechen, aber wir können sie nicht mehr rückgängig machen. Ich kann meine Fehler nicht mehr rückgängig machen, so leid sie mir auch tun. Ich kann dir nur versprechen, dass ich versuchen werde, in Zukunft keine Fehler mehr zu machen, dich nicht zu enttäuschen. Aber ob es mir gelingt, selbst das kann ich nicht versprechen. Und das, Ai, zusammen mit meiner grenzenlosen Liebe zu dir, ist alles, was ich dir anbieten kann.«

Sekunden später lag sie in seinen Armen, und ihre Lippen verschmolzen miteinander zu einem nie enden wollenden Kuss wie im Tempel der Himmelsgöttin. Damals hatten sie zueinander gefunden, jetzt hatten sie sich wiedergefunden, und Amelie schwor sich, alles dafür zu tun, dass sie nie wieder getrennt wurden.

Eng umschlungen lagen sie auf der Lichtung, und alles um sie herum war gleichgültig geworden. Ihr Kleid, das im hohen Gras zerknitterte und verschmutzte – es spielte keine Rolle. Tians Hut landete im Bach und wurde vom Wasser fortgetragen, ohne dass er sich darum scherte. Jeder von ihnen wollte nur eins: bei dem anderen sein, ihn festhalten, ihn spüren.

Irgendwann, als sie nebeneinander im Gras lagen, über das der angenehme Schatten der Bäume fiel, und in den Sommerhimmel hinaufsahen, dachte Amelie an Erich. Hatte sie sich die ganze Zeit über etwas vorgemacht, als sie glaubte, in einem Leben an seiner Seite die Erfüllung finden zu können? Sie empfand wirklich viel für Erich, und hätte sie nicht Tian wiedergetroffen, sie wäre mit Freuden Erichs Frau geworden. Aber Tian brachte etwas in ihr zum Klingen, das Erich auf ewig stumm lassen würde. Tians Seele und die von Amelie schienen im Einklang miteinander zu stehen, auf eine Weise, die sich nicht rational erklären ließ. Sie waren einfach wie füreinander geschaffen.

»Wie zwei Schmetterlinge, die denselben Flügelschlag haben«, kam es leise über ihre Lippen.

Tian sah sie zärtlich an. »Was hast du gesagt, Ai?«

»Ich dachte an uns und an das Bild, das du mir geschenkt hast«, sagte Amelie und erklärte ihm ihren Gedankengang.

»Das ist ein schöner Gedanke. Kennst du die Legende von den beiden Liebenden, die mich zu dem Bild inspiriert hat?«

»Nein, erzähl sie mir bitte!«

Tian setzte sich auf und schloss die Arme um Amelie, die sich mit dem Rücken an seine Brust lehnte, dann begann er zu erzählen: »Es war in China, vor mehr als tausend Jahren. Ein Mädchen aus reichem Haus, Zhu Ying-tai, war sehr klug und wissbegierig. Ihr Vater erlaubte ihr, eine Schule in einer fernen Stadt zu besuchen, auf der damals nur Männer zugelassen waren. Also verkleidete sich Ying-tai als Mann und ging auf die Schule, wo sie sich mit ihrem Mitschüler Liang Shan-po anfreundete. Der verliebte sich in den *Freund* und konnte sich das nicht erklären. Erst als Ying-tai zu ihrem Vater zurückgerufen wurde und Shan-po ihr folgte, kam er hinter das Geheimnis und erkannte, warum er für den Kameraden fühlte wie für ein Mädchen. Aber Ying-tais Vater hatte sie bereits einem reichen Nachbarn versprochen, und Shan-po starb an gebrochenem Herzen. Ying-tai, die für Shan-po ebenso empfand wie er für sie, kam auf ihrer Hochzeitsprozession an seinem Grab vorbei. Ihr Sehnen nach dem toten Geliebten war so groß, dass der Himmel sie erhörte und ein gewaltiges Gewitter schickte. Ein Blitz spaltete das Grab und öffnete es auf diese Weise, und Ying-tai sprang hinein, wobei sie den Tod fand. Schlagartig erstarb das Gewitter, und aus dem Grab flogen zwei wunderschöne Schmetterlinge, die Seelen der beiden Liebenden, um gemeinsam in den Himmel aufzusteigen und sich niemals wieder voneinander zu trennen.«

»Und wenn sie sich küssen«, sagte Amelie, »dann für die Ewigkeit.«

»Für die Ewigkeit«, wiederholte Tian, drehte sie sanft zu sich herum und bedeckte ihr Gesicht mit Küssen.

»Das ist eine sehr traurige und zugleich eine schöne

Geschichte, Tian. Ob es wirklich so ist, dass die Seelen der Menschen als Schmetterlinge weiterleben?«

»Ihr Christen seht das vielleicht anders, aber bei uns glauben das viele Menschen. Nicht nur in China übrigens. Meine Mutter hat mir erzählt, dass auch die Japaner daran glauben.«

»Auf jeden Fall ist es eine sehr tröstliche Vorstellung. Und wenn ich an dein Bild denke, dann glaube ich es auch. Für immer zusammen, so wie du und ich.«

»Wie wir beide, Ai.« Tians Züge nahmen einen ernsten Ausdruck an. »Aber was ist mit deinem Verlobten, mit Erich?«

»Ich werde mit ihm sprechen, sobald ich wieder im Haus meiner Eltern bin, und ihm alles sagen. Ich weiß, ich hätte das schon längst tun sollen. Aber wie du vorhin sagtest, einen begangenen Fehler kann man nicht rückgängig machen.«

»Das ist kein leichter Gang für dich. Möchtest du, dass ich dich begleite?«

»Nein, Tian, das wäre nicht klug. Es wird schon genug Aufregung geben, und ich möchte dich nicht als Blitzableiter missbrauchen.«

»Du meinst, deine Eltern und Erich würden die Schuld auf mich wälzen?«

Amelie nickte. »Du weißt, wie die Menschen sind, wenn es um Fremde geht, um Menschen, die anders sind, anders aussehen, eine andere Nationalität oder Hautfarbe haben. Du hast es als Kind selbst erlebt und, seit wir uns kennen, leider auch in Tsingtau.«

»Ich komme mir vor wie ein Feigling, wenn ich dich allein gehen lasse.«

»Besser ein lebendiger Feigling in hinterster Linie als ein toter Held an vorderster Front.«

»Ist das ein chinesisches Sprichwort oder ein deutsches?«, fragte Tian. »Ich kenne es nicht.«

»Das kannst du auch nicht, ich habe es mir nämlich gerade ausgedacht.«

Amelie lachte, um die ernste Stimmung aufzuheitern, aber eigentlich war ihr gar nicht danach zumute. Sie wusste, dass Tian recht hatte: Ihr stand ein schwerer Gang bevor.

7

Erich blieb seltsam ruhig, als Amelie ihr Geständnis ablegte. So ruhig, dass es ihr fast besorgniserregend erschien. Bis sie erkannte, dass seine Ruhe der vollkommenen Fassungslosigkeit entsprang. Er schien mit allem gerechnet zu haben, aber damit nicht. Amelie versuchte, sich in ihn hineinzuversetzen. Jetzt hatte er sie schon zum zweiten Mal an Tian verloren. Er musste sich fühlen wie jemand, der zweimal vom Blitz getroffen wurde.

Amelies Eltern, Helene und Erich waren schon zurück gewesen, als Amelie nach Hause kam. Sie hatte alle Fragen nach ihrer Abwesenheit und dem desolaten Zustand ihrer Kleidung unterbunden und Erich gebeten, mit ihr unter vier Augen draußen am Ufer zu sprechen. Amelie hatte die Last einfach nicht länger mit sich herumtragen können, und auch für Erich war es so am besten.

Als sie ihm den Brillantring zurückgab, sagte sie: »Es tut mir leid, Erich, sehr leid, und das sind keine leeren Worte.«

Achtlos ließ er den Ring in eine Jackentasche gleiten und sagte: »Ich werde dann meine Sachen packen und mir eine Droschke rufen. Unter den gegebenen Umständen halte ich es für besser, die Gastfreundschaft deiner Familie nicht länger in Anspruch zu nehmen und stattdessen in ein Hotel zu ziehen.«

Seine Miene war wie versteinert, als er sich umdrehte und auf das Haus zuging.

Amelie setzte sich auf einen großen Stein am Ufer. Ihr Kleid war schon so ramponiert, dass das auch nicht mehr schaden konnte. Außerdem war ihr das herzlich egal. Sie konnte jetzt nicht ins Haus gehen. Die frische Luft tat ihr gut. Seltsamerweise fühlte sie sich nach dem Gespräch mit Erich nicht, wie zuvor angenommen, erleichtert. Vielleicht lag es daran, dass er ihr keinerlei Vorwürfe gemacht hatte. Nicht das kleinste Anzeichen von Zorn oder Verletztheit hatte sie an ihm gesehen. Aber gerade dadurch spürte sie seine – stille – Verzweiflung umso deutlicher.

Sie blickte hinaus aufs Wasser und wartete darauf, dass ihre Eltern erschienen, um sie mit den Vorwürfen zu überhäufen, die Erich ihr erspart hatte. Die schönen Träume von »Kindler & Schweiger« oder »Schweiger & Kindler«, plötzlich waren sie ein zweites Mal dahin, zerplatzt wie eine Seifenblase. Das musste für Vater und Mutter ein äußerst herber Schlag sein.

Seltsamerweise war es Helene, die ans Ufer kam und Amelie voller Zorn anstarrte. »Wie konntest du das nur tun? Du hast Erich hintergangen, ihn vorgeführt, ihn aufs Tiefste verletzt! Und das bei allem, was er für dich getan hat! Wie konntest du nur?«

Helenes Stimme bebte, sie zitterte am ganzen Leib, als hätte Amelie ihr und nicht Erich die Verlobung aufgekündigt.

»Ich liebe nun einmal Tian«, sagte Amelie leise und sah wieder aufs Wasser hinaus. »Mehr als Erich.«

»Was hast du für ein Glück, dass Fritz gerade abgereist

ist«, fuhr Helene zornbebend fort. »Ihr beide, Tian und du, ihr wärt eures Lebens nicht mehr froh geworden. Erich kann nicht immer zur Stelle sein, um euch zu helfen. Und nach allem, was du ihm angetan hast, würde er dazu auch kaum Lust haben.«

Amelie drehte sich auf dem Stein um, bis sie Helene gegenübersaß. »Ich verstehe nicht, was du damit sagen willst. Was hat Fritz damit zu tun?«

»Er hat euch doch die Schläger auf den Hals gehetzt, damals in der Nacht, als du nach Tapautau gefahren bist. Hätte ich Erich nicht davon erzählt, wer weiß, was diese Soldaten mit deinem Tian angestellt hätten. Und das ist jetzt der Dank, den Erich erntet!«

»Du hast es ihm erzählt? Wenn das stimmt, warum durfte Erich mir das nicht sagen?«

»Weil ich ihn darum gebeten habe. Du hättest es Vater gesagt oder Streit mit Fritz gesucht. Ich wollte nicht noch mehr Zwistigkeiten in der Familie.«

»Darum also bist du zu Erich gegangen.« In Amelies Kopf passierten die damaligen Ereignisse Revue, aber es wollte ihr nicht gelingen, alles in einen sinnvollen Zusammenhang zu bringen. »Wie konnte Fritz überhaupt von dem Treffen zwischen Tian und mir in der Hai-po-Straße wissen? Und woher wusstest du das alles?«

»Fritz hat dein Telefonat mit Tian belauscht. Wahrscheinlich von einem anderen Anschluss in unserem Geschäft aus, schließlich sind alle Anschlüsse dort unter derselben Nummer zu erreichen. Ob durch Zufall oder absichtlich, weiß ich nicht. Jedenfalls war es ein Zufall, dass ich in der Mittagspause sah, wie er mit diesen Seesoldaten sprach. Sie schienen auf einem Dienstgang zu sein, trugen ein paar schwere Taschen oder Säcke bei sich. Offenbar wollte Fritz nicht, dass man sie zusammen sah, denn er zog sie in eine enge Gasse hinein. Das kam mir reichlich merkwürdig vor. Ich schlich mich nah genug heran und konnte einen Teil des Gesprächs belauschen. Er hat jedem der Männer fünfzig Dollar versprochen, wenn sie Tian eine Lektion erteilen, die er nicht vergisst. So oder ähnlich hat Fritz sich ausgedrückt.«

Amelie durchlebte noch einmal jene schreckliche Nacht, die unglaubliche Brutalität der Matrosen. Wie sie auf Tian einschlugen und auch in Kauf nahmen, dass Amelie verletzt wurde. Dafür sollte Fritz wirklich verantwortlich sein? Zwar hatte sie vor dem Haus von Tians Vater selbst erlebt, wie brutal er sein konnte, aber da hatte er im Zorn gehandelt. Einen Überfall auf Leib und womöglich auch Leben anderer zu bestellen, war etwas völlig anderes.

»Ich kann das nicht glauben«, sagte sie deshalb. »Und ich will es auch nicht glauben. Mein eigener Bruder?« Sie schüttelte heftig den Kopf.

»Warum sollte ich dich anlügen?« Als Amelie darauf keine Antwort wusste, fuhr Helene fort: »Es ist auch egal, ob du mir glaubst. Erich hat euch beiden jedenfalls beigestanden und Tian vielleicht sogar das Leben gerettet, das wirst du wohl kaum bestreiten. Er hat es nicht verdient, wie du ihn behandelst!«

Amelie spürte, dass ihre Schwester nicht nur von Zorn erfüllt war, sondern auch von großer Traurigkeit. Damit einher ging eine Erkenntnis, die ihr vielleicht schon viel eher gekommen wäre, wäre sie nicht nur immer mit ihren eigenen Wünschen, Hoffnungen und Sorgen beschäftigt gewesen.

»Helene, du … du liebst Erich!«

»Und wenn schon. Was ändert das? Erich hatte immer nur Augen für dich und wird immer nur Augen für dich haben.«

»Seit wann bist du in ihn verliebt?«

»Seit jenem ersten Abend im Haus der Schweigers.«

»So lange schon … und du hast nie etwas zu mir gesagt?«

»Erich wollte dich, und du wolltest Erich. Und als du ihn nicht mehr wolltest, hatten sich seine Gefühle für dich nicht geändert. Ich hätte mich im besten Fall nur lächerlich gemacht, im schlimmsten hätte ich die ganze Angelegenheit noch mehr verkompliziert.«

Amelie fühlte sich noch schlechter als nach dem Gespräch mit Erich. Nicht, weil sie zeitweilig in den Mann verliebt gewesen war, den auch Helene liebte, sondern weil sie die Gefühle ihrer Schwester die ganze Zeit über nicht bemerkt hatte. Vielleicht wäre es besser gewesen, Amelie hätte sich bei all ihren Sorgen mehr um Helene gekümmert. Nicht nur besser für Helene, sondern auch für Amelie selbst.

»Ich war so selbstsüchtig, verzeih mir. Ich habe wirklich nichts davon bemerkt. Und ich verstehe auch jetzt nicht, warum du immer unterstützt hast, dass ich mit Erich zusammenkomme. Jedenfalls war das mein Eindruck.«

Helene blickte sie aus großen Augen an, als sei Amelies Unverständnis wiederum für sie vollkommen unverständlich. »Was hätte ich anderes tun sollen? Ich wollte doch nur, dass Erich glücklich ist.«

»Und dafür hättest du mit angesehen, wie er eine andere Frau heiratet, deine eigene Schwester?«

»Aber, Amelie, du weißt doch, was Liebe ist!«

Sie hörten ein Geräusch, das der Wind zu ihnen herübertrug: Hufgeklapper. Kurz darauf folgte das Wiehern eines Pferdes. Beide wussten, was das bedeutete: die Droschke, mit der Erich wegfahren wollte.

Amelie suchte nach einem Trost für Helene, aber so sehr sie auch überlegte, ihr fiel nichts ein, was nicht wie eine plumpe, völlig aus der Luft gegriffene Aufmunterung geklungen hätte.

Und dann hörten sie auch schon, wie die Droschke wieder davonfuhr – und mit ihr Erich.

Selbst dem Wetter schien die gute Laune vergangen zu sein. Am Himmel über dem Wannsee zogen zusehends dunkle Wolken auf, ein starker Wind bog die Äste der großen Weiden am Ufer, und als Amelie in ihrem Zimmer die nötigsten Dinge zusammenpackte, klatschten bereits fette Regentropfen an die Fensterscheiben.

Ihr Blick fiel auf die Fotografie an der Wand, die Erich ihr geschenkt hatte. Hätte sie ihm das Bild zurückgeben sollen? Zu spät. Mitnehmen wollte sie es auch nicht. Erich und Amelie zusammen, das war endgültig Geschichte. Aber sie stieg auf den Dachboden, wo Tians Bild stand, eingeschlagen in ein dickes Tuch. Sie klemmte es sich unter den Arm, um es mitzunehmen, wenn sie das Haus ihrer Eltern verließ.

Als sie in ihr Zimmer zurückkam, warteten dort Vater und Mutter auf sie. Schon ihren Mienen konnte Amelie entnehmen, dass es kein angenehmes Gespräch werden würde, aber das hatte sie auch nicht erwartet. Immerhin hatte sie geglaubt, dass sie wenigstens zu Wort kommen würde, um ihre Sicht der Dinge darzulegen. Doch davon konnte keine Rede sein, ihre Eltern überschütteten sie abwechselnd mit ihren Vorwürfen, bezeichneten sie als undankbar, gewissenlos, schamlos, nicht bei Trost und vieles andere mehr. Als ihr klar wurde, dass Vater und Mutter sie nicht anhören würden, weil sie es gar nicht wollten, wandte sie ihnen den Rücken zu und packte die letzten Kleinigkeiten in die große Reisetasche.

»Was tust du da?«, fragte Mutter irritiert.

»Wonach sieht es denn aus? Ich packe.«

»Und wo willst du hin?«

»Wohin wohl? Zu Tian.«

»Das ist unmöglich, ihr seid nicht einmal verheiratet!«

»Noch sind wir das nicht, aber wir haben vor, das bald zu ändern. Natürlich wird es keine große Feier geben. Trotzdem hätte ich euch gern dabei.«

»Ausgeschlossen!«, brüllte Vater regelrecht. »Wir kommen auf gar keinen Fall zu dieser Trauung. Dazu besteht auch kein Anlass, weil es keine Hochzeit geben wird. Ich verbiete dir, Tian zu heiraten!«

»Das kannst du nicht«, sagte Amelie ganz ruhig. Ihr war nicht nach Herumbrüllen zumute, und das gegenseitige Anschreien erschien ihr wenig hilfreich.

»Ich bin dein Vater, und du hast mir zu gehorchen!«

»Hast du vergessen, dass ich vor ein paar Wochen vierundzwanzig geworden bin? Ich kann jetzt heiraten, wen ich will, ganz ohne deine Zustimmung.«

Für einen Augenblick schien Vater zu wanken, als habe ihn ein schwerer Schlag getroffen. Er hielt sich am Türrahmen fest und sagte mit harter Stimme: »Du wirst das Haus nicht verlassen, Amelie, und wenn ich dich mit Gewalt festhalten muss!«

»Mit Gewalt?« Amelie dachte an das, was Helene ihr vorhin über Fritz erzählt hatte. »Das scheint in dieser Familie ja ein beliebtes Mittel zu sein.«

Vater zog die ohnehin dichten Brauen eng zusammen. »Wie meinst du das?«

»Ach, nichts«, antwortete Amelie, weil sie Helene nicht in die Sache hineinziehen wollte. »Wie lange willst du mich denn hier festhalten? Bis ich alt und grau bin?«

»Nur, bis du zur Vernunft gekommen bist. Das dauert hoffentlich nicht ewig.«

Amelie blieb weiterhin ruhig. Sie wusste selbst nicht, woher diese Ruhe kam. Vielleicht aus dem Wissen, dass sie im Recht war, und aus der Erkenntnis, dass jedwede Aufgeregtheit ihr nicht weiterhelfen würde.

»Gerade heute bin ich zur Vernunft gekommen«, sagte sie leise, aber bestimmt.

»Heute? Da hast du dich hinter unserem Rücken mit diesem Chinesen getroffen. Du hast uns angelogen, deine Familie und Erich, den Mann, der dich wirklich aufrichtig liebt.«

»Das tut Tian auch.«

»Tian.« Vater sprach den Namen voller Verachtung aus. »Es war ein schwarzer Tag, als ich dich in das Haus seines Vaters mitgenommen habe.«

»Vielleicht für dich, aber nicht für mich«, sagte Amelie, nahm das Bild unter den Arm und ergriff die Tragbügel der Reisetasche. »Meine übrigen Sachen lasse ich später abholen. Lass mich jetzt bitte hinaus, Papa!«

»Du bleibst hier!«

Amelie erschrak, als sie in Vaters Augen sah. Sein Blick flackerte wie im Fieber. Ein Zustand, in dem er plötzlich zu allem fähig erschien. War er Fritz ähnlicher, als sie gedacht hatte? Oder Fritz ihm?

»Wenn du mich nicht gehen lässt, rufe ich die Polizei. Das gibt dann einen hübschen Skandal, auf den sich die Presse stürzen wird.«

»Das ist glatte Erpressung«, empörte sich Vater.

»Und was du tust, ist Freiheitsberaubung.«

Vater wollte etwas erwidern, fand aber in seiner Erregung nicht die richtigen Worte. Seine Lippen bewegten sich, zitterten regelrecht unter der Anspannung, brachten aber kein Wort hervor.

Mutter umfasste sanft seinen linken Arm und zog ihn aus dem Türrahmen. »Lass sie gehen, Heinrich. Es hat doch keinen Sinn. Amelie hat ihre Entscheidung getroffen.«

Tatsächlich trat Vater zur Seite und ließ Amelie auf den Flur hinaus. Als sie zur Treppe ging, hörte sie ihn sagen: »Wenn du jetzt gehst, bist du nicht länger meine Tochter!«

Obwohl sie sich vorgenommen hatte, jeden Gefühlsausbruch zu unterdrücken, schossen bei diesen Worten Tränen in ihre Augen. Für ein paar Sekunden zögerte sie, die Treppe hinunterzugehen, aber dann setzte sie einen Fuß vor den anderen. Unten ging sie zum Telefon und bestellte eine Droschke.

Sie wartete in der offenen Haustür und blickte hinaus in den Regen, der aus einem jetzt vollkommen grauen Himmel niederfiel. Als sie endlich in der Pferdedroschke saß und die Auffahrt hinunterfuhr, fühlte sie sich erleichtert, und sie widerstand der Versuchung, sich noch einmal umzusehen.

8

Trotz des heftigen Regens stand Tian vor dem Haus in der Salzbrunner Straße und wartete auf Amelie, wer weiß wie lange schon. Seine Wohnung lag in einem Hinterhof und hatte einen separaten Eingang, was ihn der Verlegenheit enthob, seinem Vermieter den Damenbesuch zu erklären. Die Wohnung, bestehend aus Wohnraum, Schlafzimmer, Küche und kleinem Bad, war geräumig, aber dunkel, was auch an dem schlechten Wetter liegen konnte.

Beide waren durchnässt, als sie endlich in der Wohnung waren. Tian, der keinen Hut trug, schüttelte sich wie ein nasser Pudel, und das Wasser spritzte aus seinem schwarzen Haar.

»Zum Glück musst du jetzt nicht deinen Zopf auswringen«, amüsierte sich Amelie. »Wo hast du den eigentlich gelassen?«

»In Hongkong, bei einem Barbier am Hafen, kurz vor meiner Abreise. Der Zopf ist eigentlich ein überkommener Brauch, den die Eroberer aus der Mandschurei meinem Volk vor zweihundertfünfzig Jahren aufzwangen. Da mein Vater und mein Onkel diesen Brauch pflegten, tat ich es ihnen gleich. Aber ich fand den Zopf immer lästig und sah in ihm das, was er einst war: ein Symbol der Unterdrückung.«

»Hoffentlich hast du dir das gut überlegt, so schnell wächst der nicht nach.«

»Ich will keinen neuen haben. Sollte ich es mir anders überlegen, werde ich mir halt einen kaufen.«

»Wie geht das denn?«

»Ich spreche von einem falschen Zopf aus schwarzer Seide. Viele meiner Landsleute schneiden ihren Zopf ab, wenn sie ins Ausland gehen, und legen sich einen falschen zu, wenn sie heimkehren. Genug geplaudert, Ai. Du musst sofort deine Kleider wechseln.«

»Gleich«, erwiderte Amelie und wickelte zunächst das Bild aus, das sie mitgenommen hatte. »Zum Glück hat das Tuch den Regen abgehalten. Wir sollten es hier aufhängen, schließlich ist es *unser* Bild.«

»Das werden wir«, sagte Tian nach einem Blick auf sein eigenes Werk. »Aber jetzt raus aus den nassen Kleidern, abtrocknen und rein in die trockenen Kleider!«

»Zu Befehl, Herr General!«, lachte sie und begann sich auszuziehen.

Tians Anwesenheit störte sie dabei nicht. Für sie war er ihr Mann, auch ohne Trauschein. Und sie hatte auch nichts dagegen, dass sie nicht dazu kam, trockene Kleider anzuziehen. Als sie sich entkleidet und trocken gerieben hatte, trat Tian von hinten an sie heran und schlang seine Arme um ihren Leib. Sie spürte seinen Körper an ihrem. Auch Tian war nackt.

Ein Kribbeln durchlief Amelie vom Kopf bis zu den Füßen und wieder zurück. Sie erschauerte unter seiner Berührung, nach der sie sich so gesehnt hatte. In sich spürte sie die Leidenschaft und gleichzeitig die Geborgenheit, wie sie nur mit wahrer, tiefer Liebe einhergingen. Sie hatte gar keine Erfahrung, um das zu beurteilen – sie wusste es einfach.

Tian drückte sanft seine Wange an ihre und sagte: »Du bist wunderschön, Ai. Ich könnte dich niemals malen, weil ich fürchten müsste, deiner Schönheit nicht gerecht zu werden.«

»Im Augenblick ist mir auch nicht danach, dir Modell zu stehen.«

»Und wonach ist dir?«

»Weißt du das wirklich nicht?«

Tians Antwort bestand darin, dass er sie mit seinen kräftigen Armen hochhob und ins Schlafzimmer trug. Dort legte er sie so sanft aufs Bett, als sei sie ein Schmetterling.

Als Tian und Amelie sich gut zwei Wochen später auf dem Königlich-Preußischen Standesamt das Jawort gaben, erschien niemand von Amelies Angehörigen, aber sie hatte nichts anderes erwartet. Was für ein Unterschied zu dem Verlobungsempfang am Wannsee, als sich die Gäste förmlich auf die Füße traten. Es waren nur Gäste gewesen, keine Freunde, das stand ihr jetzt umso deutlicher vor Augen.

Eine Handvoll Kollegen Tians aus der chinesischen Gesandtschaft nahm an der Zeremonie teil, von denen zwei als Trauzeugen auftraten. Nach der Trauung feierten sie in diesem kleinen Kreis Unter den Linden, im Café Bauer. Der Champagner floss in Maßen statt in Strömen, und es wurde auch nicht getanzt, aber für Amelie war es eine viel schönere Feier als der Verlobungsempfang unter lauter fremden Bank- und Generaldirektoren.

Aus den Augenwinkeln nahm sie eine junge Frau wahr, die zögernd auf ihren Ecktisch zutrat.

»Helene!«, rief sie freudig auf, erhob sich und ging ihrer

Schwester entgegen. »Dass du gekommen bist, freut mich sehr!«

Sie umarmte Helene, die etwas steif wirkte.

»Ich gratuliere dir und Tian zur Vermählung«, sagte Helene. »Es tut mir leid, dass ich die Trauung verpasst habe, aber Mama und Papa wollten nicht, dass ich zu deiner Hochzeit gehe. Schließlich habe ich deine Methode angewandt und mich einfach davongestohlen.«

»Dann gibt es aber ein Donnerwetter, wenn du heimkommst.«

»Ach, was soll's. Ist jedenfalls mal eine Abwechslung. Seit du weg bist, ist es irgendwie langweilig geworden.«

»Wie geht es unseren Eltern?«

»Sauer sind sie, immer noch. Papa hat gestern wörtlich gesagt, er habe die Schnauze voll von Berlin. Er will wohl bald zurück nach Tsingtau. Fritz hat er ein Telegramm vorausgeschickt, das unser Bruder wohl in Genua vorgefunden haben wird, bevor er aufs Schiff ging. Und bei Erich war Papa auch. Erich hat sich im Hotel Bristol eingemietet und markiert da wohl den Dicken Maxe. Papa sagte, so habe er Erich noch nie erlebt. Er sei sturzbetrunken gewesen, kaum ansprechbar, und habe auf seinem Zimmer ...«

»Was?«, hakte Amelie nach, als ihre Schwester sich auf die Lippe biss.

»Na ja, Papa sagte, auf Erichs Zimmer sei eine Frau gewesen.«

»Und?«

»Bei der habe man schon auf zehn Kilometer gegen den Wind gerochen, dass sie eine Dame von zweifelhaftem Ruf sei. Sagt Papa.«

Helene sah sehr betrübt aus, als sie das erzählte. Sie tat

Amelie leid. Erich schien offenbar jede andere Frau der vorzuziehen, die ihn von Herzen liebte. Dabei sah Helene sehr hübsch aus und hatte eine gute Figur. Vielleicht war es ihr ernstes Wesen, das Erich nicht auf die Idee hatte kommen lassen, sie könnte die Richtige für ihn sein.

»Setz dich doch zu uns«, sagte Amelie und hoffte, die kleine, aber gesellige Runde würde Helene ein bisschen aufmuntern.

Ihre Schwester schüttelte den Kopf. »Sei mir nicht böse, Amelie, aber ich glaube, mir steht nach Hochzeitsfeiern einfach nicht der Sinn. Bevor ich gehe, möchte ich dir das geben. Statt eines Hochzeitsgeschenks. Ich denke nicht, dass du das absichtlich zurückgelassen hast. Es schien dir immer viel zu bedeuten.«

Sie zog eine Kette mit einem grünen Anhänger aus ihrer Handtasche. Es war der Affe aus Jade, den Vater Amelie bei ihrer Ankunft in Tsingtau geschenkt hatte.

»Der Affe!«, Amelie freute sich aufrichtig. »Das ist besser als jedes Hochzeitsgeschenk. Ich habe ihn schon vermisst. Danke.« Sie umarmte ihre Schwester und küsste sie auf die Wange. »Dich vermisse ich auch, viel mehr noch als den Anhänger, Helene!«

Die Hochzeitsfeier endete am Nachmittag. Amelie und Tian genossen das sonnige, aber nicht zu heiße Wetter bei einem Bummel Unter den Linden. Ihren Hunger stillten sie mit einem feudalen Mal im Carlton.

»Da muss ich dir aber das Haushaltsgeld kürzen, wenn wir öfter in solchen Häusern dinieren«, scherzte Tian, als der Kellner die Krabbensuppe servierte. »Oder ich muss um eine Gehaltserhöhung bitten.«

»Nicht nötig«, sagte Amelie und eröffnete ihm, dass sie ab Oktober eine Anstellung als Verkäuferin bei Wertheim in der Leipziger Straße habe.

»Du hast mir gar nicht erzählt, dass du dich beworben hast.«

»Eine Überraschung zur Hochzeit. Außerdem habe ich die Zusage erst gestern erhalten.«

»Wertheims Kaufhaus ist ein wahrer Prunkbau. Wenn du dementsprechend entlohnt wirst, können wir uns diesen Tisch ja permanent reservieren lassen.« Er aß genüsslich einen Löffel Suppe und fügte dann augenzwinkernd hinzu: »Auf deine Kosten natürlich.«

Sie waren kaum in die Salzbrunner Straße zurückgekehrt, als die Türglocke anschlug. Sie läutete in einem fort, als halte sich jemand daran fest.

»Wahrscheinlich ein sehr eiliges Glückwunschtelegramm zu unserer Vermählung«, sagte Tian und ging, um die Wohnungstür zu öffnen.

Aber es war kein Telegrammbote. Der hätte nicht ohne jede Begrüßung und mit überlauter Stimme gefragt: »Wo ist Amelie?«

Überrascht stand Amelie von dem kleinen Diwan auf und ging in Richtung Tür. Auf halbem Weg kam ihr Erich entgegen, der sich einfach an Tian vorbeigedrängt hatte. Er trug einen dunklen Abendanzug, der etwas zerknittert aussah. Seine ganze Erscheinung machte einen eher ungepflegten Eindruck, und Erichs nach Alkohol riechender Atem bestätigte, was sein glasiger Blick schon vermuten ließ. Er hatte eindeutig zu viel getrunken. Amelie dachte daran, was Helene ihr heute über Erich erzählt hatte.

»Ah, da bist du ja«, sagte er mit schwerer Zunge und blieb vor Amelie stehen, um sich ungelenk vor ihr zu verneigen und seinen Zylinderhut zu ziehen. »Ich möchte es mir nicht nehmen lassen, Ihnen zu Ihrer frischen Vermählung zu gratulieren, Frau Liu«, sagte er ebenso förmlich wie schwerfällig. Als er den Hut wieder aufsetzte, fuhr er fort: »Ich hoffe, du bist jetzt glücklich.«

»Und ich hoffe, du meinst das ehrlich«, erwiderte Amelie.

»Bleibt mir ja wohl nichts anderes übrig«, lallte Erich und sah sich in der Wohnung um. »Ich empfehle dann größere Räumlichkeiten, sollte sich der Nachwuchs einstellen.«

»Sicher doch, Erich, wir werden beizeiten daran denken.«

»An den Nachwuchs oder die Räumlichkeiten?«

»Lass dich überraschen. Und jetzt ist es wohl besser, du gehst wieder und schläfst deinen Rausch aus.«

Er machte keine Anstalten zu gehen, sondern sagte: »Jeder hat halt einen anderen Rausch. Ich den hier und du den der Liebe.« Er sah zu Tian, der abwartend hinter ihm stand. »Was auch immer du an deinem Chinesen finden magst.«

»Das alles aufzuzählen, würde sehr lange dauern«, sagte Amelie. »Zum Beispiel betrinkt er sich nicht, stattdessen malt er wunderschöne Bilder.« Sie blickte bei diesen Worten zu dem *Kuss der Schmetterlinge*, der die Wand hinter dem Diwan zierte.

Mit einer Entschlossenheit und Schnelligkeit, die angesichts seines betrunkenen Zustands überraschte, ging Erich zur Wand, nahm das Bild herunter und begann, es in Fetzen zu reißen. Als Amelie und Tian bei ihm waren, war das Gemälde bereits zerstört.

»Nicht besonders haltbar«, urteilte Erich.

»Das reicht!«, sagte Tian, packte Erich an Kragen und Hosenbund und schob ihn zur Tür.

Obwohl Erich größer und muskulöser war als Tian, setzte er sich nicht zur Wehr. Wahrscheinlich konnte sein umnebelter Verstand gar nicht so schnell verarbeiten, was gerade mit ihm geschah. Tian beförderte ihn mit einem so heftigen Stoß durch die Tür nach draußen, dass Erich stolperte und auf dem Boden landete.

»Ich bin Ihnen zu Dank für Ihr Eingreifen in Tapautau verpflichtet, Herr Schweiger«, sagte Tian. »Deshalb werde ich diesen Auftritt vergessen. Noch einmal werde ich allerdings nicht so rücksichtsvoll sein.«

Tian schob die Tür zu und verschloss sie. Dann trat er zu Amelie, die den Tränen nah war und das zerfetzte Bild anstarrte. Er legte tröstend die Arme um sie und zog sie zu sich heran.

»Ich werde es neu malen, Ai. Das wird mein Hochzeitsgeschenk für dich sein. Es wird noch besser werden als das alte Bild, denn dank dir kann ich jetzt aus ganzem Herzen empfinden, was Liebe ist.«

Draußen hörten sie eine schrille Frauenstimme: »Erich, was haben sie dir angetan?«

»Ich glaube, der Chinese hat mich rausgeworfen«, antwortete Erich. »Dabei wollte ich doch nur Amelie zur Hochzeit gratulieren.«

»Ach, die!«, keifte die Frau. »Denk doch nicht mehr an die! Die ist doch auch bloß eine Chinesin!«

Amelie versuchte in den folgenden Wochen, Erichs Auftritt zu vergessen, aber es wollte ihr nicht ganz gelingen. Sie machte ihm keine Vorwürfe, eher sich selbst. Wenn Erich sich dem Alkohol hingab und den »Dicken Maxe«, wie Helene gesagt hatte, markierte, dann war das wohl seine Art, mit der Enttäuschung umzugehen, die Amelie ihm bereitet hatte. Aber sie glaubte ihn gut genug zu kennen, um zu wissen, dass dieses Verhalten nicht seinem wahren Charakter entsprach. Kurz hegte sie den Gedanken, ihn im Bristol zu einem klärenden Gespräch aufzusuchen, aber sie unterließ das aus Angst, noch mehr Öl ins Feuer zu gießen. Sobald er nach Tsingtau zurückgekehrt war, würde er hoffentlich wieder zu sich selbst finden.

Erichs unschöner Besuch schien eine Art böses Vorzeichen gewesen zu sein. Immer öfter bemerkte Amelie auf der Straße und auch an ihrem Arbeitsplatz bei Wertheim neugierige Blicke. Hinter ihrem Rücken wurde getuschelt, und die Kinder in der Nachbarschaft riefen ihr »Chinesin, Chinesin« nach oder bedachten sie mit Spottversen wie jenem, in dem sich »Chinesen« auf »Besen« reimen sollte. Sie bemühte sich tapfer, das zu überhören, aber mit der Zeit nagte es doch an ihrer Gemütsverfassung.

Trotzdem bereute sie keine Sekunde, dass sie Tians Frau geworden war. Wenn sie zusammen waren, war alles andere vergessen, und jede Stunde an seiner Seite war eine glückliche Stunde. Besonders erfreut war sie, als er ihr das neu geschaffene Gemälde *Der Kuss der Schmetterlinge* präsentierte. Tian behielt recht: Es war noch schöner, noch ergreifender als das von Erich zerstörte Bild.

Tian war immer guter Laune. Umso mehr fiel ihr sein betrübter Blick auf, als sie an einem Februarabend im Jahr 1911 heimkehrte. Und dann sah sie den Brief, der auf dem Wohnzimmertisch lag. Er musste der Auslöser von Tians Bedrücktheit sein, erkannte sie, auch wenn sie ihn nicht lesen konnte, denn er bestand aus chinesischen Schriftzeichen.

»Schlechte Nachrichten?«, fragte sie nur.

»Ein Brief von meiner Mutter, den sie ohne Wissen meines Vaters geschrieben hat. Es geht ihm sehr schlecht, und er kann sich nicht mehr richtig ums Geschäft kümmern. Aber sein Stolz verbietet es ihm, mich um Hilfe zu bitten.«

»Weil du damals gegen seinen Willen gehandelt hast, als du Hongkong verlassen hast?«

Tian nickte und stieß einen schweren Seufzer aus. »Meine Mutter schreibt, dass sie befürchtet, mein Vater wird sich nicht mehr erholen.«

»Eltern können manchmal starrköpfig sein«, sagte Amelie. »Du könntest das Geschäft deines Vaters doch gut leiten, oder?«

»Das könnte ich, wenn er mich ließe.«

»Wenn es ihm wirklich so schlecht geht, wird ihm kaum eine Wahl bleiben.«

»Von Berlin aus wird das nicht gehen.«

»Aber von Tsingtau aus«, sagte Amelie und holte Bleistift und Schreibblock aus einer Schublade der Nussbaumkommode, die neben dem Diwan stand.

»Was tust du?«

»Eine Liste anfertigen, damit wir morgen nichts vergessen. Schließlich gibt es einiges zu erledigen. Du musst in der Gesandtschaft kündigen, ich bei Wertheim. Die Wohnung muss gekündigt und der Hausrat zum Verkauf angeboten werden, eventuell in Kommission. Und dann gilt es natürlich, eine möglichst schnelle Reiseverbindung nach Tsingtau zu finden.«

Tian nahm Amelies Gesicht in seine Hände, und in seinem Blick lagen Freude, Hoffnung, Zärtlichkeit und Liebe. »Würdest du denn in Tsingtau leben wollen, Ai?«

»Lieber als in Berlin«, sagte Amelie und küsste ihn. »Du weißt doch, ich bin auch bloß eine Chinesin!«

Dritter Teil:

Heimkehr nach Tsingtau

I

Donnerstag, 9. März 1911.

Die ganze Zeit über hatten dichte Wolken über dem Gelben Meer gehangen, aber als die Kiautschou-Bucht am Horizont auftauchte, riss der Himmel auf. Trotz des schweren Seegangs, gegen den sich der Dampfer tapfer anstemmte, standen Amelie und Tian an der Reling. Beide konnten es nicht erwarten, endlich an Land zu gehen. Tian wurde von der drängenden Sorge um seinen Vater getrieben. Auch Amelie machte sich viele Gedanken um Liu Cheng, aber sie freute sich auch einfach darauf, endlich wieder in Tsingtau zu sein. Zwar hatte sie nur einige Monate hier gelebt, aber die rührige Stadt an der Küste Ostchinas war ihr ans Herz gewachsen. Bislang war es nur ihre zweite Heimat gewesen, jetzt aber, wo sie Tians Frau war, sollte es ihre richtige Heimat werden.

Während der ganzen Reise hatte sie sich von Tian fleißig in seiner Muttersprache unterrichten lassen, damit sie sich wenigstens einigermaßen verständigen konnte. Schon in Berlin hatten sie damit angefangen, weil Amelie gern die Sprache ihres Mannes beherrschen wollte. Und sie hatte vor, ihr Studium des Chinesischen in Tsingtau fortzusetzen. Für Amelie war es eine Selbstverständlichkeit, die Sprache des Landes zu lernen, in dem sie fortan leben wollte. Wohl die wenigsten Weißen in Tsingtau sprachen Chinesisch, aber sie lebten auch unter sich. Amelie würde vorwiegend unter Einheimischen leben. Sie hätte es als arrogant empfunden, nicht deren Sprache zu lernen. Außerdem wollte sie sich verständlich machen können und verstehen, was um sie herum vorging.

Siebzehn Tage zuvor waren sie aus Berlin abgereist. Sie hatten sich für die Eisenbahn entschieden. Das war zwar bedeutend unbequemer als eine Schiffsreise, aber dafür auch bedeutend schneller. Der erste Teil der Reise von Berlin über Warschau bis Moskau war noch der angenehmste und der am schnellsten zu bewältigende gewesen; nur zwei Tage hatten sie für die zweitausend Kilometer benötigt. Dann war es schon weitaus weniger bequem weitergegangen, und sie hatten fast zwei Wochen für die achteinhalbtausend Kilometer bis zur chinesischen Hafenstadt Dalny benötigt. Je weiter sie nach Osten kamen, desto schlechter wurde das Schienennetz und desto langsamer rumpelte der Zug voran. Von Dalny waren sie mit dem Dampfschiff nach Tschifu gefahren, das kürzeste Stück der Reise in knapp zehn Stunden, und dort hatten sie vor weniger als vierundzwanzig Stunden den Dampfer bestiegen, der sie jetzt nach Tsingtau brachte. Die Reise war noch lang genug gewesen, dass Tian vor Sorge um seinen Vater es wohl kaum ausgehalten hätte, wäre er nicht so stark mit dem Sprachunterricht für Amelie beschäftigt gewesen.

»Die Sonne scheint über der Kiautschou-Bucht«, sagte Amelie und deutete voraus. »Das ist bestimmt ein gutes Omen, Liebster. Bald haben wir es geschafft!«

Er drückte fest ihre Hand und lächelte, obschon ihm wohl kaum danach zumute war. »Danke, Ai. Für alles.«

»Ich habe doch nichts getan außer in Eisenbahnabteilen und Schiffskabinen herumzusitzen.«

»Eine winzige Kleinigkeit hast du zu erwähnen vergessen: Du hast dein Leben für mich aufgegeben.«

»Nein, Tian, das stimmt nicht. Mein Leben bist du.«

Als sie im Großen Hafen an Land gingen, war es für Amelie, als wäre sie niemals fort gewesen. Sie fühlte eine große Vertrautheit mit dieser Stadt und ihren Menschen. Das galt besonders für die Chinesen, die ihr einst, vor ihrem ersten Aufenthalt in Tsingtau, so exotisch erschienen waren. Jetzt war ihr, als sei sie mit ihnen durch ein unsichtbares Band verbunden. Und so war es auch: Das Band war ihre Liebe zu Tian.

Nachdem die Einreiseformalitäten erledigt waren, fuhren sie mit zwei Rikschas in die Schantungstraße. Ihr Gepäck, das ohnehin nicht groß war, sollte später nachgebracht werden. Je näher die Rikschakulis ihrem Ziel kamen, desto aufgeregter wurde Amelie. Zum einen wuchs ihre Sorge um Tians Vater, zum anderen beschäftigte sie die Frage, wie sie von Tians Eltern aufgenommen werden würde. Tian hatte seine Mutter als sehr liebenswürdig geschildert, aber würde sie auch liebenswürdig zu Amelie sein?

Nach ihrer Hochzeit hatte Tian seinen Eltern einen langen Brief geschrieben und ihnen alles ausführlich dargelegt. Ein Antwortbrief seines Vaters, den Tian ihr vorgelesen hatte, hatte in Amelies Ohren eher geschäftsmäßig geklungen, auch wenn Liu Cheng ihnen darin gratuliert und ihnen alles Gute für die Zukunft gewünscht hatte.

Vor dem Haus fegte einmal mehr der Boy, offenbar eine seiner Lieblingstätigkeiten. Er war ein Stück gewachsen. Als er Tian erblickte, erstarrte er und riss die Augen weit auf.

Statt einer Begrüßung fragte Tian, kaum war er der Rikscha entstiegen: »Jian, wie geht es meinem Vater?«

»Er ist sehr krank, schon seit langer Zeit. Aber er wird sich freuen, wenn er seinen Sohn sieht. Das wird eine schöne Überraschung für ihn sein.«

»Überraschung? Aber ich habe doch aus Berlin ein Telegramm gesandt, dass wir kommen.«

»Das ist hier nicht angekommen.«

Tian stieß einen Fluch aus, bevor er die Rikschakulis bezahlte und mit Amelie ins Haus ging. Dort trafen sie auf eine Frau, in der Amelie sofort Tians Mutter erkannte, obwohl sie sich zum ersten Mal sahen. Sie war noch immer eine sehr schöne Frau, die eine große, natürliche Würde ausstrahlte. Amelie sah gleich, woher Tian sein gutes Aussehen hatte.

Mutter und Sohn begrüßten sich innig, dann verschwand Tian im hinteren Teil des Hauses, um seinen Vater zu sehen. Amelie ging langsam auf die Hausherrin zu und kramte all ihr Chinesisch zusammen, um sie in der Landessprache zu begrüßen. Leider geriet sie dabei ins Stottern, was wohl an ihrer Aufregung lag.

»Lass mal gut sein, meine Tochter«, sagte Tians Mutter im besten Deutsch. »Du musst dich nicht genieren. Ich wäre auch aufgeregt, würde ich zum ersten Mal meiner Schwiegermutter unter die Augen treten. Zum Glück habe ich das lange hinter mir.«

Sie trat auf Amelie zu und nahm sie fest in die Arme.

»Sie sprechen perfekt Deutsch!«, staunte Amelie und fügte in Gedanken hinzu: weitaus besser als Tians Vater.

»Ich hatte lange Zeit, es zu lernen, und Tian war ein guter Lehrer. Auch auf meinen Wunsch hin hat er die besten deutschen Schulen besucht, die es in Tsingtau für Chinesen gibt. In dieser Stadt herrschen die Deutschen, und es ist immer gut, die Sprache derer zu sprechen, die über Wohl und Wehe bestimmen. Deshalb hat mein Sohn mir nach der Schule immer beigebracht, was er gerade gelernt hatte. Es war für uns beide eine gute Übung. Und da es nun auch die Sprache meiner Schwiegertochter ist, macht es sich doppelt bezahlt.« Sie betrachtete Amelie eingehend. »Jetzt verstehe ich meinen Sohn noch besser. Ich dachte erst, er übertreibt, als er dich in seinem Brief die schönste Blume im Garten aller Blumen nannte.«

»Da hat er aber ganz sicher übertrieben«, sagte Amelie errötend.

»Das finde ich nicht, Ai.« Die Japanerin stockte kurz. »Falls ich dich so nennen darf. Tian hat dich Ai genannt, und inzwischen ist mir der Name schon vertraut. Er kommt übrigens nicht nur in China vor, sondern auch in Japan.«

»Ai ist ein schöner Name, und ich freue mich, wenn Sie mich so nennen.«

Tians Mutter nickte. »Eine Mutter hast du eigentlich schon, und ›Schwiegermutter‹ klingt so umständlich. Vielleicht magst du mich einfach Emi nennen?«

»Ist das Ihr Name?«

»Ja.«

»Welche Bedeutung hat er?«

»So kurz er ist, hat er doch in meiner Muttersprache gleich mehrere Bedeutungen: Zuneigung, Güte und Schönheit.«

»Sie könnten keinen besseren Namen tragen, Emi«, sagte Amelie, deren Unsicherheit wie weggeblasen war, seit Tians Mutter zu ihr gesprochen hatte. Selten hatte sie einen so gütigen Menschen getroffen.

»Ich würde mich freuen, wenn du mich einfach duzt, Ai.«

»Gern«, sagte Amelie, der die Japanerin bereits sehr vertraut erschien. »Also *du* könntest keinen besseren Namen tragen, Emi.«

»Und du kein besseres Kompliment machen, Ai. Ich freue mich sehr über euren Besuch und hoffe, ihr könnt recht lange bleiben.«

»Tians Telegramm ist leider nicht angekommen. Sonst würdest du unsere Pläne kennen. Wenn es dir und deinem Mann recht ist, möchten wir gern für immer bleiben.«

»Für immer? Und du glaubst, du könntest hier glücklich werden, Ai? Hier in Tapautau unter ...«

»Unter Chinesen, meinst du? Du lebst doch auch hier. Bist du nicht glücklich gewesen an der Seite deines Mannes, Emi?«

»Mehr als glücklich. Zufrieden. Wir hatten auch schwere Zeiten, Cheng und ich, aber ich hatte ein gutes, erfülltes Leben. Dasselbe wünsche ich dir, meine Tochter!«

Emi nahm Amelie noch einmal in die Arme, und beiden rannen Tränen über das Gesicht.

»Wenn ihr so weitermacht, muss ich die Feuerwehr rufen und das Haus auspumpen lassen«, sagte Tian, der unbemerkt hinter sie getreten war.

Seine Mutter ließ Amelie los und wischte mit einem großen Taschentuch über ihr Gesicht. »Was hat dein Vater gesagt, Tian?«

»Dass wir sofort einen Notar kommen lassen, der die Übertragung der Geschäftsleitung auf mich bestätigt.«

Amelie legte die Hände auf seine Schultern. »Hat er sich denn auch gefreut, dass du hier bist?«

Tian lächelte leicht. »Das war seine Art, der Freude Ausdruck zu verleihen.« Er wurde sofort wieder ernst. »Er ist leider nicht mehr in der Lage, große Worte zu machen. Aber ehe ich's vergesse, er will mit dir sprechen, Ai, sofort und unter vier Augen.«

»Aber wieso?«, fragte Amelie, während das flaue Gefühl der Unsicherheit wieder von ihr Besitz ergriff.

»Das wird er dir schon sagen.« Tian packte sie einfach und zog sie mit sich, wandte sich aber noch einmal zu seiner Mutter um. »Rufst du den Notar?«

Emi nickte. »Ich werde gleich anrufen.«

Amelie musste sich anstrengen, um ihr Erschrecken zu verbergen, als sie an Liu Chengs Krankenbett stand. Zweieinhalb Jahre hatte sie ihn nicht gesehen, aber er schien um fünfzehn oder zwanzig Jahre gealtert. Sein Gesicht war eingefallen und grau, durchzogen von unzähligen Falten. Haupthaar und Zopf waren vollkommen ergraut, als hätten sie sich der ungesunden Farbe des Gesichts anpassen wollen. Als er mühsam eine Hand hob, um sie näher zu sich zu winken, wirkte es wie die dürre Klaue eines Toten.

Er sagte etwas, sprach aber so leise, dass sie sich neben ihm hinkniete, um ihn besser zu verstehen. Seine Stimme klang wie ein Wispern, wie ein ersterbender Wind.

»Willkommen, meine Tochter«, sagte er. »Tian mir erzählt, du gleich zu mir kommen wollen, als hören von Krankheit schwer. Hier jetzt dein Heim, für immer, auch dir gehören. Ich sagen Notar.«

Seine Stimme wurde schwächer. Der Schweiß auf seiner Stirn zeigte Amelie, wie ihn das Sprechen anstrengte. Sie nahm ihr Taschentuch und tupfte die Stirn ihres Schwiegervaters ab. Als sie das Zimmer verließ, sah sie den Anflug eines Lächelns auf seinen angespannten Zügen.

Die wenigen Worte bedeuteten ihr sehr viel, zumal es die letzten Worte waren, die Liu Cheng zu ihr sprach. Nach dem Besuch des Notars schlief er erschöpft ein, und er wachte nicht wieder auf. Auch wenn Tians Telegramm nicht angekommen war, schien es Amelie, als habe Liu Cheng nur auf das Wiedersehen mit seinem Sohn gewartet, um dann, beruhigt und mit allem im Reinen, zu seinen Ahnen zu gehen.

Tian trauerte, gleich seiner Mutter, sehr um seinen Vater und kleidete sich in das traditionelle chinesische Trauergewand aus hellem Sackleinen. Unter der dazugehörigen Kopfbedeckung trug er einen falschen Zopf, um Liu Cheng, für den die Tradition des Zopftragens noch große Bedeutung besessen hatte, zu ehren.

2

Nach Liu Chengs Tod stellten Amelie und Tian fest, dass es der Firma »Liu Cheng – Agentur für Gewürze, Seiden, Porzellan & chinesische Waren aller Art« in letzter Zeit immer schlechter gegangen war. Tians Mutter war zwar helfend eingesprungen, wo sie nur konnte, aber ihr fehlte die Erfahrung im Geschäftsleben. Auch waren die Mitarbeiter durchweg fleißig, aber Liu Cheng hatte es versäumt, zumindest einen von ihnen als seinen Stellvertreter auszubilden und mit entsprechenden Vollmachten auszustatten. Begründet lag das wohl in seiner Hoffnung, dass sein Sohn eines Tages sein Nachfolger werden würde – wie es jetzt auch gekommen war.

»Viel zu schnell«, sagte Tian mehr als einmal.

Er und Amelie schufteten von morgens bis abends, um die Geschäfte wieder anzukurbeln, und hatten damit auch großen Erfolg. Zwei wichtige deutsche Firmen weigerten sich jedoch standhaft, neuerlich in Geschäftsbeziehungen mit der Firma Liu zu treten. Der Grund dafür lag allerdings nicht im Geschäftlichen, sondern rein im Privaten, hießen diese Firmen doch »Kindler Import & Export« und »Schweiger & Sohn«.

Wenn Amelie nicht geschäftlich im deutschen Teil Tsingtaus zu tun hatte, hielt sie sich meistens in Tapautau auf. Auch besuchte sie sonntags nicht den evangelischen

Gottesdienst, um ihre eigene Familie und die Schweigers nicht zu provozieren. Sie war nie besonders gläubig gewesen und vermisste es nicht. So kam es, dass sie ihren Vater zum ersten Mal wiedersah, als sie fast schon ein Vierteljahr wieder in China war.

Sie und Tian hatten einen Gewürzhändler in der Berliner Straße besucht, um neue Verträge mit ihm abzuschließen. Als sie sich verabschiedet hatten und hinaus auf die Straße traten, kam Heinrich Kindler ihnen in einer Rikscha entgegen. Amelie war es zu dumm, zur Seite zu blicken, und sie beschloss, Vater mit ein paar freundlichen Worten zu begrüßen. Der hatte sie auch gesehen, beugte sich vor und rief dem Kuli etwas zu. Der kräftige Chinese begann zu laufen, als nähme er an einem Wettrennen teil, und die Rikscha zog in Windeseile an ihnen vorbei.

»Das war nicht nett von Vater«, seufzte Amelie, als sie der Rikscha hinterhersah.

»Er muss sehr verbittert sein«, sagte Tian. »Hoffentlich kommt er eines Tages darüber hinweg. Mach dir keine Vorwürfe, Ai, du kannst nichts dafür.«

Sie war ihm dankbar für diese Worte, aber natürlich machte sie sich doch Vorwürfe, als sie abends im Bett lag und den Vorfall noch einmal Revue passieren ließ.

Wenige Wochen darauf, als Amelie allein in der Friedrichstraße unterwegs war, kamen ihr Vater und Fritz zu Fuß entgegen. Sobald sie Amelie sahen, wechselten sie die Straßenseite. Amelie hatte ihre Lektion gelernt und ging grußlos an ihnen vorüber.

Einmal sah sie aus weiterer Entfernung Erich, der aus dem Bankhaus Frederking kam und in die ihr entgegengesetzte Richtung ging, ohne sie zu bemerken. Eingedenk der

Erfahrungen mit Vater und Fritz unterließ sie es, nach ihm zu rufen.

Es gab andere Dinge zu regeln, die wichtiger waren als das zerschlagene Porzellan, das sich ganz offensichtlich nicht mehr zusammenkleben ließ. Tians Mutter zog sich immer mehr zurück, was nach dem Tod ihres Mannes nicht unverständlich war. Als sie aber gar nicht mehr aus sich herauskommen wollte, machten Tian und Amelie sich zunehmend Sorgen um sie.

Eines Tages lief Emi mit einem Stift und einer auf Deutsch geschriebenen Liste durchs Haus, und Amelie fragte sie, was sie da aufschreibe.

»Eine Liste für dich, Ai, mit allem, was im Haus tagtäglich zu erledigen ist. Lange war ich die Frau dieses Hauses und habe mich um Haushalt und Einkäufe gekümmert. Aber mein Mann ist tot, und jetzt bist du die Herrin hier, Tochter. Also werde ich diese Pflichten nun an dich weiterreichen.«

»Das Vertrauen ehrt mich, aber ich hatte gehofft, du würdest dich weiterhin als Herrin des Hauses betrachten, Emi.«

»Warum sollte ich? Es ist jetzt dein Platz.«

Amelie bemühte sich um ein verständnisvolles Gesicht und nickte. »Ich verstehe ja, dass es dir allmählich zu viel wird und du die Last gern abgeben möchtest. Eigentlich hatte ich andere Pläne, aber wenn du es wünschst, Emi, übernehme ich natürlich gern deine Pflichten.«

Tians Mutter wirkte leicht verwirrt. »Andere Pläne? Das wusste ich nicht. Mir ist die Arbeit im Haus nicht zu viel. Im Gegenteil, ich erledige sie mit Freude. Ich dachte nur, du würdest es gern selbst tun. Aber wenn du es wünschst, kümmere ich mich weiterhin um dieses Haus.«

»Damit würdest du mir einen großen Gefallen tun, Emi.«

»Das tue ich gern für dich, Ai. Aber was sind das für Pläne, von denen du sprichst?«

»Das verrate ich dir später. Dir und Tian, falls ihr Lust auf einen kleinen Abendspaziergang habt.«

Bei dem Spaziergang führte Amelie die beiden die Schantungstraße entlang bis zu dem Platz, wo diese mit der Paoting-Straße, der Friedrichstraße und dem Hohenloheweg zusammentraf. Hier, am Schnittpunkt zwischen deutscher und chinesischer Stadt, blieb sie vor einem großen Eckhaus stehen, dessen Türen und Fenster vernagelt waren. Ein schief hängendes Schild wies darauf hin, dass es zu verkaufen oder zu vermieten sei. Darunter stand eine Adresse in Tapautau.

»Das Haus steht schon eine Weile leer. Den deutschen Kaufleuten scheint es ein kleines Stück zu weit vom Schuss zu sein, und bei den Chinesen munkelt man, dass es darin spuke. Kurzum, ich habe so lange auf den Eigentümer eingeredet, bis er bereit gewesen ist, mir einen günstigen Mietpreis samt Vorkaufsrecht einzuräumen. Ich habe aber noch nichts abgeschlossen, sondern möchte euch fragen, ob ihr einverstanden seid.«

»Wir haben doch ein Haus«, sagte Tian ein wenig ratlos. »Wozu brauchst du noch eins?«

»Expansion ist der Motor jeden Geschäfts, sagt mein Vater. Als Vater mag er sich nicht mit Ruhm bekleckert haben, aber als Geschäftsmann ist er recht erfolgreich. Ich denke, du hast die Geschäfte deines Vaters jetzt so gut im Griff, dass ich mich auf das konzentrieren kann, worin ich wirklich gut bin.«

»Du bist in vielen Dingen wirklich gut«, sagte Tian mit

einem zweideutigen Lächeln. »Aber was meinst du konkret?«

»Verkaufen. Ich bin gut im Verkaufen. Das habe ich schon festgestellt, als ich im Laden meines Vaters gearbeitet habe, und auch bei Wertheim in Berlin stand ich kurz vor der Beförderung, als ich gekündigt habe. Und das, obwohl ich dort erst wenige Monate tätig war. Ich möchte ein Ladengeschäft eröffnen und versuchen, europäische und chinesische Kundschaft zu gewinnen.«

Sie sah Tian an, dass er anfing, sich für ihre Idee zu begeistern. »Was willst du verkaufen?«, fragte er neugierig.

»Die Dinge, mit denen wir geschäftlich ohnehin zu tun haben. Wir haben die Kontakte, warum sollen wir uns nur aufs Zwischenhandeln beschränken und nicht selbst verkaufen?«

»Das wird von einem Komprador erwartet.«

»Mag sein, Tian, aber ich würde das Geschäft als rechtlich eigenständige Firma führen. Außerdem kommt jetzt erst der Knüller.«

»Knüller?«, fragte Emi. »Was bedeutet das?«

Tian wandte sich an seine Mutter. »Das bedeutet, dass uns Ai jetzt erklären wird, warum wir gar nicht Nein sagen können.«

Emi nickte. »Ja, so etwas dachte ich mir.«

»Ein Schwerpunkt meines Ladens werden Gemälde und Fotografien sein«, fuhr Amelie fort. »Und ich hoffe sehr, dass ein gewisser chinesischer Maler namens Liu Tian mir ein paar seiner berühmten Bilder zur Verfügung stellen wird.«

»Ein paar Bilder meinetwegen«, sagte Tian. »Aber leider sind keine berühmten darunter. Das wird bestimmt kein *Knüller* werden.«

»Ich bin ja noch nicht fertig. Es wird ohnehin einige Zeit dauern, bis das Haus richtig renoviert ist. Also dachte ich mir, wir eröffnen im kommenden Januar zu Kaiser Wilhelms Geburtstag. Wir engagieren eine Blaskapelle, die mit deutscher Marschmusik durch die Straßen zieht und schließlich vor dem Geschäft ein Konzert gibt. Und drinnen machen wir eine große Verkaufsausstellung mit Fotografien und Gemälden des Kaisers. Was sagt ihr?«

Tian lachte, erst leise, dann lauter und schließlich aus vollem Halse. »Du sprichst von der stattlichen Bildersammlung, die Geschenke, die mein Vater im Lauf der Jahre gehortet hat?«

»Ganz genau. Zwei Vorteile hat die Sache. Erstens, der Ankauf der Ware kostet uns auch nicht einen Dollar.«

»Stimmt. Und zweitens?«

»Wir hätten zu Hause ein Zimmer mehr zur Verfügung. Also, seid ihr einverstanden?«

»Ich verstehe nicht viel von diesen Geschäften«, sagte Emi. »Aber ein Zimmer mehr im Haus klingt sehr vernünftig. Ich glaube, Cheng hat all diese Bilder aus reiner Höflichkeit aufbewahrt. Er hat genau Buch geführt, von wem welches Bild stammt, und wenn die betreffende Person bei uns zu Gast war, hat er es vorher aufgehängt.«

»Wie ist es mit dir, Tian, habe ich auch dein Einverständnis?«

»Das hast du«, sagte er und lachte noch immer, bis ihm Tränen in die Augen traten. »Weißt du was, Ai? Das ist nicht nur der Knüller, du bist der Knüller!«

3

Am nächsten Tag suchten Amelie und Tian den Eigentümer des Eckhauses auf, einen reichen Chinesen fortgeschrittenen Alters, dem zahlreiche Grundstücke in Tapautau gehörten. Er hieß Hu Song und residierte in einem prachtvoll eingerichteten Haus in der Kiautschoustraße. Als Amelie vorschlug, die zwischen ihnen getroffene Absprache schriftlich festzuhalten und notariell beglaubigen zu lassen, witterte der alte Fuchs sofort das Geld. Er wollte von seinen früheren Zusagen nichts mehr wissen und forderte stattdessen das Dreifache an Miete.

Empört sagte Amelie: »Aber Sie haben mir den ursprünglichen Mietpreis fest zugesagt, Hu Song!«

Der mit allen Wassern gewaschene Geschäftsmann horchte in sich hinein und machte dann eine Miene, als könne er sich an eine solche Zusage leider nicht erinnern. »Wir uns da wohl missverstanden, Frau Liu. Mein Deutsch nicht ist perfekt, Sie hören. Und Ihr Chinesisch, ich darf sagen, auch nicht.«

»Da gab es nichts misszuverstehen«, sagte Amelie enttäuscht. »Es war eine klare Absprache.«

»Darin eben liegt das Missverständnis«, erklärte Hu Song, und das unerschütterliche Lächeln auf seinem Gesicht wirkte wie eine Maske. »Wir zwar darüber gesprochen, es aber keine Zusage von mir.«

»Das war es ganz sicher, Hu Song«, sagte Tian zu Amelies Überraschung. »Meine Frau ist in Geschäften nicht so erfahren, und ich bitte zu entschuldigen, dass sie Sie missverstanden hat.«

Tian spürte wohl, wie in Amelie Wut aufstieg, und er streichelte, vor den Augen ihres Gastgebers verborgen, beruhigend ihre Hand, als wolle er ihr sagen: ›Sei beruhigt, ich weiß, was ich tue.‹

Hu Song nickte zufrieden. »Sie sind ein Ehrenmann, Liu Tian, ganz wie Ihr Vater, über dessen Tod ich sein sehr betrübt. Um zu unterstreichen meine Wertschätzung, ich gehen herunter mit Mietpreis um zehn Prozent.«

»Sie sind der Großzügigste von allen Geschäftsleuten in Tapautau«, sagte Tian mit einem dankbaren Lächeln, das sich aber von einer Sekunde auf die andere zu einem traurigen Ausdruck wandelte. »Ihrer Großzügigkeit zum Trotz, werter Hu Song, erlauben es unsere Mittel leider nicht, das Haus zu dem von Ihnen genannten Preis anzumieten. Wir werden Sie aber mit dem tiefen Gefühl der Dankbarkeit dafür verlassen, dass Sie alles getan haben, um unseren Wünschen entgegenzukommen.«

Tian erhob sich und zog die überraschte Amelie mit sich. Auch ihr Gegenüber wirkte überrascht, und für eine Sekunde verschwand das Dauerlächeln von seinem Gesicht.

Dann fing er sich wieder und sagte: »Viel zu früh zum Gehen. Wir noch nicht gesprochen über alles. Wem soll ich Haus vermieten dann?«

»Sie werden bald einen Mieter für ein so wunderbares Haus finden, Hu Song«, sagte Tian, der jetzt wieder lächelte. »Das Gerede über den Spuk, der dort herrschen soll, wird dem bestimmt nicht entgegenstehen.«

»Der Spuk, ja.« Hu Song stieß einen Seufzer aus und brachte es tatsächlich fertig, zu lächeln und gleichzeitig betrübt auszusehen. »Das mit dem Spuk nur böses Gerücht, großer Unsinn.«

»Selbstverständlich«, sagte Tian und nickte verständnisvoll.

Hu Song holte tief Luft und warf sich in die Brust. »Ich Entschluss gefasst. Liu Tian und Frau Liu mir sehr sympathisch. Ich vermieten darum Haus zu ursprünglichem Preis.«

»Und wir halten das Vorkaufsrecht vertraglich fest, auch zum ursprünglichen Preis«, sagte Amelie schnell.

»Wie Frau Liu wünscht. Damit sein zufrieden?«

»Sehr zufrieden, Hu Song«, sagte Tian. »Die zehn Prozent werden Sie als ehrenwerter Geschäftsmann ja nicht vergessen haben.«

»Welche zehn Prozent?«

»Sie haben versprochen, als Zeichen Ihrer Wertschätzung zehn Prozent vom Mietpreis abzuziehen.«

»Aber, Liu Tian, das nicht gültig für den niedrigen Mietpreis, nur für höheren.«

Tian setzte ein leicht unwilliges Gesicht auf. »Davon haben Sie nichts gesagt, Hu Song. Außerdem dachte ich, Ihre Wertschätzung für uns, die Sie durch die zehn Prozent Mietnachlass ausdrücken wollen, gilt unabhängig von dem Mietpreis.«

»Das richtig, also gut, zehn Prozent Erlass. Dafür Sie übernehmen Renovierung komplett, so wie besprochen.« Hu Song seufzte erneut. »Sie beide schwierige Verhandlungspartner. Noch mehr Geschäfte mit Ihnen und ich im Armenhaus.«

Tian ließ seinen Blick durch den mit Gold, Silber, Edelsteinen und Jadestatuen geschmückten Raum wandern. »Sie sind ein sehr humorvoller Mann, Hu Song. Außerdem heißt es: Der Weise ernährt sich von Luft, Morgentau und Tofu.«

Hu Song verzog das Gesicht. »Dann beneide ich den Weisen nicht.«

Als sie hinaus auf die Straße traten, sagte Amelie: »Danke für deine Hilfe, Tian, und für die Lektion.«

»Welche Lektion?«

»Wie man mit Geschäftsleuten vom Schlage eines Hu Song umgeht. Am Ende hat er mir fast ein bisschen leidgetan.«

»Das muss er wahrhaftig nicht. In Tapautau sagt man über ihn: Andere baden im Wasser, Hu Song badet in Gold und Silber. Das Spukhaus hätte er kaum an einen Chinesen verkaufen oder vermieten können, er macht also noch ein gutes Geschäft. Jetzt aber ist es an dir, Ai, gute Geschäfte zu machen. Wenn es so läuft wie erhofft und wir von dem Vorkaufsrecht Gebrauch machen, hat sich auch die Renovierung bezahlt gemacht. Das Haus wieder in Schuss zu bringen, ist nämlich kein Papierstab.«

»Kein Pappenstiel«, korrigierte ihn Amelie. »Die Renovierung ist kein Pappenstiel.«

»Dann sind wir ja einer Meinung«, sagte Tian mit einem frechen Grinsen, zog sie an sich und küsste sie.

Amelie stürzte sich mit Feuereifer auf die Renovierung des ›Spukhauses‹, wie sie und Tian es scherzhaft nannten. Ein Grund dafür war, dass sie Spaß daran hatte, etwas Eigenes aufzubauen. Aber sie wollte Tian auch beweisen, dass die

Investition und damit auch sein Vertrauen in sie als Geschäftsfrau gerechtfertigt war. Bei vielen Arbeiten legte sie selbst Hand mit an, und alles wurde genauestens von ihr beobachtet. Ein paar chinesische Arbeiter machten deshalb Witze über sie und nannten sie »die Frau mit den tausend Augen« oder auch »die Frau, die alles sieht«. Sie ahnten nicht, dass Amelie genug Chinesisch sprach, um sie zu verstehen. Amelie war ihnen nicht böse, im Gegenteil, sie nahm es als Kompliment für ihre Gewissenhaftigkeit.

In dieser für sie so geschäftigen Zeit, im Herbst des Jahres 1911, wurde China durch den Aufstand gegen das Kaiserhaus erschüttert. Schon lange gärte es unter gebildeten wie einfachen Chinesen, unter Militärs und Kaufleuten, weil die seit Jahrhunderten herrschende Qing-Dynastie nicht in der Lage schien, Chinas alte Stärke wiederherzustellen. Einst hatte China die umliegenden Länder beherrscht, jetzt wurden seine Geschicke von anderen Nationen bestimmt, von den Europäern, den Amerikanern und den Japanern. Die Niederlage im Boxeraufstand hatte die Schwäche Chinas und damit die des Kaiserhauses endgültig offengelegt. Immer lauter wurde der Ruf nach einer anderen, den Herausforderungen der neuen Zeit gewachsenen Regierung. Der Ausbruch der offenen Revolution im Oktober 1911 war nicht geplant gewesen. In der Stadt Hankou explodierte versehentlich ein Sprengsatz in einem Versteck von Armeeangehörigen, die dem revolutionären Gedankengut anhingen. Um der Strafverfolgung zu entgehen, probten diese Soldaten den Aufstand, und aus dem Feuer wurde ein Flächenbrand, der ganz China erfasste.

Nein, nicht ganz China, denn Tsingtau und das deutsche Pachtgebiet blieben ebenso verschont wie andere ausländische Handelsniederlassungen. Die Anführer der Revolutionäre gaben strikte Anweisung, die Ausländer und ihr Hab und Gut unbehelligt zu lassen. Vielleicht wollten sie es nach den Erfahrungen im Boxeraufstand nicht riskieren, neben den regierungstreuen Streitkräften auch noch ausländische Truppen zum Feind zu haben.

Von dem großen Erfolg der Revolutionäre las Amelie anfangs nur in der Zeitung, denn in Tsingtau nahm alles seinen gewohnten Gang. Dann bemerkte sie einen stetigen Zustrom wohlhabender Chinesen, die sich vor dem Zorn der Revolutionäre nach Tsingtau in Sicherheit brachten: Kaufleute und Regierungsbeamte, hohe Militärs und sogar mehrere Generalgouverneure.

An einem kalten Dezembermorgen, an dem Amelie früh aufgestanden war, um die Arbeiten des vergangenen Tages zu inspizieren, traf sie vor dem ›Spukhaus‹ auf Hu Song, der gerade aus einer Sänfte stieg und sie mit wortreicher Höflichkeit begrüßte.

»Renovierung sehr gut voranschreiten«, stellte er mit Kennerblick fest. »Alles sehr schön geworden. Frau Liu wollen vielleicht Mietvertrag auflösen? Ich bezahle Renovierung und erstatte doppelte Miete, soweit gezahlt.«

»Das ist ein sehr verlockendes Angebot, Hu Song«, sagte Amelie, die den Grund dafür ahnte. »Leider muss ich Ihre Großherzigkeit ablehnen. Vielleicht haben auch Sie schon bemerkt, dass aufgrund der Revolution viele reiche Chinesen nach Häusern in Tsingtau suchen. Die Miet- und Kaufpreise sind rasant angestiegen, und ich könnte es mir kaum leisten, ein anderes Haus anzumieten. Von daher bin ich sehr froh, dass wir noch vor Ausbruch der Revolution einen rechtsgültigen Vertrag geschlossen haben, der auch notariell beglaubigt ist.«

Der Chinese hob den mit funkelnden Edelsteinen verzierten Stock, auf den er sich gestützt hatte, und deutete mit dem Ende auf eine imaginäre Stelle in der Luft. »Das eben sein der Punkt. Niemand ahnen können Revolution. Frage sein, ob Vertrag noch gültig unter diesen Umständen.«

Obwohl sie eigentlich wütend auf Hu Song war, riss sich Amelie zusammen und bedachte ihn mit einem honigsüßen Lächeln. »Einmal mehr schlagen unsere Herzen in Einklang, Hu Song. Auch mir ging dieser Gedanke durch den Kopf, weshalb ich mich erst vor zwei Tagen mit einem Rechtsanwalt darüber beraten habe.«

Hu Song hob seine schlohweißen Brauen kaum merklich an. »So? Was hat gesagt der Anwalt?«

»Er sagte, die Revolution habe die Verhältnisse in China wesentlich verändert.«

»Sehr kluger Anwalt«, fand Hu Song.

»Er sagte aber auch, dass man mit dieser Revolution schon lange habe rechnen müssen und dass es deshalb zweifelhaft sei, mit dieser Begründung eine Rückabwicklung oder Anpassung unseres Vertrages zu verlangen.«

»Hat aber doch seltsame Ansicht, der Anwalt.«

»Vielleicht, Hu Song. Aber ich habe beschlossen, seinem Rat zu folgen und mich nicht auf eine Vertragsänderung einzulassen. Natürlich steht Ihnen der Klageweg offen. Aber so ein Prozess ist sehr kostspielig. Und wie sagte mein Anwalt doch: Vor Gericht und auf hoher See sind wir in Gottes Hand.«

Der Chinese schüttelte unwillig den Kopf. »Geld ausgeben für Anwalt selten gut. Dann meist Anwalt reich und Klient arm. Ich danken Frau Liu für Auskunft. Mir ersparen Geld für Anwalt.«

Sie deutete eine Verneigung an, als er schon wieder in seine Sänfte stieg. »Stets zu Diensten, Hu Song. Mögen unsere Herzen auch zukünftig in Einklang schlagen!«

In Gedanken fügte sie hinzu: ›Und mögen Sie niemals herausfinden, dass ich das ganze Gespräch mit dem Anwalt nur erfunden habe!‹

4

Samstag, 27. Januar 1912.

Ganz Tsingtau feierte, so wie das ganze Deutsche Reich feierte: Kaisers Geburtstag! Girlanden und Fahnen schmückten die Straßen, es gab Konzerte, Umzüge, Chor- und Theateraufführungen, Festtagsreden und jede Menge anderer Festivitäten. Zwar war dieser Feiertag kein arbeitsfreier Tag, aber wer konnte, hatte sich heute freigenommen. Von daher hatte Amelie auf eine große Anzahl Kunden gehofft, doch in dem heute neu eröffneten Laden blieb es leer.

»Nun, sieht ganz so aus, als sei meine Geschäftsidee alles andere als eine Sensation«, sagte sie zu Tian und Emi, die gekommen waren, um ihr dabei zu helfen, den erwarteten Kundenansturm zu bewältigen. »Ich hätte auf Hu Songs Angebot, den Vertrag aufzulösen, eingehen sollen. Dann hätten wir wenigstens mit der Erstattung der doppelten Miete noch einen Gewinn gemacht. Wenn er von dieser Pleite hört, wird er so etwas nicht noch einmal anbieten.«

Tian legte tröstend einen Arm um sie. »Vielleicht ist heute einfach zu viel los. Die Leute wissen gar nicht, wohin sie gehen sollen. Am Montag läuft es bestimmt richtig an.«

»Außerdem ist die Kapelle noch nicht zurück«, gab Emi zu bedenken. »Die Leute müssen ja erst einmal wissen, dass es dieses Geschäft gibt.«

»Ja, sicher«, seufzte Amelie wenig überzeugt, und ihr Blick glitt durch das Ladenlokal.

Der Eingangsbereich im Erdgeschoss wurde von den Kaiser-Wilhelm-Bildern beherrscht. Auch hatte sie Bilder von Tian sowie Gemälde und Skulpturen anderer chinesischer Künstler ausgestellt. Eine kleine, aber feine Abteilung für ausgesuchte Jadearbeiten schloss sich an. Im ersten Stock bot sie Porzellan, Gewürze und Seidenwaren an, und im zweiten Stock befand sich das Lager. Bei dem Gedanken daran, wie viel Geld, Zeit und Mühe sie in die Renovierung, den Ankauf der Waren und die liebevolle Ausstattung des Ladens gesteckt hatte, musste sie sich stark zusammennehmen, um nicht in Tränen auszubrechen.

Musik drang an ihre Ohren und wurde lauter.

»Das hört sich an wie deutsche Marschmusik«, bemerkte Tian.

»Die wird man heute überall in Tsingtau hören«, sagte Amelie. »Das ist, glaube ich, der *Fehrbelliner Reitermarsch*.«

Tian trat vor die Tür. »Was auch immer für ein Reitermarsch, jedenfalls ist es unsere Kapelle. Und wenn ich das richtig sehe, kommt sie nicht allein zurück.«

Jetzt lief auch Amelie nach draußen und sah, dass Tian sich nicht getäuscht hatte. Es war die chinesische Kapelle, die sie engagiert hatte. Die Musiker waren sämtlich an einer deutschen Schule ausgebildet worden, trugen schmucke Phantasieuniformen und spielten jeden Marsch genauso schmissig wie die Militärkapelle des III. Seebataillons. Ein paar junge Chinesen, ebenfalls von ihr bezahlt, begleiteten den Zug und hielten Schilder mit Hinweisen auf die Neueröffnung von *Amelie Liu – Gemälde, Jade, Chinawaren* in die Höhe. Weitere Schilder verkündeten: »Gemälde und Fotografien Seiner Majestät – großes Angebot – nur heute mit zwanzig Prozent Rabatt«.

Eine beachtliche Menschenmenge hatte sich der schwungvoll spielenden Kapelle angeschlossen, die jetzt mit fast militärischer Präzision vor dem Geschäft Aufstellung nahm und *Ein Jäger aus Kurpfalz* spielte. Einige, die das Lied kannten, begannen, den dazugehörigen Text zu singen. Andere stürmten in den Laden, wo Amelie, Tian und Emi bald alle Hände voll zu tun hatten. Die Menschen waren bester Laune und kauffreudig. Besonders die Bilder des deutschen Monarchen verkauften sich, wohl begünstigt durch den Geburtstag, sehr gut. Am Ende des Tages, als Amelie erschöpft, aber glücklich den Laden zuschloss, hatte sich der Bestand an Kaiser-Wilhelm-Bildern deutlich gelichtet.

»Na, nun zufrieden, Ai?«, fragte Tian, der ihr den ganzen Tag über wacker zur Seite gestanden hatte. »Wenn das so weitergeht, musst du dir bald Gedanken über die Anstellung von Verkaufspersonal machen.«

»Vor allen Dingen muss ich mir Gedanken über den Nachschub an Kaiser-Bildern machen. Apropos, du bist doch ein begnadeter Maler!«

Tian trat einen Schritt zurück und hob abwehrend die Hände. »Tut mir leid, meine bescheidene Kunstfertigkeit reicht nicht aus, um diesem wundervollen Bart gerecht zu werden.«

Nach einem stärkenden Abendessen beschlossen Amelie und Tian, zum Kaiser-Wilhelm-Ufer zu fahren, wo es an der Tsingtau-Brücke ein Konzert mit Chorgesang und Feuerwerk geben sollte. Emi wollte nicht mitkommen. Auch sie hatte den ganzen Tag im Laden gestanden und war froh, sich ausruhen zu können. Sie nahmen sich zwei Rikschas, stiegen aber schon ein Stück vor dem Kaiser-Wilhelm-Ufer aus, weil die vielen Menschen auf der Straße ein Durchkommen als Fußgänger leichter erscheinen ließen.

Auffallend viele Chinesen trugen keinen Zopf. Die über Jahrhunderte währende Pflicht für alle männlichen Chinesen war mit dem Ende der Qing-Dynastie hinfällig geworden. Die Revolutionäre waren erfolgreich gewesen und hatten zum Beginn des Jahres die Republik China ausgerufen. Zwar war der letzte Kaiser der Qing-Dynastie, Pu Yi, offiziell noch in Amt und Würden, aber seine Abdankung stand kurz bevor. Wie es aussah, war das chinesische Kaisertum Geschichte. Hatten früher nur wenige Chinesen, hauptsächlich solche im Ausland wie Tian, auf den Zopf verzichtet, weil sie in ihm den Ausdruck einer überkommenen Feudalherrschaft sahen, war es auf einmal große Mode, sich den Zopf abschneiden zu lassen.

Amelie vermutete, dass nicht jeder zopflose Chinese ein glühender Verfechter der Republik war. Etliche unter ihnen ließen sich den Zopf wohl nur abschneiden, um nicht in den Verdacht zu geraten, ein Anhänger des Kaisertums zu sein. Die Revolution war blutig gewesen, sehr blutig, und sie hatte schreckliche Berichte darüber gelesen, wie die Aufständischen die Köpfe der Kaisertreuen gleich reihenweise aufgespießt hatten.

Von der Landungsbrücke her trieb der Wind die Klänge einer Kapelle zu ihnen herüber. Es herrschte ein solches Gedränge, dass Amelie und Tian nicht nahe genug an die Brücke herankamen, um von den Musizierenden und Auftretenden mehr als die Köpfe zu sehen. Aber das machte nichts. Sie ließen sich etwas abseits auf einer zum rechten Zeitpunkt frei werdenden Bank nieder, hörten der Musik und den Festreden zu und genossen die fröhliche Atmosphäre. Zum Glück hatten sie sich warm eingepackt, weshalb sie der auffrischende Wind, der über die Bucht heranwehte, nicht störte.

Als es richtig dunkel geworden war, erloschen auf einen Schlag die Straßenlaternen längs der Promenade, auch die auf Außenreede liegenden Schiffe löschten ihre Beleuchtung mit Ausnahme der Positionslichter, und kurz darauf begann das Feuerwerk. Den Kopf auf Tians Schulter gelegt, genoss Amelie diesen Augenblick unbeschwerten Glücks. Es war einer jener seltenen Momente im Leben, in denen man mit sich und der Welt vollkommen im Reinen war, und am liebsten hätte sie die Zeit angehalten.

Aber dann verglühte der letzte bunte Stern am Himmel, und die elektrischen Laternen, die ebenso schlagartig wieder aufleuchteten, wie sie verloschen waren, vertrieben den Zauber jenes Augenblicks. Amelie spürte die Müdigkeit in sich aufsteigen, Preis des ausgefüllten Arbeitstages und all der vorangegangenen Wochen, in denen sie kaum zur Ruhe gekommen war.

Sie versuchte, das in ihr aufkeimende Gähnen zu unterdrücken, aber Tian bemerkte es doch.

»Genug Geburtstag gefeiert, müde Ai?«

»Ja, für heute ist es genug. Nächstes Jahr ist ja wieder Kaisers Geburtstag.«

»Aber der fällt dann auf einen Sonntag. Da kannst du im Laden keine Rabattaktion auf Kaiserbilder durchführen.«

»Falsch«, widersprach sie, während sie sich von der

Bank erhoben. »Es ist ein Montag, denn dieses Jahr ist ein Schaltjahr.«

»Sag bloß, du planst die Geschäfte ein Jahr voraus?«

»Das muss ich doch, Liebster, sonst holt sich Hu Song noch das Haus zurück.«

»Du lernst schnell dazu, Ai. Bald ist dir auch ein Hu Song nicht mehr gewachsen.«

»Ich habe ja auch einen guten Lehrmeister an meiner Seite«, sagte Amelie und hakte sich bei ihm ein.

Sie merkte erst jetzt so richtig, wie müde sie war, und ließ sich mit halb geschlossenen Augen von Tian durch die sich allmählich auflösende Menge bugsieren. Zuweilen fielen ihr die Augen ganz zu, und erste Traumbilder wollten sie übermannen.

Aber was sie plötzlich vor sich sah, war kein Traumbild. Kurz vor der Einmündung zur Hamburger Straße standen Vater und Mutter, Wilhelm und Annemarie Schweiger sowie Erich und Helene. Sie war so überrascht, dass sie gar nicht wusste, was sie mehr verwunderte: dass Mutter und Helene in Tsingtau waren oder dass Helene sich bei Erich eingehakt hatte wie Amelie bei Tian. Während sich Amelies und Erichs Eltern zurückhielten, kamen Erich und Helene auf Amelie und Tian zu und grüßten, eher höflich als freundschaftlich.

»Ich muss mich bei euch beiden noch entschuldigen für meinen grotesken Auftritt am Abend eurer Hochzeit«, sagte Erich, als wäre das gestern gewesen und nicht vor vielen Monaten. »An vieles erinnere ich mich nicht mehr, der verfluchte Alkohol. Aber was ich noch weiß, lässt mich vor Scham fast im Boden versinken.«

»Schon gut«, sagte Amelie, deren Blicke zwischen Erich

und Helene hin- und herwanderten. »Im Nachhinein war es halb so schlimm.«

»Apropos Hochzeit«, fuhr Erich fort. »Ich hatte auch eine, zu Weihnachten in Berlin. Meine Angetraute muss ich euch ja nicht erst vorstellen.«

Helene lächelte schüchtern bei diesen Worten.

Vielleicht war es Amelies Müdigkeit, vielleicht kam es auch einfach nur zu überraschend, jedenfalls benötigte sie einige Zeit, bis sie begriff, dass Erich von Helene sprach. Sie freute sich wirklich für die beiden, stand aber noch so stark unter dem Eindruck der unerwarteten Begegnung, dass sie nur eine halbherzige Gratulation zuwege brachte und dann fragte: »Wie lange seid ihr schon in Tsingtau?«

»Erst wenige Tage«, sagte Erich.

»Wir bleiben jetzt für immer hier, auch Mutter«, ergänzte Helene. »Die Villa am Wannsee wird verkauft.«

Amelies Vater, der keine Anstalten traf, Amelie zu begrüßen, rief: »Beeilt euch ein bisschen, Kinder, wir müssen jetzt gehen!«

Mit dem »Kinder« meinte er Helene und Erich, nicht aber Amelie. Das war ihr klar, und es schmerzte sie, dass er seinen Zorn auf sie nicht überwinden konnte.

Erich und Helene reichten ihnen zum Abschied die Hand, wobei Helene leise sagte: »Wir müssen uns bald sehen, ich melde mich bei dir.«

Dann trennten sich ihre Wege auch schon. Eine freie Rikscha war nicht zu bekommen, weshalb Amelie und Tian zu Fuß nach Tapautau zurückgingen.

Anfangs herrschte Schweigen, bis Tian sagte: »Das war eine aufwühlende Begegnung für dich, und das Verhalten deiner Eltern hat dich sehr verletzt.«

»Du hast ein gutes Auge, Tian.«

»Das muss ich als guter Maler haben und auch als guter Ehemann. Deine Mutter hätte wohl gern mit dir gesprochen, aber dein Vater braucht lange, um seinen Groll zu vergessen.«

»Falls er es jemals kann.«

»Du musst es einfach hoffen, Ai. Ein Grund für seinen Zorn fällt jedenfalls weg.«

»Welcher?«

»Er wollte immer Erich Schweiger zum Schwiegersohn haben, das hat er jetzt erreicht.«

5

Am Sonntag dachte Amelie oft an die seltsame Begegnung nach dem Feuerwerk, aber die Arbeit in ihrem Geschäft am Montag drängte diese Gedanken in den Hintergrund. Es war nicht so viel los wie am Samstag, aber genug, um Amelie Mut für die Zukunft zu machen. Wenn sich die Dinge so weiterentwickelten, konnte sie in nicht allzu ferner Zukunft daran denken, von dem Vorkaufsrecht auf das Haus Gebrauch zu machen.

Allerdings musste sie einkalkulieren, dass sie einem oder auch mehreren Angestellten würde Lohn zahlen müssen. Allein würde sie die Arbeit auf Dauer nicht bewältigen können. Tian war mit seinen Geschäften als Komprador ausgelastet, und Emi konnte sie kaum zumuten, ganztags für sie zu arbeiten. Zumal sich Tians Mutter auch noch um den Haushalt zu kümmern hatte.

Gegen Mittag betrat ein sehr ordentlich gekleideter Asiate mit sorgfältig gestutztem Oberlippenbart den Laden, und Amelie sah zweimal hin, bis sie es glaubte. »Herr Tanaka, das ist aber eine Freude!« Sie kam hinter dem Verkaufstisch hervor, um den Japaner zu begrüßen. Mit einem Augenzwinkern sagte sie: »Ich hoffe, Sie sind nicht gekommen, um die neue Konkurrenz auszuspionieren, und das auch noch in Ihrer Mittagspause.«

»So ein bisschen schon, Fräulein Amelie. Verzeihung,

Frau Liu. Ich wollte mal sehen, was Sie bei mir gelernt haben.« In aller Ruhe sah er sich um und bemerkte dann: »Das ist sehr korrekt, na ja, fast. Ein paar Kleinigkeiten würde ich ändern, aber wir hatten ja immer schon einige unterschiedliche Ansichten.«

»Ich weiß, dass noch nicht alles perfekt ist. Zurzeit bin ich ein wenig überfordert. Am liebsten wäre mir, ich könnte Sie als Chefverkäufer einstellen, Herr Tanaka.«

Ohne das geringste Anzeichen dafür, dass er sich einen Scherz erlaubte, sah Tananka sie an und sagte: »Dann fange ich Donnerstag an, wenn Sie einverstanden sind.«

»Donnerstag?« Amelie starrte ihn verblüfft an. »Aber Sie arbeiten doch im Laden meines Vaters.«

»Bis Mittwoch. Das ist der einunddreißigste Januar, mein letzter Arbeitstag dort.«

»Sie haben gekündigt, warum?«

»Mir wurde gekündigt. Zu viel Personal, sagte Ihr Bruder.«

»Gibt es jetzt so viele Verkäufer im Laden meines Vaters?«

»Nein. Ich glaube, er wollte mir nicht die Wahrheit sagen.«

»Und was ist die Wahrheit?«

»Das Geschäft Ihres Vaters läuft nicht mehr so gut.«

»Kommen zu wenig Kunden?«

»Anfangs nicht, aber trotzdem fehlte auf einmal Geld, um neue Ware zu ordern. Fehlt die Ware, bleiben auch die Kunden aus, und dann fehlt noch mehr Geld.«

»Davon wusste ich nichts«, sagte Amelie, und das Verhalten ihres Vaters am Samstag erschien ihr plötzlich in einem neuen Licht. Vielleicht hatte er geglaubt, sie hätte von seinen Geldschwierigkeiten gehört, und er hatte sich vor ihr geschämt, gerade jetzt, da sie ein eigenes Geschäft eröffnet hatte.

Tanaka sah sie fragend an. »Geht Donnerstag in Ordnung?«

»Ich würde Sie furchtbar gern einstellen, Herr Tanaka, lieber als jeden anderen.«

»Aber Sie fürchten, ich habe Ansichten, die Sie nicht teilen? Da kann ich Sie beruhigen. Sie sind hier die Chefin. Ich war früher Soldat, ich habe gelernt zu gehorchen.«

»Das ist nicht der Grund. Ihre Ansichten wären mir sehr hilfreich und wichtig, aber ich werde Ihnen kaum annähernd Ihren bisherigen Lohn als Chefverkäufer bezahlen können. Jedenfalls nicht, bis ich absehen kann, ob die Geschäfte auch dauerhaft gut laufen.«

»Dann zahlen Sie mir einfach das, was Sie verantworten können, Frau Liu.«

»Nur, wenn Sie auch hier die Position des Chefverkäufers bekleiden, Herr Tanaka. Ich bestimme die grundsätzliche Ausrichtung des Geschäfts, und Sie sind Herr über den Verkauf. Da ordne ich mich ganz Ihren Fachkenntnissen unter. Außerdem dürfen Sie mich gern weiter Amelie nennen.« Sie streckte ihm ihre Hand hin. »Einverstanden?«

Tanaka ergriff die Hand und schüttelte sie. »Das ist sehr korrekt.«

So froh Amelie darüber war, Yukio Tanaka als Mitarbeiter gewonnen zu haben, die Begleitumstände erfüllten sie mit Sorge. Sie hegte keinerlei Groll gegen ihre Familie und war alles andere als schadenfroh darüber, dass bei Kindler Import & Export die Dinge offenbar nicht zum Besten standen. Insofern war sie doppelt froh, als am Mittwoch ein Bote von Helene mit einem kurzen Brief an sie kam und der Anfrage, ob Amelie Zeit und Lust habe, sich am Sonntag nach dem Mittagessen mit ihrer Schwester am Leuchtturm von Tuantau zu treffen. Amelie schickte den Boten mit einer Zusage zurück. Sie hoffte, nicht nur Näheres über die Vermählung von Helene und Erich zu erfahren, sondern auch über die geschäftliche Lage im Hause Kindler.

Voller Ungeduld bestieg sie am Sonntag eine Rikscha, die sie zu der schmalen Landzunge von Tuantau brachte. Es war zwar kalt, aber der Himmel war klar und leuchtete blau auf Tsingtau herab. Unter anderen Umständen hätte sie den Ausflug genossen, aber ihre Gedanken kreisten so sehr um die Fragen, die sie beschäftigten, dass sie kaum auf die Umgebung achtete. Nur beiläufig nahm sie die Geschäftshäuser mehrerer deutscher Firmen wahr, an denen sie vorbeifuhr, die Kaserne der Marine-Feldartillerie und das chinesische Dorf, in dem vorwiegend einfache Arbeiter lebten. Den letzten Teil der Wegstrecke, der über eine schmale Pier führte, legte sie zu Fuß zurück. Am Ende der Pier wartete bereits Helene, und sie fielen sich in die Arme.

»Schön, dass du gekommen bist, Amelie. Warst du eigentlich schon mal auf dem Leuchtturm?« Als Amelie den Kopf schüttelte, sagte Helene: »Ich auch nicht. Wir sollten unbedingt hinaufgehen, solange die Luft noch so klar ist. Ich habe gehört, man hat von da oben einen phantastischen Ausblick.«

Amelie war einverstanden und freute sich darüber, dass Helene so aufgekratzt war. Die Ehe mit Erich schien ihr gut zu bekommen. Auf der Aussichtsplattform angelangt, mussten beide ein wenig verschnaufen. Ihre dicken Wintermäntel schützten sie gegen die kalte Witterung, hatten sie aber auf der schmalen Treppe ordentlich ins Schwitzen gebracht. Doch der Ausblick auf Tsingtau und die umliegenden Berge entschädigte sie für die Mühe. Sie waren ganz allein hier oben, was wahrscheinlich am Winterwetter lag.

Nein, nicht ganz allein. Ein paar Möwen näherten sich mit gleichmäßigen Flügelschlägen und durchdringenden Rufen, als wollten sie schon frühzeitig auf sich aufmerksam machen. Weder Amelie noch Helene hatten Futter für die großen, weißen Seevögel dabei, die enttäuscht wieder abdrehten.

Helene blickte ihnen nach, wie sie wieder auf See hinausflogen, und sagte: »Diesmal finde ich es viel schöner, hier zu sein.« Sie fingerte etwas unter ihrem Mantelkragen hervor. Es war der Anhänger, der Hund aus Jade, den Vater ihr bei der Ankunft im September 1908 geschenkt hatte. »Ich habe mir fest vorgenommen, hier heimisch zu werden, und der Anhänger soll mich jeden Tag daran erinnern. Trägst du deinen auch?«

Lächelnd zog Amelie den grünen Affen hervor. »Ich freue mich, dass es dir so gut geht, Helene. Hätte ich von eurer Hochzeit gewusst, hätte ich selbstverständlich ein Glückwunschtelegramm geschickt. Du musst mir unbedingt alles erzählen, ausführlich. Ich fürchte nur, dafür ist es hier oben auf Dauer zu kalt.«

»Auf der Herfahrt habe ich in der Nähe der Landzunge ein kleines Café gesehen. Dort können wir uns aufwärmen und uns in Ruhe unterhalten.«

»Tsingtau bekommt dir, Helene, du hast lauter gute Ideen.«

Als sie das Café erreichten, füllte es sich bereits, aber sie konnten sich noch einen kleinen Tisch sichern, ganz für sich allein. Helene erzählte Amelie, wie Erich letzten Dezember geschäftlich nach Berlin gekommen war und sich dann fast jeden Tag mit ihr getroffen hatte. Das erinnerte Amelie sehr an die schönen Tage mit Erich im August 1910, aber das behielt sie für sich. Für Helene war der Heiratsantrag zwar ein wenig überraschend gekommen und ebenso die schnelle Hochzeit noch im Dezember, aber das schmälerte ihr Glück nicht.

»Erich musste zurück nach Tsingtau, also habe ich in die extrem kurze Verlobungszeit von ein paar Tagen eingewilligt«, schloss sie ihren Bericht. »Ich hoffe, unsere Familie findet wieder zusammen, Amelie, jetzt, wo ich hier bin und auch Mutter.«

»Ich hoffe das auch. Unsere Villa am Wannsee steht zum Verkauf, sagst du?«

»Ja, auch Mutter bleibt jetzt in Tsingtau.«

»Woher rührt ihr Sinneswandel? Nur, weil du jetzt hier lebst und sie nicht allein zurückbleiben will? Oder wird die Villa auch aus einem anderen Grund verkauft? Aus Geldnot vielleicht?«

Ein Schatten huschte über Helenes eben noch heitere Züge. »Woher … ich meine, wie kommst du darauf?«

Amelie erzählte ihr, was sie von Yukio Tanaka erfahren hatte.

»Es stimmt«, sagte Helene betrübt. »Eigentlich habe ich Vater versprochen, nicht darüber zu reden, schon gar nicht zu dir. Aber du gehörst zur Familie, und ich will keine Geheimnisse vor dir haben. Vater hat Geldsorgen, ja, aber es ist nicht seine Schuld. Fritz steckt dahinter, auch wenn Vater sich nicht genauer darüber auslässt. Es scheint fast so, als habe er Angst vor Fritz.«

»Vater? Angst vor dem eigenen Sohn?«

»Es ist nur so ein Gefühl. Anders kann ich es mir nicht erklären, dass Vater das Thema immer dann fallen lässt, sobald Fritz den Raum betritt. Für unsere Eltern scheinen das nicht die besten Zeiten zu sein. Ich bin heilfroh, dass Erich und ich bei seinen Eltern leben.«

»Was ist mit der Fusion der beiden Firmen?«, fragte Amelie. »Das war doch immer der große Traum unserer Eltern.«

»Bestimmt haben sie sich das erhofft, als Erich um meine Hand angehalten hat. Aber er und sein Vater sind nicht dumm. Sie wissen auch, dass es um die Firma Kindler zurzeit nicht gut bestellt ist. Als ich mit Erich über eine mögliche Fusion sprach, hat er abgewunken und gesagt, man binde sich doch keinen Mühlstein um, wenn man schwimmen gehen will.«

»So schlecht steht es um die Firma?« Amelie war ehrlich bestürzt. »Das habe ich nicht geahnt.«

»Vater und Mutter hoffen darauf, dass der Verkauf der Villa ordentlich Geld einbringt. Neues Geschäftskapital, aber ich habe ein ungutes Gefühl.«

»Weshalb? Das Haus und das Grundstück am Wannsee sind wunderschön und bestimmt einiges wert.«

»Das schon.« Helene stocherte unlustig in ihrem Kirschkuchen herum und sah dann wieder Amelie an. »Aber ich traue Fritz nicht.«

6

Ein paar Tage nach dem Treffen mit Helene war Amelie auf dem deutschen Postamt, um dort einige Sendungen einzuliefern. Als sie wieder hinaus auf die Straße trat, sah sie ein europäisches Paar, offenbar bester Laune, in dem großen Gebäude Ecke Prinz-Heinrich-Straße und Albertstraße verschwinden, das im Erdgeschoss das Warenhaus Kabisch beherbergte und in den oberen Stockwerken den Tsingtau-Klub, in dem man sich für einen Monatsbeitrag von fünf Dollar allen möglichen Annehmlichkeiten hingeben konnte. Die Frau war sehr blond, sehr laut und sehr auffällig gekleidet. Amelie kannte sie nicht, aber das musste nichts bedeuten. Seit ihrer Heimkehr nach Tsingtau an der Seite Tians hatte sie nur wenig Kontakt zu der europäischen Bevölkerung. Den Mann dagegen, der einen sehr vertraulichen Umgang mit der blonden Frau pflegte, kannte sie sehr gut. Auch wenn sie ihn nur für wenige Sekunden gesehen hatte, konnte es keinen Zweifel geben: Das war Fritz gewesen. Seit ihrem letzten Beisammensein in Berlin hatte er deutlich abgenommen, auch das Gesicht war schmaler geworden, und er ähnelte jetzt wieder mehr dem Fritz von früher.

Was Amelie verwunderte, war nicht so sehr die auffällige Frau an seiner Seite. Er war ein erwachsener Mann und musste selbst wissen, mit was für Frauen er sich abgab. Sie war verwundert über die Tageszeit. Es war gegen zehn Uhr am Vormittag, und nach ihrem Dafürhalten hätte Fritz im Kontor sein müssen, besonders wenn es der Firma nicht gut ging. Nach einem Dienstgang hatte das jedenfalls nicht ausgesehen. Amelie widerstand der Versuchung, ins Warenhaus Kabisch zu gehen, um dort vielleicht mehr herauszufinden. Möglicherweise waren Fritz und die Frau ja auch in den Klub gegangen. Letztlich ging es sie nichts an, und sie hatte Wichtigeres zu tun, als ihren Bruder auszuspionieren.

Sie wurde in ihrem eigenen Geschäft gebraucht, das von den Kunden gut angenommen wurde. Tanakas Mitarbeit entlastete Amelie und kurbelte die Verkäufe noch einmal an. Für Amelie war es ein Glücksfall gewesen, dass der Japaner eine neue Anstellung gesucht hatte, und sie hoffte, ihm bald seinen bisherigen Lohn zahlen zu können.

Zunächst brauchten sie eine weitere Hilfe im Laden, und da bot sich Jian an, der bisher als Boy im Haus der Familie Liu gedient hatte. Aus dem Jungen war ein Mann geworden, der sich beruflich weiterentwickeln, etwas lernen wollte. Er war fleißig, von guter Auffassungsgabe und beherrschte die deutsche Sprache zwar nicht perfekt, aber recht gut. Seitdem Amelie zur Familie Liu gehörte, hatte sich sein Deutsch noch verbessert. Alles sprach für Jian, und so nahm Tanaka ihn unter seine Fittiche. Ein Ersatz für den Posten als Boy war auch schnell gefunden.

Amelie traf sich regelmäßig mit Helene, meistens sonntags, mindestens zweimal im Monat. Ein engerer Kontakt zu ihren Eltern kam dadurch nicht zustande, was Amelie sehr bedauerte. Helene berichtete, dass Vater das Gespräch jedes Mal, wenn es um Amelie ging, sofort unterband oder auf ein anderes Thema lenkte.

An einem Sonntag im April, als Sonnenschein und ein wärmender Wind den endgültigen Sieg des Frühlings über den Winter ankündigten, mieteten die beiden Schwestern ein Sampan, ein flaches chinesisches Ruderboot, um sich auf die zum Schutzgebiet gehörende Halbinsel Hai-hsi übersetzen zu lassen. Sie wollten das Kap Jaeschke besuchen, benannt nach dem zweiten Gouverneur von Kiautschou, Paul Jaeschke. Schon die ganze Fahrt über war Helene auffallend still gewesen, und auch bei dem Spaziergang an Land zu dem Granitberg, den man auch von Tsingtau aus sehen konnte, schwieg sie die meiste Zeit.

Als Amelie sie darauf ansprach, sagte Helene: »Ich war gestern bei unseren Eltern zum Kaffee. Fritz war auch da, und es hat ordentlich Stunk gegeben. Papa weiß ja, dass wir uns regelmäßig treffen, und er hat mir ausdrücklich untersagt, mit dir darüber zu reden.«

»Dann tu es nicht«, sagte Amelie. »Ich möchte dir kein schlechtes Gewissen bereiten. Aber ich finde, über *irgendetwas* sollten wir schon reden.«

»Verzeih, aber der arme Herr Eppler geht mir nicht aus dem Kopf. In der Zeit, als ich in der Buchhaltung unserer Firma gearbeitet habe, hatte ich viel mit ihm zu tun.«

»Die Sache mit Eppler, ja«, erinnerte sich Amelie laut. »Ich habe in der Zeitung nur eine kurze Notiz gelesen. Ein Badeunfall, nicht wahr?«

Zwar hatte Amelie längst nicht so viel mit August Eppler zu tun gehabt wie ihre Schwester, aber sie sah den ältlichen Prokuristen mit dem ergrauten Spitzbart deutlich vor sich. Er war immer sehr wortkarg gewesen, und tatsächlich konnte sie sich an kein einziges Gespräch mit ihm erinnern, das länger gedauert hatte als zwei Minuten. In der Zeitung hatte gestanden, man habe seine Leiche aus der Bucht gefischt und ihn wenige Tage später auf dem Europäerfriedhof oberhalb des Forstgartens begraben.

»Das mit dem Badeunfall stand zwar in der Zeitung, aber da haben wohl Papa und andere die Hand im Spiel. Man wollte Spekulationen vermeiden, wie Papa es ausdrückte.«

»Worüber?«

»Darüber, warum der stets so korrekte Herr Eppler sich das Leben genommen hat.«

»Aber wie kommst du darauf, dass es kein Badeunfall war?«

»Glaubst du nicht, Amelie, dass das Wasser noch etwas kalt zum Baden ist?«

»Schon, aber vielleicht war er abgehärtet.«

»Und damit er auf keinen Fall im Wasser friert, ist er im Anzug und mit Schuhen baden gegangen? Also, das glaube ich nun wirklich nicht.«

»In voller Bekleidung? Davon stand nichts in der Zeitung.«

»Wie ich schon sagte, Papa hat darauf gedrungen, dass die Presse einige Details weglässt.«

»Jetzt bin ich aber doch neugierig«, gestand Amelie, als sie den Fuß des fast siebzig Meter hohen Bergkegels erreichten. »Was hat Papa mit dem Selbstmord von Herrn Eppler zu tun? Ist Eppler etwa auch entlassen worden?«

Helene blickte aufs Meer hinaus. Das frühlingshafte Wetter hatte noch andere auf die Idee gebracht, Kap Jaeschke zu besuchen, und ein reger Verkehr von Sampans zwischen der Halbinsel und Tsingtau hatte eingesetzt.

»Nein, es hat eher mit Fritz zu tun«, sagte sie zögernd. »Jedenfalls vermutet Papa das und hat sich deshalb gestern laut mit Fritz gestritten, bis es Mama zu viel wurde und sie den Kaffeetisch verlassen hat. Sie ist hinaus in den Garten, und ich bin ihr nach. Ich habe sie niemals so weinen gesehen. Ich glaube, bei unseren Eltern steht es im Moment nicht zum Besten.«

Amelie trat hinter Helene, legte die Arme um sie und drückte ihre Wange gegen die ihrer Schwester. »Das tut mir so leid, und ich würde gern helfen. Ich fürchte nur, Papa würde schon einen Tobsuchtsanfall kriegen, wenn ich nur in die Nähe des Hauses komme.«

»Mama weiß, dass es nicht an dir liegt. Sie würde dich gern wiedersehen. Ich soll dich ganz herzlich von ihr grüßen, das hat sie mir aufgetragen.«

»Danke, grüß sie auch von mir, sobald du sie siehst.« Obwohl es manchen Zwist mit Mutter gegeben hatte und dann den großen Krach mit Vater, vermisste Amelie ihre Eltern. Sie riss sich zusammen und wollte jetzt nicht sentimental werden. Helene war schon gedrückter Stimmung für zwei. »Was hat unser Bruder Fritz mit der ganzen Geschichte zu tun?«

»Cherchez la femme!«, seufzte Helene.

»Welche Frau?«

»Dorothea Eppler.«

»Herrn Epplers Frau? Die lieber mit einem jungen Sänger aus dem Varieté durchgebrannt ist, als zu ihrem Mann nach Tsingtau zu kommen?«

Helene nickte. »Aber das ist nicht der neueste Stand. Irgendwann waren Frau Eppler und ihr Sänger nicht nur durchgebrannt, sondern auch abgebrannt. Da hat Epplers Gattin wohl die Reue gepackt, und sie ist doch nach Tsingtau gekommen, im letzten Dezember. Aber die Wiedersehensfreude war nur kurz. Frau Eppler scheint ein Faible für andere Männer zu haben, besonders, wenn sie auch nur entfernt nach Geld riechen. So wie unser Fritz.«

»Moment mal«, sagte Amelie und erinnerte sich daran, wie sie Fritz samt Damenbegleitung gesehen hatte. »Ist Dorothea Eppler blonder als blond, üppiger als üppig an den Stellen, auf die Männer besonders gern schauen, und auch sonst von recht auffälligem Wesen?«

»Ich habe sie nur einmal gesehen, als Erich und ich eine kurze zufällige Begegnung mit ihr und Fritz am Gouvernementshügel hatten. Aber ich hätte diese Dame nicht treffender beschreiben können.«

»Dann war sie es, die ich Ende Januar mit Fritz gesehen habe«, sagte Amelie und erzählte Helene die Einzelheiten. »Eine sehr tragische Geschichte, das Ganze. Ich kann schon verstehen, dass Papa sich Sorgen um den Ruf der Firma macht. Wie geht es denn weiter? Will Fritz die blonde Witwe etwa ehelichen?«

Helene lachte kurz auf, bevor sie wieder ernst wurde. »Fritz und heiraten? Das kann ich mir wirklich nicht vorstellen. Papa hat ihn schwer ins Gebet genommen, er solle seine Dorothea schnellstens nach Deutschland zurückschicken und ihr das mit einem hübschen Batzen Geld versüßen.«

»Wenn Fritz so viel Geld hat.«

»Das wird Papa wohl regeln müssen, wie immer. Zumindest sollte Geld genug vorhanden sein, jetzt, wo sich ein Käufer für die Wannsee-Villa gefunden hat.«

»Endlich mal eine gute Nachricht. Wer ist der Glückliche?«

»Ein ausländischer Konsul, wenn ich das richtig verstanden habe, ein Südamerikaner, glaube ich.«

»Vielleicht sollte Fritz seine Geliebte zu dem schicken, wenn sie so am Geld hängt.«

»Als Dreingabe zur Villa?« Helene legte die Stirn in Falten. »Den Vorschlag unterbreite ich Vater und Fritz lieber nicht.«

Ob südamerikanischer Konsul oder nicht, Dorothea Eppler trat mit dem nächsten Reichspostdampfer die Heimreise an, wie Amelie vierzehn Tage später von ihrer Schwester erfuhr.

7

Der Frühling und der Sommer kamen, und die Geschäfte in Amelies Laden liefen weiterhin gut. Zunehmend Sorgen machte sie sich um Helene. Die Treffen der beiden Schwestern fanden nicht mehr so häufig statt, was in den meisten Fällen an Helene lag. Die für sie ungewohnte Lebenslust, die sie bei ihrer Rückkehr nach Tsingtau beflügelt hatte, schien verflogen, und sie zog sich mehr und mehr zurück.

»Habe ich dir etwas getan, Helene?«, fragte Amelie darum bei einem ihrer selten gewordenen Ausflüge ganz direkt. Es war im August, kurz nach Amelies Geburtstag, und sie hatten sich zu einem Sonntagsspaziergang am Fuß des Diederichsbergs getroffen. »Du bist so einsilbig in letzter Zeit. Ich merke genau, dass dich etwas bedrückt, und ich frage mich, warum du nicht mit mir darüber sprichst. Hat es etwas mit unseren Eltern zu tun? Hast du Papa versprochen, nichts zu sagen?«

»Nein, das ist es nicht.« Helene ließ sich auf einem großen Stein nieder, und Amelie setzte sich neben sie; dank der kräftig scheinenden Sonne war es auf dem Stein angenehm warm. »Wenn es das nur wäre. Es ist bestimmt nicht nett von mir, das zu sagen, aber dann wäre es nur halb so schlimm.«

»Also Erich«, zog Amelie den einzig möglichen Schluss. »Es hat etwas mit Erich zu tun, nicht wahr?«

»Ja«, sagte Helene leise.

»Habt ihr Streit miteinander? Oder behandelt er dich schlecht?«

»Nicht absichtlich, das kann man ihm nicht vorwerfen. Er ist ein guter Mann, aber der falsche. Vielmehr, ich bin die Falsche für ihn. Ich hätte ihn niemals heiraten dürfen.«

»Ich habe es noch immer nicht ganz verstanden. Warum glaubst du, du seist die Falsche für ihn?«

Helene sah Amelie in die Augen. »Weil er nicht mich liebt, sondern dich. Er hat nur dich geliebt, und er wird nur dich lieben, Amelie!«

»Das bildest du dir ein. Erich hat dich gebeten, seine Frau zu werden. Warum hätte er das tun sollen, wenn er dich nicht liebt?«

»Weil er dich nicht haben kann. Wir sehen uns ähnlich, Amelie. Wenn Erich mich ansieht, sieht er eigentlich dich. Seit ich das erkannt habe, fällt es mir schwer, so unbeschwert zu sein, wie du es gern hättest.«

Amelie wollte es noch immer nicht glauben und fragte: »Woran hast du das erkannt? Oder sagen wir lieber: Woran glaubst du, das erkannt zu haben?«

»Ich bilde mir nichts ein, ganz bestimmt nicht. Schon mehrmals hat Erich mich mit deinem Namen angesprochen, auch schon … im Bett. Und wenn ich von dir erzähle, von unseren Treffen, dann sehe ich, wie seine Augen anfangen zu leuchten. Glaub mir, Amelie, Erichs Herz schlägt noch immer für dich.«

Helene schien es unangenehm, darüber zu sprechen, aber Amelie war froh, dass ihre Schwester sich ihr gegenüber geöffnet hatte. Es half Helene hoffentlich, sich jemandem mitzuteilen. In Amelie überschlugen sich die Gedanken, als sie überlegte, wie sie ihre Schwester aufmuntern konnte.

»Erich war einmal in mich verliebt, sehr sogar, aber das ist Vergangenheit«, sagte sie vorsichtig. »Jetzt ist er dein Mann, Helene, deiner ganz allein. Das musst du dir immer vor Augen halten. Ich will nicht ausschließen, dass er hin und wieder an mich denkt und dann unsere Namen verwechselt, aber das ist doch kein Beinbruch. Mit der Zeit wird es nachlassen. Bis dahin solltest du großzügig sein und darüber hinwegsehen, auch wenn es dir nicht leichtfällt.«

»Ich habe versucht, die Angelegenheit so zu sehen wie du, ganz ehrlich. All das habe ich mir auch gesagt und gehofft, Erich würde in mir eines Tages die sehen, die ich bin. Nicht die Frau, die sich für einen anderen entschieden hat. Aber es ist nicht besser geworden, sondern schlimmer. Ich halte es nicht mehr lange aus.«

»Macht eine Reise«, schlug Amelie vor. »Eine schöne lange Seereise. Dann kommt ihr beide auf andere Gedanken, und ihr habt Zeit für euch ganz allein, und Ruhe, um euch umeinander zu kümmern.«

»Wenn ich Erich das vorschlage, lacht er mich aus, gerade jetzt, wo es so viel zu tun gibt mit der Zusammenführung unserer beider Firmen.«

»Dann wird jetzt doch fusioniert?«, fragte Amelie überrascht. »Geht es Kindler Import & Export wieder besser?«

»Nein, schlechter. Deshalb kommt es auch nicht zu einer Fusion. Erich und sein Vater wollen unsere Firma schlichtweg aufkaufen. Papa soll weiter in leitender Stellung tätig sein, allerdings ist er dann nicht mehr als ein Angestellter.«

Für einen Augenblick fühlte sich Amelie schwindelig, das waren einfach zu viele schlechte Nachrichten an einem so schönen Tag. »Ich verstehe das alles nicht. Ich dachte, der Verkauf der Villa am Wannsee hätte neues Geld in Papas Taschen gespült.«

»In Papas Taschen muss ein riesiges Loch sein, und ich habe auch einen Verdacht.«

»Meinst du, der Name des Loches lautet Fritz?«

»Ich würde darauf wetten«, sagte Helene. »Aber wie gesagt, das sind im Moment meine geringsten Sorgen.«

Am darauffolgenden Sonntagvormittag machten Amelie und Tian eine Dampferfahrt zu der kleinen, gebirgigen Insel Schui ling schan am südlichen Rand des Schutzgebiets. Amelie war schon sehr gespannt, kannte sie die Insel, die als schönste des gesamten Schutzgebiets galt, doch noch gar nicht. Sie waren nicht die Einzigen, die auf den Gedanken gekommen waren. Die vielköpfige Gruppe der Ausflügler setzte sich aus Europäern und Asiaten zusammen. In den letzten Jahren hatte sich die einst strikte Trennung zwischen beiden Gruppen immer mehr gelockert, was Amelie sehr freute. Sie war der festen Ansicht, dass jeder viel vom anderen lernen konnte.

Obwohl es sehr voll auf dem kleinen Ausflugsdampfer war, genoss sie die Fahrt und ließ sich die ganzen achtzehn Seemeilen über die erfrischende Meeresbrise ins Gesicht wehen. Sie hatte sich seit dem letzten Treffen mit Helene viele Gedanken um ihre Schwester und Erich gemacht, wenn sie nicht gerade in Arbeit versank. Heute wollte sie einfach nur ausspannen und den Tag mit Tian verbringen.

Je näher sie Schui ling schan kamen, desto beeindruckender wurde der Anblick der teils sehr schroffen Küstenlinie, die sich an den höchsten Stellen bis zu fünfhundert Meter über den Meeresspiegel erhob. Da Ostwind herrschte, steuerte der Dampfer einen kleinen Hafen auf der windgeschützten Westseite an. Einmal an Land zerstreuten sich die Ausflügler recht schnell. Einige strebten der steilen Südküste zu, andere wählten den bequemen Nordweg, der keine bergsteigerischen Herausforderungen stellte. Oder man ging zu einem der vielen Fischerdörfer, die auf dem Küstenstreifen rings um die Insel verteilt lagen, um dort einzukehren.

»Norden, Süden oder erst eine Stärkung?«, fragte Tian.

»Erst die Arbeit, dann die Stärkung«, sagte Amelie.

»Arbeit? Heißt das, du möchtest gern die Klippen erklimmen?«

»Es wäre eine Schande, das nicht zu tun, wo wir schon einmal hier sind. Außerdem sind wir hier näher am südlichen Teil der Insel.«

»Wohlan denn«, deklamierte Tian, »auf ins Gebirge. Deutscher Entdeckergeist treibt uns voran!«

»Mach dich bloß nicht über mich lustig«, drohte Amelie und wackelte mit dem Zeigefinger vor Tians Nase. »Sonst setze ich mich auf die nächste Bank und schaue dir beim Klettern von unten zu.«

»Das werden wir doch mal sehen.« Tian packte sie fest bei der Hand und zog sie mit sich.

Lachend gingen sie nach Süden, und der Weg war längst nicht so anstrengend wie befürchtet. Dafür bot er ihnen immer wieder herrliche Ausblicke in die Landschaft, wo sich markante Felsformationen mit lauschigen Wäldchen abwechselten, und über das Meer, das unter ihnen gegen die Klippen brandete und weiße Gischt versprühte. Streckenweise gingen sie unter weit vorragenden Felswänden entlang, die sich wie ein Dach über ihre Köpfe schoben. Anfangs empfand Amelie das als ein wenig bedrohlich, aber dann siegte ihr Abenteuergeist, und sie fühlte sich wie in einer fremdartigen Welt dieses französischen Schriftstellers, Jules Verne, oder wie an einem Ort, den es nur in Märchen und Sagen gab.

Unmerklich ging es immer höher, und die Klippen mit der rauschenden Brandung lagen irgendwann tief unter ihnen. Nach Amelies Schätzung waren es ungefähr hundert Meter. Da erst wurde ihr bewusst, dass sie doch ein ordentliches Stück bergauf gegangen waren, und mit diesem Bewusstsein stellte sich auch eine gewisse Erschöpfung ein.

»Du siehst mir aus, als seist du einer Rast nicht abgeneigt«, sagte Tian.

»Du etwa nicht? Dir stehen auch ein paar Schweißperlen auf der Stirn.«

»Das täuscht, Ai, das sind nur Brandungsspritzer.«

Amelie sah ihn frech an. »Da du das selbst nicht glaubst, muss ich es auch nicht, oder?«

»Also gut, ich kann auch eine Rast vertragen.«

»Aber nicht hier auf dem Weg.« Amelie blickte in die Richtung, aus der sie gekommen waren. »Da sind schon die nächsten Bergsteiger unterwegs. Lass uns einen Rastplatz etwas abseits suchen.«

Nach kurzer Suche fanden sie einen wunderschönen kleinen Platz direkt an den Klippen, grasbewachsen und mit ausreichend Schatten versehen, den einige Lebens- und Ahornbäume spendeten. Sie setzten sich in den Schatten der Bäume und stärkten sich mit den Reisküchlein, die

Emi gestern gebacken hatte und die auch kalt sehr lecker waren. Das Wasser aus der Feldflasche, die Tian mitgebracht hatte, schmeckte Amelie besser als der teuerste Wein. Nach der kleinen Mahlzeit streckte sie sich auf dem weichen Gras aus und fühlte sich angenehm müde. Sie war versucht, die Augen zu schließen, aber Tian beugte sich über sie und bedeckte ihr Gesicht mit Küssen. Mit jedem seiner Küsse wuchs auch ihre Leidenschaft. Sie umklammerte ihn fest mit beiden Armen und zog ihn zu sich heran.

»Ai!« Es war wie ein Flüstern im Wind, gerade laut genug, um zu ihr zu dringen, aber zu leise, um sie dem Traum zu entreißen, in dem sie und Tian in einer Nussschale von Boot ein fremdes Meer erkundeten und zwischen hoch aufragenden Felswänden hindurchsegelten, immer tiefer hinein in eine neue, unbekannte Welt. »Ai, wach doch auf! Du glaubst nicht, wer da kommt!«

Das war Tians Stimme. Aber er stand nicht neben ihr auf den Planken des kleines Bootes, sondern vor ihr, in seinem Rücken ein seltsam krumm gewachsener Lebensbaum, hinter dem eine urwüchsige Felsformation aufragte. Der Traum verblasste, versank in dem unbekannten Meer, das sie nun niemals wieder durchfahren würde.

»Habe ich geschlafen?«, fragte sie mit belegter Stimme.

»Ja.« Tian legte den Zeigefinger vor seine Lippen. »Aber nicht so laut. Du ahnst ja nicht, wer da den Weg entlangkommt.«

»Da hast du vollkommen recht. Wie sollte ich auch?«

»Komm, Ai, sieh selbst!«

Schläfrig ließ sie sich von ihm aufhelfen und schüttelte,

um richtig wach zu werden, ihren Kopf. Ihre Frisur hatte sich gelöst, und ihr schulterlanges Haar wehte hin und her. Bevor sie sich wieder unter Menschen wagte, musste sie einiges an ihrem Haar und ihrer Kleidung in Ordnung bringen. Aber dazu ließ ihr Tian keine Zeit.

»Da vorn zu dem Felsvorsprung«, flüsterte er und zog sie mit sich. »Aber sei leise.«

»Bin ich ja«, sagte sie ein wenig nörgelnd. Sie konnte sich nicht vorstellen, was Tian in solche Aufregung versetzte.

Auf Tians Bitte kniete sie sich hin, sobald sie den Felsvorsprung erreicht hatten. Unter ihnen klatschte das Meer in immer neuen Wellen gegen das Gestein. Von hier aus hatten sie einen guten Blick auf den Weg, den auch sie gekommen waren. Jetzt verstand Amelie, warum Tian sie aufgeweckt hatte.

Eine Gruppe von sechs Personen bewegte sich in ihre Richtung. Die beiden vordersten, die in diesem Moment aus ihrem Blickfeld verschwanden, waren Amelies Vater und Wilhelm Schweiger. Ihnen folgten Mutter und Annemarie Schweiger. Beide waren in ein Gespräch vertieft, aber die Entfernung zu ihnen und das ständige Anbranden der Wellen unter Amelie ließ sie kein einziges Wort verstehen. Vermutlich war Tians Ermahnung, leise zu sein, überflüssig gewesen. Mutter tupfte mit einem blütenweißen Taschentuch den Schweiß von ihrer Stirn, dann waren auch sie nicht mehr zu sehen. Mit einigem Abstand folgten ihnen Helene und Erich, die immer wieder stehen blieben und wild gestikulierten. Auch ohne etwas zu verstehen, war Amelie klar, dass die beiden heftig miteinander stritten. Schließlich ging Helene schnellen Schrittes allein weiter. Erich sah ihr mit düsterer Miene nach und folgte ihr erst, als Amelie ihre Schwester schon nicht mehr sehen konnte.

»Das sieht mir nach einem handfesten Ehekrach aus«, sagte Tian.

Amelie nickte. »Ich ahne auch, worum es geht.«

Als Tian sie neugierig ansah und sie den Kopf schüttelte, stellte er keine Fragen. Normalerweise hatte Amelie vor ihm keine Geheimnisse, aber sie hatte ihm nicht erzählt, worüber ihr Helene letzten Sonntag das Herz ausgeschüttet hatte. Es wäre sicher nicht in Helenes Sinn gewesen.

»Ich würde gern ein paar Worte mit Erich wechseln«, sagte Amelie. »Meinst du, ich kann ihn abfangen, wenn er hier vorbeikommt?«

»Versuch es. Ich lasse euch dabei lieber allein.«

»Wie willst du das anstellen, Tian? Dabei läufst du doch den anderen in die Arme.«

Er schüttelte den Kopf. »Während du schliefst, habe ich ein wenig diesen lauschigen Ort erkundet. Von hier führt ein schmaler Pfad die Klippen hinunter, bis zum Meer, wie es aussieht. Offenbar von Menschenhand in den Fels gehauen. Keine Ahnung, zu welchem Zweck. Vielleicht gab es hier in früheren Zeiten Schmuggler, oder es war das Versteck von Rebellen.«

»Wäre Karl May nicht vor ein paar Monaten gestorben, wäre das wohl ein Stoff für ihn«, sagte Amelie und küsste Tian auf die Wange. »Danke, Liebster. Aber sei vorsichtig!«

Während Tian in Richtung des von ihm entdeckten Klippenpfades ging, der jenseits der Baumgruppe begann, begab sich Amelie zu dem Weg, auf dem Erich gleich vorbeikommen musste. Als sie plötzlich vor ihm stand, blieb er wie vom Donner gerührt stehen und wischte mit der flachen Hand über seine Augen.

»Amelie! Träume ich?«

»Ich bin es wirklich, Erich. Kann ich kurz mit dir sprechen?«

Er warf einen forschenden Blick auf das vor ihm liegende Stück des gewundenen Felsweges, aber weder von Helene noch von den anderen war etwas zu sehen.

»Bist du allein hier?«, fragte er verwundert, als er ihr auf den abgeschiedenen Platz an den Klippen folgte.

»Nein, mit meinem Mann«, sagte sie und berichtete in knappen Worten, wie Tian ihn und seine Begleiter entdeckt hatte. Und sie erzählte ihm auch, worüber Helene mit ihr am vergangenen Sonntag gesprochen hatte. »Habt ihr euch eben deswegen gestritten, Erich?«

Er nickte nur betreten.

»Als wir uns an Kaisers Geburtstag trafen, war ich sehr glücklich darüber, dass Helene und du ... dass ihr zueinander gefunden habt. Ich gebe zu, ich war überrascht, aber ich habe mich sehr für euch beide gefreut. Du bist Helene gut bekommen, Erich, jedenfalls anfangs. Selten habe ich sie so heiter und gelöst erlebt. Wenn ich jetzt zu dir ganz offen spreche, dann geschieht das aus Sorge um meine Schwester, aber auch aus Freundschaft zu dir.« Sie ergriff seine Hände und sah ihm tief in die Augen. »Erich, du musst dich zusammennehmen und Helene davon überzeugen, dass du sie liebst und nicht mich.«

Erich erwiderte ihren Blick, und was sie dort las, gefiel ihr nicht. Es war Verzweiflung, gepaart mit Verlangen.

»Soll ich Helene denn anlügen?«, fragte er schließlich. »Immer und immer weiter?«

Amelie war erschrocken und wollte einen Schritt zurücktreten, aber Erich umfasste sie mit seinen kräftigen Händen und hielt sie fest.

»Was soll das, Erich? Was für ein Spiel spielst du? Warum hast du Helene geheiratet, wenn du nichts für sie empfindest?«

»Vielleicht habe ich einfach Trost gesucht. Vielleicht habe ich gehofft, dich in deiner Schwester wiederzufinden, Amelie. Vielleicht habe ich mir das alles auch nur eingeredet. Was soll ich denn dagegen tun, wenn ich immerzu an dich denken muss?«

»Wir sind keine Kinder. Du musst dagegen ankämpfen!«

»Ich habe es versucht, wirklich.« Ein Beben ging durch seinen Körper, als kämpfe er gegen sich selbst an. Sie wollte sich mit einem Ruck von ihm befreien, aber sein Griff wurde stärker, dass es fast wehtat. Er zog sie näher zu sich heran, als wolle er sie küssen. »Amelie!«

Im selben Augenblick fragte eine Frauenstimme: »Was … was tut ihr da?«

Helene im hellblauen Sommerkleid und einem Strohhut, den ein Hutband im selben Hellblau zierte, stand nur ein paar Meter von ihnen entfernt und starrte sie aus geweiteten Augen an. Offenbar war sie auf der Suche nach ihrem Mann.

»Ihr habt euch hier verabredet«, brachte sie fassungslos hervor und heftete ihren Blick auf Erich. »Der ganze Streit vorhin nur, um dich ungestört mit Amelie zu treffen?«

Endlich lies Erich Amelie los, als er sich zu Helene umdrehte. »Das stimmt nicht, Lene. So ist es nicht gewesen.«

Sie hörte ihm nicht zu, machte stattdessen auf dem Absatz kehrt und lief, so schnell es ihr Kleid erlaubte, in die

Felsen hinein. Sie verschwand hinter einer Felsnadel, und nur ein, zwei Sekunden später ertönte ein spitzer Schrei, der abrupt erstarb.

Amelie und Erich sahen sich kurz an, dann lief Erich auch schon los, gefolgt von Amelie. Er war schneller, blieb aber irgendwann stehen und blickte in die Tiefe, wo sich weit unter ihm die Wellen an den Klippen brachen.

»Lene!«, schrie er wieder und wieder aus vollem Hals, die Hände trichterförmig vor den Mund gelegt, aber er erhielt keine Antwort.

»Wo ist sie?«, fragte Amelie mit klopfendem Herzen, die Stimme vor Angst um ihre Schwester fast tonlos. »Wo ist Helene?«

Erich sagte nichts, er starrte nur nach unten. Amelie blickte in dieselbe Richtung, und dann sah sie es. Auf einer kleineren Felsnadel, die ungefähr fünfzehn Meter unter ihr vorragte, hing ein Strohhut mit einem hellblauen Hutband.

Der Anblick versetzte Amelie einen Schock, und den Rest des Tages erlebte sie wie in Trance. Tian kam angelaufen, später waren auch ihre und Erichs Eltern da. Alle suchten nach Helene, riefen ihren Namen. Vergeblich. Immer drückender wurde die Erkenntnis, dass sie auf dem Geröll, das an dieser Stelle den Boden bedeckte, den Halt verloren hatte und in die Tiefe gestürzt war. Trieb sie unten im Wasser? Aber das war an dieser Stelle flach, überall ragten Felsspitzen auf. Einen Sturz aus hundert Metern Höhe konnte sie kaum überlebt haben.

Alle Ausflügler, auf die man traf, nahmen an der Suche teil, und die Fischer aus den Dörfern fuhren mit ihren Booten die Küste ab.

Vergebens.

Am späten Nachmittag waren sie zurück in Tsingtau und machten bei der Polizei ihre Aussage. Der Wachtmeister, der den Fall aufnahm, sprach ihnen Mut zu und sagte, man wolle am folgenden Tag noch einmal mit Suchtrupps den ganzen Küstenstreifen abgehen.

Aber Amelie fasste keinen neuen Mut. Sie dachte an die steilen Klippen an der Südküste von Schui ling schan und an Helenes Strohhut auf der Felsnadel. Irgendwann hatte ein Windstoß den Hut in die Luft gehoben und aufs Meer hinausgetragen. Für Amelie war es wie ein letzter Gruß ihrer Schwester.

Die folgenden Tage waren für Amelie wie ein Albtraum, aus dem es kein Erwachen gab. Alles sprach dafür, dass Helene auf den Klippen zerschellt oder im Meer ertrunken war. Aber die Hoffnung, mochte sie auch noch so gering sein, starb zuletzt, und so ging Amelie jeden Abend auf die Polizeiwache und erkundigte sich nach Neuigkeiten. Natürlich hätte sie dort auch telefonisch nachfragen können, aber so hatte sie das Gefühl, wenigstens irgendetwas zu tun, statt nur herumzusitzen und abzuwarten. Trotz einer groß angelegten Suche, an der sogar Einheiten des Seebataillons und Barkassen der Reichsmarine teilgenommen hatten, gab es keine Spur von Helene.

Anfangs hatte die Presse noch von der »auf der Insel Schui ling schan vermissten Helene Schweiger« gesprochen, aber bald hieß es in den immer kürzer werdenden Meldungen »die nach allem menschlichen Ermessen tote Helene Schweiger«.

Tian gab sich alle Mühe, Amelie zu trösten, ihr zu sagen, dass sie keine Schuld traf.

Aber Amelie glaubte, es besser zu wissen, und erwiderte: »Hätte ich nicht versucht, Erich ins Gewissen zu reden, wäre das alles nicht geschehen.«

Auch wenn es letztlich ein Unglück war, Amelie machte sich dafür mitverantwortlich. Sie schlief schlecht und wurde von Träumen gequält, in denen sie verzweifelt nach Helene suchte, stets ohne Erfolg. Das Essen wollte ihr nicht mehr schmecken, und sie wurde von starken Kopfschmerzen gequält.

Gerade in dieser schweren Zeit suchte sie Kontakt zu ihrer Familie, in der Hoffnung, die Not möge sie alle zusammenschweißen, aber als sie persönlich vor der Villa Hedwig erschien, wurde sie von Lu Wei mit einem bedauernden Kopfschütteln abgewiesen. Am selben Abend versuchte sie es telefonisch, aber ihr Vater legte einfach den Hörer auf. Sie rief am nächsten Tag noch einmal an, vormittags, als Vater und Fritz im Geschäft sein mussten. Sie hoffte, bei ihrer Mutter nicht auf taube Ohren zu stoßen. Aber Jen Schi nahm das Gespräch an und sagte nur: »Es tut mir sehr leid, gnädige Frau Amelie, ich habe Anweisung, das Telefonat nicht anzunehmen.«

An diesem Tag erhielt sie gegen Mittag, als Tanaka und Jian in der Pause waren, überraschenden Besuch von Fritz. Sie erkannte ihn erst beim zweiten Hinsehen, so stark war er abgemagert, die Wangen geradezu eingefallen, die Augen lagen tief in den Höhlen.

»Guten Tag, Fritz«, sagte sie zögernd und kam hinter dem Verkaufstisch hervor. Da kein Kunde im Laden war, konnte sie sich ganz ihm widmen. »Ich bin froh, endlich mal wieder mit dir zu sprechen.«

»Ich bin nicht gekommen, um Höflichkeiten auszutauschen«, sagte er und stieß ihre ausgestreckte Hand weg. »Hör endlich auf, uns zu belästigen! Du sollst uns in Ruhe lassen, hörst du? Es ist doch alles deine Schuld! Du konntest deine Finger nicht von Erich lassen. Deinetwegen hat Helene sich von den Klippen gestürzt!«

Diesen Vorwurf hörte Amelie zum ersten Mal. Unwillkürlich fragte sie sich, ob er möglicherweise zutraf. War es kein Unfall gewesen? Hatte sich Helene absichtlich in den Tod gestürzt? Niemand konnte das beantworten, aber allein die Möglichkeit, dass es so war, schmerzte sie tief.

»Das mit Erich war ganz anders«, versuchte sie zu erklären. »Helene hat die Situation missverstanden. Sie lief einfach weg und ...«

»Was hätte sie auch tun sollen?«, fauchte Fritz. »Etwa dabei zusehen, wie es ihre Schwester und ihr Mann miteinander treiben? Und dann wagst du dreckige Hure es auch noch, zu unserem Haus zu kommen, Vater und Mutter mit deinen Anrufen zu belästigen! Bekommst du denn nie genug?«

Die Worte ihres Bruders empörten Amelie, aber sie schluckte den in ihr aufwallenden Zorn auf Fritz hinunter. Sie kannte ihn gut genug, um zu wissen, dass es zu nichts führte, ließe sie sich auf sein Niveau wüster Beschimpfungen hinab. Also sagte sie mit aller Ruhe, zu der sie fähig war: »Du siehst das alles ganz falsch, Fritz. Ich wollte nur das Beste für Helene. Deshalb habe ich auf der Insel versucht, mit Erich ...«

»Es ist doch allen klar, was du da versucht hast!«

Amelie trat einen Schritt näher und suchte krampfhaft nach einer Möglichkeit, ihren Bruder zu überzeugen. »Hör mich doch wenigstens einmal an, Fritz!«

»Geh weg mit deinen Lügen! Lass uns einfach in Ruhe!«

Er stieß sie von sich, mit solcher Gewalt, dass Amelie gegen einen Tisch mit chinesischem Porzellan fiel, den Jian mit viel Liebe erst am vergangenen Tag hergerichtet hatte. Herr Tanaka hatte beschlossen, einen Teil des Porzellanangebots als Blickfang ins Erdgeschoss zu verlagern. Tassen und Teller fielen zu Boden und gingen zu Bruch, und Amelie stürzte mitten in die Scherben.

Ohne jedes Mitleid blickte Fritz auf sie herab. »Kriech nur durch den Schmutz, du Chinesenhure. Genau da gehörst du hin!«

In seinem Rücken sagte eine schneidende Stimme in fehlerfreiem, aber seltsam abgehacktem Deutsch: »Und Sie gehören auf die Straße, Herr Kindler, aber sofort, wenn ich bitten darf!«

In der Ladentür stand Yukio Tanaka, der aus der Pause zurückgekehrt war.

Fritz drehte sich zu ihm um. »Von einem Gelbgesicht lasse ich mir doch nichts sagen!«

Tanaka trat einen Schritt beiseite und deutete auf die offene Tür. »Hinaus!«

Fritz schüttelte den Kopf. »Du solltest lieber ganz schnell verschwinden, Schlitzauge, oder ich klopfe deinen Quadratschädel rund!«

Ohne ein weiteres Wort und mit überraschend schnellen Bewegungen packte Tanaka Fritz an Kragen und Gürtel und stieß ihn so schwungvoll durch die Tür nach draußen, dass Fritz über die halbe Straße stolperte und dann hinfiel. Im nächsten Augenblick hatte der Japaner die Tür auch schon geschlossen, und das wütende Gekeife des Hinausgeworfenen drang nur dumpf und undeutlich an Amelies Ohren.

Tanaka half ihr aufzustehen und erkundigte sich, ob sie sich etwas getan habe.

»Nein, höchstens ein paar blaue Flecke, mehr ist nicht passiert. Schade nur um das Porzellan.«

»Ja, sehr schade«, pflichtete Tanaka ihr bei.

Amelie ergriff seine rechte Hand und schüttelte sie. »Vielen Dank, Herr Tanaka. Ohne Ihre Hilfe wäre ich wohl aufgeschmissen gewesen. Ich weiß nicht, was in Fritz gefahren ist. Er sah aus wie sein eigener Geist. Das muss der Kummer um Helene sein.«

»Das war nicht der Kummer«, murmelte Tanaka, während er einen Besen holte, um die Scherben zusammenzukehren.

»Was meinen Sie damit?«

»Ach, nichts.«

»Bitte, was wollten Sie eben sagen?«

Der Japaner sah Amelie an und holte tief Luft. »Ich habe solche Gesichter wie das Ihres Bruders schon gesehen. Das kommt nicht vom Kummer, sondern vom Opium.«

»Opium? Sie glauben, Fritz hat Opium genommen?«

Tanaka nickte. »Nicht nur einmal. Ich bin kein Arzt, aber ich sehe es trotzdem. Er ist schwer opiumsüchtig.«

Abends sprach Amelie mit Tian über den Vorfall.

Er sagte mit finsterer Miene: »Dieses Opium liegt wie ein Fluch über China. Vor siebzig Jahren haben die Briten einen blutigen Krieg geführt, leider erfolgreich, um mein Land zu zwingen, den Verkauf des indischen Opiums zuzulassen. Die britischen Großkaufleute haben sich dumm und dämlich daran verdient, meine Landsleute zu Süchtigen zu machen. Seitdem sind wir das Teufelszeug nie wieder losgeworden. Auch die deutschen Behörden in Kiautschou gehen nicht entschlossen dagegen vor. Sie beschränken die Importe und erheben Steuern, wagen aber aus Angst vor dem Zorn der Chinesen nicht, wirksame Kontrollen durchzuführen. Letztes Jahr wurden die Opiumschenken in Tsingtau geschlossen, seit Februar ist der Mohnanbau im Schutzgebiet verboten. Aber Importe gibt es weiterhin, und in Privathäusern darf auch Opium konsumiert werden, unter Auflagen zwar, aber auch hier gibt es so gut wie keine Kontrollen.«

Tian hatte sich richtiggehend in Rage geredet und dabei die Hände fest zusammengeballt, als sei er persönlich betroffen. Amelie war überrascht, fast erschrocken über diese Reaktion.

»Ich wusste nicht, dass dich das Thema so mitnimmt.«

»Ein guter Freund von mir ist am Opium gestorben. Das ist Jahre her, aber ich habe es nie vergessen. Er war immer kräftig und fröhlich gewesen, aber plötzlich vertrieben Schatten die Fröhlichkeit von seinem Gesicht, und sein Körper fiel in sich zusammen. Immer wieder habe ich versucht, ihn von den Opiumhöhlen fernzuhalten. Ich habe ihn sogar eingesperrt, damit er von der Droge loskommt. Aber man kann einen Menschen nicht ewig einsperren, und Dong-wei kehrte jedes Mal in die Opiumhäuser zurück.« Tians Stimme war leiser geworden, und kaum hörbar sagte er: »Bis er schließlich am Opium starb.«

»Wie stirbt man daran?«, fragte Amelie. »Ich meine, wie geht das vor sich?«

»Man stirbt nicht am Opium direkt. Ich bin kein Arzt, doch ich glaube, die Droge greift nicht einmal den Körper an. Aber wer dem Opium verfällt, kennt nichts anderes mehr, will auch keine Nahrung zu sich nehmen, und dadurch wird er immer schwächer, und schließlich kann schon die kleinste Erkrankung zum Tod führen. So war es auch bei Dong-wei.«

Amelie streichelte Tian. »Das alles wusste ich nicht, Liebster. Es tut mir sehr leid um deinen Freund.«

»Vergangenheit, lassen wir sie ruhen und mit ihr die Toten«, sagte Tian. »Kümmern wir uns um die Lebenden. Du sorgst dich um deinen Bruder, Ai, das merke ich. Obwohl er dich nicht gerade so behandelt, wie ein Bruder mit seiner Schwester umgehen sollte.«

»Aber er ist doch mein Bruder.«

Tian nickte. »Ich werde mich umhören, welche der geheimen Opiumhöhlen in Tapautau er besucht. Vielleicht erfahre ich dabei Näheres.«

»Aber sei vorsichtig, hörst du? Nimm dich in Acht!«

»Ich weiß um die Wirkung des Opiums und werde ihr gewiss nicht verfallen. Die einzige Droge, die ich brauche, bist du, Ai!« Er küsste sie zärtlich.

Als sie sich voneinander lösten, sagte Amelie: »Nimm dich trotzdem in Acht, Tian, vor Fritz!«

Die düstere Stimmung, die Amelie seit dem Verlust Helenes befallen hatte, verschlimmerte sich. Der von Fritz erhobene Vorwurf, sie habe ihre Schwester in den Selbstmord getrieben, machte ihr schwer zu schaffen. Ob Fritz recht damit hatte oder nicht, Amelie war voller Wut auf ihn. Gleichzeitig war da die Sorge um Fritz, der noch immer ihr Bruder war. Und die Sorge um Tian, der abends loszog, um mehr über die Opiumsucht ihres Bruders herauszufinden. Insgeheim hoffte Amelie, Yukio Tanaka möge sich mit seinem Verdacht, Fritz sei opiumsüchtig, getäuscht haben.

Leider berichtete ihr Tian ein paar Tage nach ihrem Gespräch das Gegenteil: »Ich weiß jetzt, wer den als privat getarnten Opiumsalon betreibt, den Fritz aufsucht. Wenn ich dir den Namen sage, wirst du es mir nicht glauben, Ai.«

»Hu Song?«

Als sie den Namen in den Raum warf, blickte Tian sie überrascht an. »Woher weißt du das?«

»Es war so eine Ahnung. Aber bist du sicher, dass Fritz da verkehrt?«

»Ich habe ihn mit eigenen Augen in der Kiautschoustraße gesehen. Der Opiumsalon hat einen separaten Eingang, den Fritz benutzt hat. Aber das mit dem Opium ist noch nicht alles. Hu Song betreibt gleichzeitig einen Spielsalon, und Fritz muss dort immense Schulden angehäuft haben.«

»Die unser Vater brav bezahlt hat«, sprach Amelie die naheliegende Schlussfolgerung aus.

»Ja, Ai. Es sieht ganz so aus, als habe dein Vater so viel Geld aus dem Geschäft ziehen müssen, dass ihm schließlich das nötige Kapital fehlte.«

»Und jetzt gehört es Erich und seinem Vater.« Amelie stützte den Kopf in beide Hände und sah Tian ratlos an. »Ich verstehe nur nicht, warum Vater es überhaupt so weit kommen ließ. Weshalb hat er Fritz immer gedeckt? Er hätte ihm doch eine Grenze ziehen, ihn zurück nach Deutschland schicken können.«

Aber darauf wusste auch Tian keine Antwort.

Von Ende September bis weit in den Oktober des Jahres 1912 hinein besuchte Prinz Heinrich, der in Tokio an der rituellen Beisetzung des Tennos, des japanischen Kaisers, teilgenommen hatte, Tsingtau. Der Besuch fand mit viel Pomp, Paraden, militärischen Übungen und gesellschaftlichen Aktivitäten statt, und die umtriebige Stimmung, die Tsingtau erfasst hatte, übertrug sich auch auf Amelie. Gemeinsam mit Yukio Tanaka führte sie mehrere Sonderaktionen im Geschäft »zu Ehren des Besuches Seiner Königlichen Hoheit« durch und hatte damit großen geschäftlichen Erfolg. Sie hatte rechtzeitig daran gedacht, gleich kistenweise Fotografien und Gemälde, die den Prinzen zeigten, zu ordern, und die Bilder wurden ihnen geradezu aus den Händen gerissen.

Amelie las in der Zeitung, dass der Bruder des Kaisers auch die Firma der Schweigers und die Fabrik seines alten Bekannten Jakob Winterkorn besuchte. Erich und sein Freund wollten sich schon bald im kommenden Jahr mit einem neuen Flugapparat in die Lüfte erheben. Prinz Heinrich als ein begeisterter Förderer der Fliegerei bedachte sie mit lobenden Worten und einer Finanzspende. Tatsächlich fand ein erster Flug, dem bald darauf weitere folgten, im Frühjahr 1913 statt.

Amelie freute sich für Erich und Winterkorn, war aber

nicht auf dem Iltisplatz, als die beiden zu ihren Flügen starteten. Sie beschränkte den Kontakt zur deutschen Gemeinde auf die geschäftlichen Dinge. Nach dem unschönen Besuch von Fritz hatte sie es aufgegeben, die Nähe ihrer Familie zu suchen. Nicht aus Angst vor ihrem Bruder, sondern weil sie eingesehen hatte, dass sie hier auf taube Ohren stieß. Sie hatte ihr eigenes Leben, einen Mann, den sie über alles liebte, und ihr Geschäft.

Das florierte, was wiederum bedeutete, dass sie leicht einen Bankkredit bekam. Dank des Kredits konnte sie im November 1913 von ihrem Vorkaufsrecht auf das Geschäftshaus Gebrauch machen. Zwar widerstrebte es ihr, Hu Song noch reicher zu machen, aber das tat sie schließlich mit ihren Mietzahlungen auch. Indem sie das Haus kaufte, konnte sie zumindest die Geschäftsbeziehung zu dem Chinesen beenden.

Amelie feierte den Hauskauf abends im Familienkreis mit Tian und Emi, während ein starker Wind an Türen und Fensterläden rüttelte und Regenschwaden durch die Straßen von Tapautau trieb. Es war schon spät, und sie hatten die Dienstboten bereits zu Bett geschickt, als die Türglocke anschlug, wieder und wieder.

»Wer kann das sein, zu dieser Stunde?«, fragte Emi und wirkte ein wenig ängstlich.

»Ich werde es gleich herausfinden«, sagte Tian, bevor er schnell sein Weinglas leerte, aufstand und den Salon in Richtung Eingang verließ. Neugierig blickten Amelie und Emi ihm nach. Nach zwei, drei Minuten kehrte er mit ernstem Gesicht zurück und sagte: »Ai, kommst du bitte zur Haustür? Es ist dein Vater.«

»Mein Vater?« Sein Besuch war so ziemlich das Letzte,

mit dem sie gerechnet hatte. »Warum bittest du ihn nicht zu uns herein?«

»Das habe ich getan, aber er weigert sich.«

»Wenn der Prophet nicht zum Berg kommt«, seufzte Amelie und erhob sich. »Begleitest du mich, Tian?«

»Besser nicht. Er möchte mit dir unter vier Augen sprechen.«

Von einem unguten Gefühl ergriffen, eilte Amelie zur Haustür. Dort stand ihr Vater in Hut und Mantel, und das Regenwasser lief nur so an ihm hinunter. Er hatte das Haus nicht betreten, sondern wartete unter dem Vordach, das keinen ausreichenden Schutz vor den draußen tobenden Naturgewalten bot. Das durch die Tür fallende Licht beleuchtete sein Gesicht, und sie erschrak bei seinem Anblick. Sie hatte ihn zuletzt an jenem verhängnisvollen Tag gesehen, als Helene auf der Insel Schui ling schan in den Tod gestürzt war. Das war über ein Jahr her, aber für Vater schienen zehn Jahre vergangen zu sein. Das früher so rundliche Gesicht wirkte eingefallen, war von tiefen Falten zerfurcht, und sein Kaiser-Wilhelm-Bart war eisgrau. Vor ihr stand ein alter Mann.

»Papa, tritt doch ein! Du wirst ganz nass.«

»Das ist nicht schlimm«, sagte er mit einer Stimme, die ungewohnt klang, brüchig, wie die eines Sterbenden. »Es ist sehr freundlich von dir, dass du ein paar Minuten Zeit für mich hast. Ich bin wegen Hedwig gekommen.«

»Was ist mit Mutter? Ist sie krank?«

Er nickte kaum merklich. »Es geht ihr nicht gut. Könntest du sie zu dir nehmen und dich um sie kümmern? Ich weiß nicht, an wen ich mich sonst wenden kann. Helene ist nicht mehr da, und auf Fritz ist kein Verlass.« Er schüttelte den Kopf. »Kein Verlass.«

»Ich kümmere mich selbstverständlich um Mutter. Aber ich weiß nicht, ob sie sich hier besonders wohlfühlen wird, in Tapautau. Vielleicht sollte ich lieber bei euch zu Hause nach ihr sehen.«

»Ich musste das Haus verkaufen. Wir müssen in wenigen Tagen ausziehen.«

»Die Villa Hedwig?«

Als ihr Vater nickte, war das für Amelie ein Schock. Sie hatte nicht geahnt, dass es so schlecht um die Finanzen ihrer Eltern stand.

»Natürlich könnt ihr beide bei uns wohnen«, sagte sie, bemüht, das Zittern zu unterdrücken, das ihre Stimme befiel. »Hier ist eine Menge Platz. Tian und ich würden uns sehr freuen, wenn ihr …«

Mit einer Handbewegung, die noch einmal an seine alte Kraft und Autorität erinnerte, schnitt er ihr das Wort ab. »Das ist nicht nötig, danke. Für mich ist gesorgt. Es geht allein um Hedwig.« Er zog etwas aus der Manteltasche, einen feuchten Umschlag, und drückte ihn ihr in die Hand. »Für die Unkosten. Mehr habe ich nicht mehr.«

Amelie starrte auf den Umschlag in ihrer Hand und wusste nicht, was sie sagen sollte. Offenbar war Geld darin, und offenbar lag Vater daran, es ihr zu geben. Aber sie wollte sich nicht dafür bezahlen lassen, dass sie sich um ihre eigene Mutter kümmerte.

»Amelie«, begann Vater einen Satz, führte ihn aber nicht zu Ende.

»Ja?«, fragte sie.

»Danke, Amelie. Und bitte entschuldige!«

»Was?«

»Alles Unrecht, das ich dir angetan habe.«

Er drehte sich um und trat mit unsicheren Schritten auf die Straße hinaus, bis er mit Sturm und Regen verschmolz.

Amelie lief zu Tian und Emi und berichtete in hastigen Worten von ihrem Gespräch. Tränen traten ihr in die Augen. »Ich mache mir solche Sorgen um Vater!«

»Ich suche ihn«, sagte Tian und lief schon los, um sich eilig Mütze, Mantel und Stiefel anzuziehen. Bevor er, mit einer schweren Acetylenlaterne ausgestattet, das Haus verließ, sagte er: »Wenn ich ihn finde, bringe ich ihn her.«

Aber Tian fand ihn nicht. Nach einer geschlagenen Stunde vergeblicher Suche kehrte er klatschnass heim, wo Amelie ihn sofort in ein heißes Bad steckte. Sie hatte inzwischen den Umschlag geöffnet. Er enthielt etwas über eintausend mexikanische Dollar in Scheinen, das waren nicht einmal zweitausend Mark. Ein kärgliches Vermögen für den einst so stolzen Inhaber von Kindler Import & Export. Da sie nicht vorhatte, sich an dem Geld zu bereichern, versah sie den Umschlag mit der Aufschrift ›Für Mutter‹ und schloss in weg.

Gefunden wurde ihr Vater am nächsten Morgen, aber das erfuhr Amelie erst von Yukio Tanaka, als dieser aus der Mittagspause zurückkehrte.

»Sie haben es wohl noch nicht gehört«, sagte der Japaner vorsichtig. »Das mit Ihrem Vater, meine ich.«

Amelie, die gerade dabei war, die zum Verkauf stehenden Fotografien und Gemälde zu entstauben, hielt in der Bewegung inne. Sie war sich nicht sicher, ob sie sich wünschte, dass Tanaka weitersprach. Vielleicht weil sie ahnte, worauf es hinauslaufen würde.

»Was ist mit meinem Vater?«, brachte sie es schließlich über sich zu fragen.

Tanaka nahm seinen Hut ab, auf dem Regentropfen glitzerten, und drehte ihn in den Händen. Noch nie hatte sie ihn so nervös gesehen. »Es tut mir leid, aber Ihr Vater ist tot. Man hat ihn heute Morgen tot aufgefunden, in der Prinz-Heinrich-Straße.«

»In der Prinz-Heinrich-Straße? Wo genau dort?«, fragte sie, obwohl sie die Antwort vorausahnte.

»Auf dem Hof seiner ehemaligen Firma.«

Amelie nickte, als wäre nichts anderes in Betracht gekommen. »Wie ist er gestorben?«

»Erschossen. Wahrscheinlich hat er sich selbst das Leben genommen. Man hat die Waffe jedenfalls neben ihm gefunden.«

»Ich bin mir ziemlich sicher, dass er sich selbst das Leben genommen hat«, sagte sie und berichtete Tanaka, der für sie zu einem engen Vertrauten geworden war, von dem nächtlichen Besuch ihres Vaters.

»Ich bin tief betroffen, Frau Liu«, sagte er und blickte zu Boden.

»Amelie. Bitte sagen Sie doch endlich Amelie zu mir, Herr Tanaka.«

»Amelie«, begann er ein wenig zögernd, »Sie müssen der Polizei von diesem Besuch erzählen.«

»Ja, wohl wahr. Aber erst muss ich mich um meine Mutter kümmern.«

»Sie sollten Ihren Mann anrufen«, schlug Tanaka vor.

Das tat Amelie. Zum Glück war Tian in seinem Kontor. Er versprach, sofort zu kommen und sie abzuholen. Dankbar kleidete sie sich an, um auf ihn zu warten. Fast war sie froh, mit dem Besuch bei Mutter eine Aufgabe zu haben. Es lenkte sie von ihrer Trauer ab.

»Herr Tanaka, es kann ein wenig dauern, bis ich wieder zurück bin.«

»Sie haben heute genug zu erledigen, Amelie. Jian kommt gleich aus der Pause, und wir beide werden den Laden schon schmeißen. So sagt man doch auf Deutsch?«

»Ja, so sagt man.«

»Dann tun Sie, was nötig ist, und danach ruhen Sie sich aus«, fuhr er mit väterlicher Strenge fort. »Und noch etwas, Amelie.«

»Ja?«

»Wenn Sie sich heute noch einmal im Geschäft blicken lassen, kündige ich fristlos.«

Sie ergriff mit beiden Händen seine Rechte und schüttelte sie. »Danke für alles, Herr Tanaka. Sie sind ein wahrer Freund. Ein Leben ohne Freunde wäre ein trauriges Leben.«

»Das ist sehr korrekt«, sagte Tanaka und wirkte dabei sehr ernst.

Ein paar Minuten später fuhr Tian in einer Kraftdroschke vor, die er telefonisch gemietet hatte. »Damit kommen wir am schnellsten zu deiner Mutter, Ai, und wir können sie darin auch gleich mitnehmen. Was an Gepäck nicht mitgeht, lassen wir dann abholen.«

»Hoffentlich ist Mutter einverstanden«, sagte Amelie, als sie neben ihm auf der Rückbank des Wagens saß, während der chinesische Chauffeur sie aus Tapautau herauskutschierte und dann die lange Friedrichstraße entlangfuhr. »Und deine Mutter hoffentlich auch. Das alles geht jetzt doch recht schnell.«

»Sie bereitet bereits ein Zimmer für deine Mutter vor.«

»Emi ist eine herzensgute Frau.«

»Ja«, sagte Tian nur.

Ein wenig fürchtete sich Amelie vor der Begegnung mit ihrer Mutter, andererseits konnte ihr die Fahrt nicht schnell genug gehen. Als das Automobil endlich in die Einfahrt zur Villa Hedwig einbog, kam ihr alles vertraut und zugleich fremd vor. Offenbar hatte Lu Wei die Gärtnerarbeiten seit einiger Zeit schleifen lassen. Alles machte einen halb verwilderten Eindruck.

An der Haustür dauerte es eine Weile, bis Jen Schi öffnete und sie förmlich begrüßte. Er wirkte nicht im Geringsten erstaunt über Amelies Besuch.

Als sie ihn danach fragte, sagte der Boy: »Herr Kindler hat mir gestern Abend gesagt, dass Sie heute kommen und Ihre Mutter abholen.«

»Wo ist sie?«

»Oben in ihrem Schlafzimmer.«

»Ist jemand bei ihr? Mein Bruder vielleicht?«

»Ihr Bruder ist schon vor Monaten ausgezogen.«

»Wo sind die anderen Angestellten? Es ist so still hier.«

Totenstill, ging es ihr durch den Kopf.

»Ich bin allein«, sagte Jen Schi. »Fang De und Lu Wei sind vor vielen Tagen gegangen. Ich bin nur noch wegen Ihrer Mutter hier, aber ich bin in diesem Haus nicht länger angestellt.«

»Dann werde ich dich für deine Extradienste entlohnen«, sagte Amelie und wollte ihr Portemonnaie aus der Handtasche holen.

Jen Schi streckte abwährend beide Hände aus. »Ich nehme kein Geld von Fräu… von Frau Amelie. Sie sind zu mir immer gut gewesen. Heute kann ich ein wenig zurückgeben.«

Amelie ging zunächst allein ins Schlafzimmer ihrer Eltern, nachdem sie dreimal angeklopft hatte, ohne eine Antwort zu erhalten. Mutter lag in ihrem Bett, aber sie schlief nicht. Auch sie wirkte gealtert und war hagerer geworden. Sie sah Amelie an, aber gleichzeitig schien ihr Blick durch sie hindurchzugehen.

»Was ist mit Heinrich?«, fragte Mutter schließlich. »Ist er tot?«

Amelie trat an das Bett, kniete sich davor und ergriff vorsichtig die rechte Hand ihrer Mutter. Die Hand wirkte kraftlos, schlaff, so wie der Mensch, zu dem sie gehörte.

»Ja, Papa ist tot«, sagte Amelie leise. »Es tut mir sehr leid, Mama. Er ist vergangene Nacht gestorben.«

»Nein, er ist schon viel früher gestorben. Er starb an dem Tag, an dem er die Firma den Schweigers überschreiben musste.«

»Papa war gestern Abend bei mir. Er hat mich gebeten, mich um dich zu kümmern.«

»Hat er das?« Zum ersten Mal, seitdem Amelie das Zimmer betreten hatte, zeigte ihre Mutter einen Hauch von Anteilnahme. »Dann war also doch noch ein Rest Anstand in ihm.«

»Was meinst du damit, Mama?«

»Nichts.« Mutter wandte den Blick von ihr ab und sah zur Decke hinauf. »Danke, dass du mir Bescheid gegeben hast.«

»Tian ist auch hier. Wir möchten dich gern zu uns holen. Meine Schwiegermutter freut sich darauf, dich kennenzulernen.«

»Deine Schwiegermutter? Sie ist Chinesin, nicht?«

»Nein, Japanerin.«

»Ach so.« Mutter schloss die Augen, und Amelie glaubte schon, sie sei eingeschlafen, aber dann sagte sie: »Ich denke, ich bleibe lieber hier.«

»Das geht nicht, Mama. Das Haus ist verkauft. Bis auf Jen Schi bist du allein hier, und er muss auch bald gehen.«

»Der Jens, er ist eine gute Seele.« Wieder entstand eine Pause, nach der Mutter sich plötzlich halb aufrichtete und Amelie aus weit offenen Augen ansah. »Dieses verfluchte China! Wir hätten niemals hierherkommen dürfen! Hörst du? Niemals!«

Amelie hatte den Eindruck, ihre Mutter spreche nicht zu ihr, sondern zu ihrem verstorbenen Mann.

Deshalb antwortete sie nicht darauf, sondern sagte: »Ich werde jetzt Tian holen, damit er dir hinunterhilft. Draußen wartet eine Kraftdroschke auf uns.«

»Nein, noch nicht. So kann ich nicht gehen. Ich muss mich doch vernünftig ankleiden, wenn ich auf die Straße gehe. Hilfst du mir, Kind?«

»Ja, Mama, selbstverständlich.«

Amelie küsste sie auf die Stirn und stand auf, um den großen Schrank im Ankleidezimmer zu öffnen. Sie suchte Mutter etwas zum Anziehen heraus und packte weitere Kleider und die nötigsten Habseligkeiten in eine große Reisetasche. Mutters restliche persönliche Sachen würde sie später abholen.

Als Tian hereinkam, begrüßte Mutter ihn höflich, aber ohne jede persönliche Anteilnahme, ganz so, wie sie auch einen Dienstboten begrüßt hätte. Tian ließ sich nichts anmerken, versagte sich jede Vertraulichkeit und nannte sie

»Frau Kindler«. Sie fuhren nach Tapautau, wo sich Mutter in dem von Emi hergerichteten Zimmer ins Bett legte. Amelie rief Dr. Pietsch an, der auch nach einer Stunde kam und Mutter gründlich untersuchte.

Anschließend stellte er ein Rezept aus und sagte zu Amelie: »Eine Pille nach dem Frühstück, das reicht.«

»Was fehlt ihr denn?«

»Körperlich nichts. Nur der Lebensmut, aber das ist letztlich doch das Entscheidende.«

»Und wozu sind die Pillen gedacht?«

»Damit Ihre Frau Mutter sich nicht mehr ganz so traurig fühlt.«

Als Dr. Pietsch gegangen war, wollten Amelie und Tian erst zur Polizei und anschließend noch einmal zur Villa Hedwig fahren, um weitere Sachen von Amelies Mutter zu holen. Das Wetter war weiterhin schlecht, und sie wollten wieder ein Automobil mieten. Aber es war keins zu bekommen, also bestellten sie eine geschlossene Pferdedroschke. Unterwegs überlegte Amelie es sich anders und bat den Kutscher, zunächst in die Prinz-Heinrich-Straße zu fahren.

Als die Droschke vor dem Gebäude der ehemaligen Firma Kindler anhielt, fragte Tian besorgt: »Ai, willst du das wirklich tun? Du kannst doch nichts mehr ändern.«

»Ich will den Ort sehen, an dem mein Vater gestorben ist.«

»Aber du kennst den Ort.«

»Ich will ihn noch einmal sehen, jetzt.«

»Man hat den Leichnam garantiert schon weggebracht.«

»Deshalb will ich es ja sehen. Sonst stelle ich mir immer

vor, dass Vater da liegt, im strömenden Regen, in seinem Blut.«

Durch einen großen Schirm, den Tian hielt, vor dem Regen notdürftig geschützt, betraten sie den Innenhof, ohne auf eine Menschenseele zu treffen. Amelie schaute sich um und versuchte sich vorzustellen, wo ihr Vater gelegen haben mochte.

»Hier hat er gelegen, Amelie«, sagte eine vertraute Stimme, die aus dem Regen zu kommen schien. Ein großer, breitschultriger Mann in Mantel und Hut, ebenfalls mit einem aufgespannten Schirm, kam auf sie zu.

»Erich!«, sagte Amelie. »Ich freue mich, dich zu sehen. Ganz ehrlich.«

Erich nickte beiden zu und zeigte auf die Hauswand hinter sich, wo die Wohnung des Hausmeisters Chin Li, seiner Schwester und seines kleinen Neffen Jie lag. »Da hat man deinen Vater gefunden. Mein aufrichtiges Beileid, Amelie. Dein Vater war ein guter Mann, und es ist nicht seine Schuld.«

»Was soll das heißen?«, fragte Amelie. »Ich dachte, er hat sich selbst erschossen.«

»Das stimmt. Aber wenn du mich fragst, gehört Fritz vor Gericht gestellt. Er hat seinen eigenen Vater in den Tod getrieben. Aber kein Gericht würde ihn wohl verurteilen, insofern wäre es zwecklos. Es ist eine Frage der Moral, nicht der Gesetze.«

»Ich höre über Fritz in letzter Zeit nie etwas Gutes«, seufzte Amelie. »Aber er scheint schon seit einigen Monaten nicht mehr bei meinen Eltern gewohnt zu haben. Daher verstehe ich nicht recht, worauf du hinauswillst.«

»Soweit ich gehört habe, wohnt er jetzt in einer Pension

in der Bülowstraße. Aber da gibt es wohl Streit, weil er seine Miete selten pünktlich zahlt, falls überhaupt. Na ja, das ist nicht meine Sorge.«

»Ich habe langsam den Eindruck, jeder in Tsingtau weiß mehr über meinen Bruder als ich.«

»Das ist vielleicht auch besser so«, meinte Erich. »Es ist wirklich keine schöne Geschichte.«

»Ich möchte sie trotzdem hören.«

»Aber nicht hier draußen im Regen. Kommt doch in mein Büro.«

Amelie und Tian begleiteten Erich in den Bürotrakt.

»Das ist dein Büro?«, fragte Amelie erstaunt. »Das war doch Vaters Büro. Ich dachte, er hätte noch in der Firma gearbeitet.«

»Schon lange nicht mehr«, sagte Erich und holte ihnen Stühle. »Mit dem Verkauf hatte er auch das Interesse verloren, und bald darauf hat er gekündigt.«

Als sie sich hingesetzt hatten, fragte Amelie: »Was hat das alles mit Fritz zu tun?«

»Fritz ist opiumsüchtig.«

»Das wissen wir bereits. Tian hat herausgefunden, dass er bei Hu Song in der Kiautschoustraße ein und aus geht.«

»Dann wisst ihr wohl ebenfalls, dass er auch spielsüchtig ist.«

Diesmal antwortete Tian: »Da Hu Song heimliche Glücksspiele jedweder Art veranstaltet, haben wir es zumindest vermutet. Es erklärt einiges. Fritz war – und ist offenbar – in permanenter Geldnot, und sein Vater hat, wie sagt man, den Geldesel für ihn gegeben.«

Erich bot ihnen einen Cognac an und goss sich, als sie ablehnten, selbst einen ein. »Anfangs, Amelie, hatte dein

Vater wohl noch die Hoffnung, Fritz werde sich eines Tages bessern. Aber es wurde nur schlimmer. Als das Opium dazukam, hat Fritz jegliche Kontrolle über sich und seine Spielleidenschaft verloren. So wurde dein Vater immer ärmer und andere, vermutlich nicht zuletzt Hu Song, immer reicher.«

»So weit leuchtet mir die Geschichte ein«, sagte Amelie. »Aber ich verstehe noch immer nicht, warum Vater das bis zum bitteren Ende mitgemacht hat.«

»Ich glaube nicht, dass du das wirklich erfahren möchtest«, sagte Erich zögernd.

»Vielleicht darf ich das selbst entscheiden?«, fauchte sie ihn an. Sie atmete tief durch. »Verzeih, Erich, das ist alles etwas viel. Aber ich muss es endlich wissen. Vielleicht kann ich so Mutter helfen. Ihr geht es nicht gut, weißt du.«

»Ich habe davon gehört. Also gut, machen wir es kurz. Fritz hat deinen – seinen – Vater erpresst. Heinrich hat es mir in einer schwachen Stunde selbst erzählt. Aber letztlich, als er aus seinem Vater nichts mehr herauspressen konnte, weil nichts mehr da war, hat Fritz es nicht nur eurer Mutter erzählt, er hat es in seinem opiumvernebelten Zustand auch anderweitig herumposaunt.«

»Was?«, fragte Amelie. »Sag es doch endlich, Erich!«

»Dass dein Vater eine Geliebte hatte.«

»Mein Vater? Niemals, das ist unvorstellbar.«

»Er hatte eine Geliebte in Tsingtau, schon seit Jahren. Und er hat mit ihr auch ein Kind. Als er nicht mehr weiterwusste, letzte Nacht, da hat er sich vor der Wohnung erschossen, in der sie jahrelang gelebt haben.«

»Das kann nicht sein«, sagte Amelie, aber wohl eher, weil sie es nicht wahrhaben wollte. Die Vorstellung, dass ihr Vater ihre Mutter betrogen hatte, passte nicht in ihr Bild von ihm. »Ich habe mit dem kleinen Jie oft gespielt. Ich hätte doch gemerkt, wenn er mein Bruder wäre.«

»Vielleicht hast du dich deshalb so gut mit ihm verstanden«, gab Tian zu bedenken.

Sie erinnerte sich an Jies Geburtstag vor ein paar Jahren und daran, wie wohl ihr Vater sich dabei gefühlt hatte, mit dem Kleinen zu spielen. Hinterher hatte er sie fast angebettelt, Mutter nichts von seiner Anwesenheit zu erzählen. Es mochte nicht in Amelies Bild von ihrem Vater passen, aber je länger sie darüber nachdachte, desto wahrscheinlicher erschien es ihr.

»Ja, vermutlich ist es wahr«, seufzte sie schließlich.

Erich leerte sein Glas und schob es von sich weg. »Es ist kein Trost und keine Entschuldigung, aber viele achtbare Geschäftsleute und Beamte haben in Tsingtau eine chinesische Geliebte und auch Kinder mit ihnen. Manche sind nicht verheiratet, andere haben die Gattin im fernen Deutschland gelassen. Dein Vater hatte das Pech, dass jemand dahintergekommen ist, der eigene Sohn. Und er hatte das Pech, dass sein Sohn ein skrupelloser Erpresser ist.«

»Weiß Jies Mutter schon von Vaters Tod?« Amelie dachte an die schlanke Chinesin mit dem schmalen, ausdrucksvollen Gesicht. »Ich weiß nicht einmal, wie sie heißt.«

»Ihr Name ist Ju-hua. Und nein, sie weiß wohl nichts davon. Ihr Bruder arbeitet seit einem Vierteljahr nicht mehr hier, und da haben sie auch die Wohnung verlassen müssen. Soweit ich weiß, sind sie aus Tsingtau weg.«

»Einfach so?«

»Nein, dein Vater hat ihnen Geld gegeben. Etwas von

dem letzten Geld, das er noch hatte. Das war, als Fritz die Geschichte überall herumerzählte. Ein letzter Versuch deines Vaters, die Flut der Schande einzudämmen, die doch schon längst über ihn hereingebrochen war. Er war in seinen letzten Tagen wie jemand, dessen Boot schon randvoll mit Wasser gelaufen ist und der aller Wahrscheinlichkeit zum Trotz versucht, es mit bloßen Händen auszuschöpfen.«

»Und dann ist er ertrunken in seinen Sorgen«, sagte Amelie bitter. »Weil niemand ihm zur Seite stand, als er in höchster Not war. Auch ich nicht, seine Tochter.«

Tian legte einen Arm um ihre Schultern. »Du bist die Letzte, die sich Vorwürfe machen muss, Ai. Du hast oft genug den Kontakt zu deiner Familie und deinem Vater gesucht.«

Erich sah zu der großen Fotografie, die eine Wand schmückte. Sie zeigte Helene vor der Veranda des Strandhotels. »Wenn sich jemand Vorwürfe machen muss, bin ich das. Lenes Tod war ein schwerer Schlag, von dem deine Eltern sich nie richtig erholt haben, Amelie.« Leise fügte er hinzu: »Und ich mich auch nicht.«

»Du dich auch nicht?«, fragte Amelie verwundert. »Ich denke, du hast Helene gar nicht geliebt.«

»Das ist nicht wahr. Ich habe sie sehr geliebt. Ich habe es nur zu spät erkannt.«

»Wann hast du es erkannt?«

»Zu spät«, wiederholte Erich und starrte auf das Bild. »Seitdem sie nicht mehr da ist, denke ich Tag und Nacht an sie.«

»Dann sind es wohl eher Schuldgefühle«, wandte Amelie ein.

»Das auch, gewiss, aber das ist es nicht allein«, sagte Erich leise. »Die Gefühle, die ich einmal für dich hegte, hatten sich vor meine Gefühle für Lene gestellt. Ich liebte sie, ohne es zu bemerken. Klingt unglaublich, nicht? Aber es war so. Lenes Tod hat den Schleier zerrissen und mich erkennen lassen, was ich für sie empfinde.« Er schüttelte traurig den Kopf und sagte wieder: »Zu spät ... zu spät.«

10

Genau wusste Amelie nicht zu sagen, weshalb das Ergebnis der polizeilichen Untersuchung über den Tod ihres Vaters letztlich »Unfalltod aufgrund des unglücklichen Umgangs mit einer Schusswaffe« lautete. Offenbar sollte der Skandal, dass sich ein so prominenter Mitbürger wie Heinrich Kindler selbst getötet hatte, möglichst klein gehalten werden. Vielleicht hatten Erich und sein Vater ihre Hände im Spiel. Sie hatten Kindler Import & Export übernommen. Wenn es öffentlich die Runde gemacht hätte, dass Amelies Vater sich aus wirtschaftlicher Not das Leben genommen hatte, wäre ein Schatten auf Schweiger & Sohn gefallen.

Amelie selbst war sich nicht sicher, ob es wirklich die wirtschaftliche Not war oder nicht eher die Schande, die ihren Vater zu der Tat veranlasst hatte. Nicht einmal so sehr die Schande, als verheirateter deutscher Bürger von Tsingtau ein Kind mit einer Chinesin zu haben, als die, sein einst so stolzes Unternehmen sehenden Auges in den Ruin geführt zu haben. Letztlich würde wohl niemand die ganze Wahrheit erfahren.

Bei der Beerdigung auf dem Europäerfriedhof bot sich ein trauriges Bild. Nicht einmal Amelies Mutter war gekommen. Sie fühlte sich weiterhin schlecht, und Emi kümmerte sich um sie. Fritz erschien auch nicht, aber das hatte

Amelie nicht anders erwartet. So beschränkte sich die Anzahl der Trauernden auf fünf: Amelie, Tian, Yukio Tanaka, Erich und Jakob Winterkorn.

Amelie hatte nach der Familie Chin gesucht, die irgendwie ja auch ihre Familie war, zumindest war der kleine Jie ihr Halbbruder. Sie hatte in allen chinesischen Zeitungen, die im Gebiet von Kiautschou erschienen, Suchanzeigen veröffentlicht und um Kontaktaufnahme gebeten, aber bislang ohne Erfolg. Sie hoffte sehr, dass sie doch noch etwas von ihrem Halbbruder und seiner Familie hören würde.

Als die Beisetzung beendet war, stieß die kleine Gruppe auf eine korpulente Gestalt im dunklen Anzug, die leicht abgehetzt wirkte. Der Bankier Otto Frederking wischte sich, obwohl es kalt draußen war, den Schweiß von der Stirn, kondolierte Amelie und sagte: »Da ist noch eine Sache, Frau Liu. Es ist mir unangenehm, doch je eher wir darüber sprechen, desto besser. Ihr Vater hatte zuletzt ja einige Schulden bei uns. Nun ist uns bei Durchsicht aller Unterlagen aufgefallen, dass sich eigentlich noch etwas über eintausend Dollar im Barvermögen Ihres Vaters befunden haben müssen. Ist davon vielleicht etwas aufgetaucht?«

»Nein«, sagte sie nur.

Rechtlich mochte das Geld, das Vater ihr am Abend seines Todes übergeben hatte, dem Bankhaus Frederking & Söhne zustehen, moralisch sah sie sich gleichwohl im Recht. Sie brauchte das Geld nicht einmal, um für ihre Mutter zu sorgen, aber hätte sie es herausgegeben, hätte sie das Gefühl gehabt, den letzten Wunsch ihres Vaters in den Wind zu schlagen. Es war sein Versuch der Wiedergutmachung an seiner Frau gewesen. Ein kläglicher, ungeeigneter, unangemessener, verzweifelter Versuch, aber alles, was ihm geblieben war.

»So, nein, hm«, machte Frederking und nagte an seiner Unterlippe. »Das ist dumm, zu dumm. Dann müssen wir diesen Posten in den Büchern wohl mit einem Fragezeichen versehen und letztlich abschreiben.«

»Wird es Ihr Bankhaus denn überstehen?«, fragte Amelie mit falscher Höflichkeit, aber solche Nuancen schienen dem ganz auf Zahlen ausgerichteten Bankier zu entgehen.

»Aber ja, es ist ja nicht so schlimm.«

»Dann bin ich sehr erleichtert.«

Frederking nickte. »Sehr freundlich von Ihnen. Vielen Dank für Ihr Mitgefühl, Frau Liu.«

»Heben Sie es gut auf, Herr Frederking«, sagte Amelie zu ihm, bevor sie weiterging. »Vielleicht können Sie es verzinsen.«

Für Amelie wurde es ein trauriges Weihnachtsfest. Sie versuchte, Mutter die Zeit zu vertreiben, sie aufzuheitern, um dadurch letztlich auch sich selbst aufzuheitern. Aber Mutter dämmerte meistens still vor sich hin. Amelies Versuch, sie mit dem gemeinsamen Singen von Weihnachtsliedern aus ihrer Lethargie zu reißen, blieb erfolglos. Schon bei der ersten Strophe von *Stille Nacht* versagte Mutter die Stimme. Ein paar Tränen rannen über ihre Wangen. Amelie streichelte und küsste sie, dann verließ sie Mutters Zimmer. Mutter sollte nicht sehen, dass auch sie weinte.

Amelies Suche nach der Familie Chin war erfolglos geblieben, und inzwischen hatte sie die Hoffnung aufgegeben, noch etwas von ihr zu hören. Sie bedauerte das sehr, hatte sie doch nicht mehr viele Menschen, die sie als Familie bezeichnen konnte.

Das Jahr 1914 brachte in der ersten Hälfte nicht viel Abwechslung. Zweimal erspähte Amelie Fritz von Weitem, der aussah wie sein eigener Geist. Einmal schien er sie auch zu bemerken, drehte aber gleich den Kopf zur Seite und ging eiligen Schrittes weiter, in Richtung Kiautschoustraße – zu Hu Song, wie Amelie wohl zu recht vermutete.

Der Sommer brachte, wie üblich, viele Badeurlauber und Kurgäste nach Tsingtau, das man auch das Neapel am Gelben Meer nannte. Amelie ging, sooft es ihr möglich war, zum Badestrand. Es tat ihr gut, ins Meer einzutauchen. Sie konnte dabei wenigstens für kurze Zeit die belastenden Ereignisse der letzten Jahre vergessen.

Als sie sich an einem warmen Abend im Juli auf der Veranda des Strandhotels bei einem kühlen Bier vom Schwimmen erholte, lernte sie eine junge Engländerin kennen und freundete sich mit ihr an. Joan Plunkett kam aus Hongkong, wo ihr Mann einen leitenden Posten auf einer Werft bekleidete. Der Arzt hatte Joan eine Luftveränderung empfohlen, und da war Tsingtau in Ostasien für Europäer die erste Wahl. Bald trafen sie sich regelmäßig zum Schwimmen oder zu anderen Unternehmungen, und es tat Amelie gut, eine Freundin gefunden zu haben. Manchmal, wenn sie mit Joan zusammen war, dachte sie an Helene und ihre gemeinsamen Ausflüge. Da war es ähnlich unbeschwert zugegangen, jedenfalls für eine gewisse – viel zu kurze – Zeit.

An einem herrlichen Sonntag, der ganz Tsingtau mit einem wolkenlosen blauen Himmel überspannte, ging sie mit Joan zum Iltisplatz, wo Erich und Jakob Winterkorn einen Schauflug ihres in jüngster Zeit mit etlichen Verbesserungen versehenen *Adler von Tsingtau II* durchführen wollten. Jakob setzte sich als Erster in die Flugmaschine – und erhob sich unter den gespannten Blicken der vielen hundert Zuschauer tatsächlich in die Luft, wo er über der Bucht kreiste, bis er fast genau an der Stelle wieder landete, von der er aufgestiegen war.

Dann setzte sich Erich die lederne Pilotenkappe auf. War Amelie bei Winterkorns Start schon angespannt gewesen, mit Erich fieberte sie förmlich mit. Er war ihr ein guter Freund geworden, wenn sie ihn auch selten sah. Aber sie wusste, dass sie sich in der Not auf ihn verlassen konnte.

»Was hast du?«, fragte Joan, als sich Amelie den Schweiß von der Stirn wischte. »Ist dir zu heiß? Wollen wir zu der überdachten Tribüne gehen, in den Schatten?«

»Nicht nötig, das ist mehr die Erregung.«

»Erregung? Du sitzt doch nicht in diesem Flugkasten. Oder erregt dich der Anblick dieses gut aussehenden rothaarigen Piloten? Wie groß er ist und was für breite Schultern er hat! Fast schade, dass ich verheiratet bin.«

»Ich habe schon in so einem Apparat gesessen, Joan, und bin mit ihm über Tsingtau geflogen. Und mit dem Piloten, der dir so gut gefällt, war ich einmal verlobt.«

Joans blaue Augen leuchteten. »Amelie! Ich dachte, wir sind Freundinnen, und dann erfahre ich das so nebenbei? Ich glaube, du hast mir viel zu erzählen.«

»Gern, aber später. Jetzt muss ich Erich die Daumen drücken.«

»Erich, so. Vielleicht könntest du uns nachher einander vorstellen?«

»Nur, wenn du nicht vergisst, dass du verheiratet bist.«

Amelie drückte fest die Daumen auf die Zeigefinger, und vielleicht half es. Auch Erich startete beim ersten Versuch und drehte seine Kreise über Stadt und Meer, bevor er ohne Zwischenfälle wieder landete. Später ging sie mit Joan zu dem Flugschuppen, in den der *Adler II* wieder geschoben worden war, und sie hatten mit Erich und Winterkorn einen ausgelassenen Nachmittag.

Es hätte ein wundervoller Sommer sein können, aber mit einem Mal sprach alle Welt von Krieg. Begonnen hatte es Ende Juni mit dem Attentat von Sarajevo, bei dem der Thronfolger von Österreich-Ungarn und seine Frau ermordet wurden. Fast schien es Amelie, wenn sie die neuesten Meldungen in der Zeitung las, als hätten die europäischen Großmächte nur auf diese Gelegenheit gewartet, einander an die Gurgel zu gehen. Da war von Bedrohung die Rede und von Vergeltung, von Mobilmachung und rechtmäßigen Gebietsansprüchen. Die internationale Großwetterlage schien sich immer mehr aufzuheizen.

Gegen Ende Juli packte Joan vorzeitig ihre Koffer und verabschiedete sich unter Tränen von Amelie. Ihr Mann hatte sie angesichts der politischen Lage gebeten, so schnell wie möglich nach Hongkong zurückzukommen.

»Glaubst du wirklich, es gibt Krieg zwischen Großbritannien und Deutschland?«, fragte Amelie zweifelnd.

Joan seufzte und strich eine ihrer schwarzen Locken aus dem Gesicht. »George hält es jedenfalls für möglich. Österreich und Russland werden wohl aufeinander losgehen. Österreich ist mit Deutschland verbündet, Russland mit Frankreich und mit Großbritannien. Wenn man sich das vor Augen führt, scheint ein Krieg unausweichlich.«

Abends sprach Amelie mit Tian und Emi darüber, und Tian sagte: »Ich weiß nicht, ob ein Krieg unausweichlich ist, aber die Gefahr eines Krieges zwischen den Großmächten ist so groß wie nie zuvor. Auch Tsingtau könnte zwischen die Mühlsteine geraten. Die Briten werden es sich aneignen wollen, vielleicht auch die Japaner. Sie versuchen schon lange, das Gelbe Meer zu so etwas wie ihrem eigenen Binnensee zu machen.«

Emis besorgter Blick wanderte von Tian zu Amelie. »Wenn mein Sohn recht hat, solltest du dir überlegen, ob es für dich nicht besser ist, Tsingtau zu verlassen, Amelie.«

»Ich lasse euch und alles hier doch nicht im Stich«, erwiderte Amelie empört. »Das kommt nicht infrage. Außerdem muss ich mich um meine Mutter kümmern.«

»Das kann ich auch tun«, sagte Emi. »Du solltest nicht nur an deine Sicherheit denken, Amelie, sondern vor allem an das Kind.«

»Kind?«, fragte Tian. »Was für ein Kind?«

»Deins natürlich«, sagte Emi. »Tut mir leid, Amelie, dass ich dir die Überraschung verdorben habe, aber wir müssen über dieses Thema sprechen.«

»Schon gut«, sagte Amelie zu ihrer Schwiegermutter. »Ich wusste nur nicht, dass du es weißt.«

Emi lächelte versonnen. »Es gibt da so gewisse Hinweise, untrügliche Anzeichen.«

Tians Kopf drehte sich von einer zur anderen, sein Gesicht war eine einzige Frage. »Hinweise, Anzeichen? Heißt das etwa …?«

Amelie legte eine Hand auf seinen Unterarm. »Ja, Tian, du wirst Vater.«

Als Tian die für ihn so überraschende Nachricht endlich

verarbeitet hatte, bedeckte er Amelies Hände und Wangen mit zärtlichen Küssen. »Wann ist es so weit?«

»Erst im kommenden Jahr, dann hat sich die ganze Aufregung längst gelegt«, sagte Amelie. »Schaut euch doch in Tsingtau um. Hier leben Deutsche, Briten, Franzosen, Russen, Chinesen, Japaner, Koreaner und Inder einträglich Seite an Seite. Welchen Grund könnte es geben, einander plötzlich die Schädel einzuschlagen?«

»Wer einen Krieg vom Zaun brechen will, findet dafür immer einen Grund«, sagte Emi. »Und wenn es einen Krieg gibt, ist es vielleicht auch schnell mit dem Frieden in Tsingtau vorbei. Deshalb solltest du dir überlegen, ob du die Stadt nicht beizeiten verlässt.«

»Und wo sollte ich hin? Unsere Villa in Berlin ist längst verkauft.«

»Du könntest dir dort eine Wohnung nehmen«, schlug Tian vor. »Vielleicht wäre es auch schon im Hinterland des Schutzgebiets sicherer als hier.«

Amelie schüttelte den Kopf. »Das kommt nicht infrage. Im Kreis meiner Lieben fühle ich mich am sichersten.« Das leichte Lächeln auf ihren Lippen wich einer ernsten Miene. »Und meine Mutter verlasse ich nicht, nicht in diesem Zustand. Außerdem wird es keinen Krieg geben, verlasst euch darauf!«

Aber es gab Krieg. Schon wenige Tage später, Anfang August, befanden sich die Großmächte miteinander im Kriegszustand. Während in Europa die Bataillone marschierten und ganze Eisenbahnzüge mit Truppen und Kriegsgerät an die Front rollten, blieb man in Tsingtau gelassen, auch gegenüber den Briten, Franzosen und Russen, plötzlich Angehörige feindlicher Nationen. Sie durften sich innerhalb der Stadt frei bewegen oder abreisen, ganz nach Belieben. Der Gouverneur bat sie lediglich, sich nicht ohne vorherige Erlaubnis ins Hinterland zu begeben, sich nicht in der Nähe der Befestigungsanlagen herumzutreiben und nicht zu spionieren. Alles sehr verständliche Auflagen, dachte Amelie und bedauerte, dass Joan so frühzeitig abgereist war.

»Denkst du an deine britische Freundin?«, fragte Tian, als die beiden an einem warmen Abend im frühen August am Kaiser-Wilhelm-Ufer standen und aufs Meer hinausblickten. »Du bist so merkwürdig still.«

Amelie drehte sich zu ihm um und legte ihre Hände in seine. »Und du kannst meine Gedanken ziemlich gut lesen. Ja, ich habe tatsächlich an Joan gedacht. Wir hatten ein paar wirklich schöne Tage zusammen. Sollte ich dich in dieser Zeit vernachlässigt haben, dann verzeih mir das bitte.«

»Da gibt es nichts zu verzeihen. Ich war sehr froh darüber, dass die Zeit mit Joan dir dein Lächeln zurückgegeben hat.«

»Ich habe immer gelächelt.«

»Aber nicht innerlich«, sagte Tian und zog sie an sich. »Ich hoffe sehr, dass deine Freundin im nächsten Sommer wieder hier sein kann.«

»Glaubst du das wirklich?«

»Ich hoffe es, Ai, ich hoffe es für uns alle.«

Aber je weiter der August voranschritt, desto geringer wurden die Hoffnungen, dass zumindest Tsingtau der Frieden erhalten bleiben würde. Die Japaner, die mehr als ein Auge auf das deutsche Schutzgebiet am Gelben Meer geworfen hatten, erklärten dem Deutschen Reich den Krieg und ließen eine eindrucksvolle Flotte vor der Küste aufziehen. Zu der Zeit lagen in der Kiautschou-Bucht nur ein paar kleinere deutsche Kriegsschiffe, den japanischen schon zahlenmäßig weit unterlegen.

In Tsingtau kratzte Kapitän zur See Meyer-Waldeck, der Vizeadmiral von Truppel als Gouverneur abgelöst hatte, alles zusammen, was er an Truppen aufbieten konnte, auch Reservisten und Zivilisten, die sich freiwillig meldeten und für die eilig Uniformen geschneidert werden mussten. Schließlich brachten es die Verteidiger auf eine Streitmacht von ungefähr viereinhalbtausend Mann, was nicht viel war. Tsingtau und das deutsche Schutzgebiet waren als friedlicher Handelsplatz gedacht gewesen, nicht als Festung.

All das bekam Amelie nur am Rande mit, weil es Mutter von Tag zu Tag schlechter ging, bis sie am letzten Sonntag im August friedlich starb. Kurz vorher bäumte sich ihr Körper noch einmal auf, und sie sagte laut: »Heinrich … Vergebung …«

Wer wem vergab oder vergeben sollte, wurde Amelie nicht klar. Sie war von Mutters Tod nicht so sehr mitgenommen wie von Helenes oder Vaters. Es hatte sich bei Mutter schon seit Monaten abgezeichnet, dass es so kommen würde, und letztlich war es für Mutter eine Erlösung. Das wiederum war für Amelie ein Trost.

Sie überlegte, ob sie Fritz ausfindig machen sollte, aber sie unterließ es dann doch. Fritz hatte sich die ganze Zeit über nicht um seine Mutter gekümmert, was sollte ihn da ihr Tod kümmern?

Mutter wurde neben Vater beigesetzt, und wiederum

fand die Beerdigung in einem sehr kleinen Kreis statt. Diesmal erschien zum Glück kein Bankier mit Dollarzeichen in den Augen. Aber das ihr von Vater überreichte Geld war noch immer in Amelies Besitz. Vielleicht war es nicht schlecht, in Zeiten wie diesen einen Notgroschen zu haben.

Auch Erich und sein Freund Winterkorn waren zur Beisetzung erschienen. Sie trugen die Uniform der Landwehreinheiten, waren aber vom regulären Dienst weitgehend freigestellt, um mit ihrem *Adler II* Aufklärungsflüge durchzuführen. Damit unterstützten sie den Oberleutnant Plüschow von den Marinefliegern, der erst vor wenigen Wochen nach Tsingtau versetzt worden war. Seine Flugmaschine war, wie Amelie von Erich erfuhr, eine sogenannte Etrich-Rumpler-Taube, aber die Menschen in Tsingtau sprachen, wenn die beiden Maschinen über ihnen am Himmel kreisten, nur vom »Adler« und der »Taube«.

Amelie fragte Erich, ob er etwas von Fritz gehört habe.

»Fritz.« Erich sprach den Namen mit offener Verachtung aus. »Stell dir vor, er hat sich auch für die Landwehr gemeldet. Dabei sieht man ihm seine Opiumsucht schon auf zehn Kilometer Entfernung an.«

»Also hat man ihn abgewiesen?«

»Selbstverständlich. Ich weiß nicht, was er jetzt treibt. Wahrscheinlich kratzt er irgendwo Geld zusammen, um es am Spieltisch oder in einer Opiumhöhle durchzubringen. Mich hat er auch schon angebettelt, zweimal. Gib ihm bloß nichts, Amelie, auch wenn er dein Bruder ist.«

»Ich glaube, zu mir traut er sich nicht. Er weiß, dass er sich einiges anhören müsste. Dazu ist er, wie ich ihn einschätze, einfach zu feige.«

»Mag sein, aber sei trotzdem vorsichtig!«

»Weshalb?«, fragte Amelie.

»Ich kann es nicht so genau sagen. Es ist eher ein unbestimmtes, aber ungutes Gefühl. Fritz ist immer für eine Überraschung gut, leider meistens für eine böse.«

11

Amelie fragte sich manchmal, wenn sie an das in ihr heranwachsende neue Leben dachte, ob es nicht doch besser gewesen wäre, Tsingtau zu verlassen. Mit jedem Tag, der ins Land ging, veränderte sich der Ort mehr und wurde er von einer friedlichen Hafenstadt zu einer belagerten Festung.

Die meisten Angehörigen der verfeindeten Nationen waren gegangen, ebenso viele Chinesen, die in diesem Krieg neutral waren, jedenfalls bislang. Auch etliche deutsche Zivilisten, hauptsächlich Frauen und Kinder, hatten Tsingtau per Eisenbahn oder Dampfschiff verlassen. Die Leuchtfeuer an der Küste waren gelöscht, und nachts schienen auch keine Straßenlaternen mehr. Über Briefe und Telegramme hatte der Gouverneur die Zensur verhängt. Automobile und Pferdefuhrwerke mit Schanzmaterial, Waffen und Munition waren auf den Straßen unterwegs, Truppenabteilungen marschierten zu ihren Stellungen, und die eilig ausgehobene Landwehr rückte immer wieder zu Schießübungen aus.

Aber hier war ihre Heimat, sagte sich Amelie, hier lebten die Menschen, die sie liebte, Tian und Emi. Sie wollte sich unter keinen Umständen von ihnen trennen.

Da so viele Menschen die Stadt verlassen hatten, fehlte es überall an Personal, auch in den regulären und den eilig eingerichteten behelfsmäßigen Lazaretten. An guten Ärzten bestand in Tsingtau kein Mangel, was aber fehlte, waren Pflegekräfte. Amelie hörte von einer Kundin im Laden, dass im zum Lazarett umgewandelten Seemannshaus, in dem sonst die Seeleute Unterkunft und Freizeitbeschäftigung fanden, die katholischen Nonnen händeringend nach weiteren Schwestern suchten. Sie wollte auch etwas für Tsingtau und die Menschen hier tun. Also ging sie zum Seemannshaus und fragte die Mutter Oberin, ob man sie vielleicht gebrauchen könne.

»Warum so vorsichtig, Frau Liu?«, wollte die Oberin wissen. »Ich beiße nicht.«

»Ich weiß nicht, ob ich für Sie überhaupt infrage komme. Erstens bin ich evangelisch, zweitens nicht besonders gläubig, drittens mit einem Chinesen verheiratet, und viertens dürfte die Familie, aus der ich stamme, mittlerweile nicht den besten Ruf genießen.«

»Und?«, erwiderte die Oberin nur. »Meinen Sie, danach fragt einer von den armen Kerlen, die da drinnen in den Krankensälen liegen, schwer verwundet und fiebrig, und die sich nichts anderes ersehnen als die helfende Hand und die tröstenden Worte einer Frau, die ihnen wenigstens für kurze Zeit Mutter, Gattin oder Schwester ersetzt?«

»Gibt es denn schon so viele Verwundete?«

»Einige. In den Bergen gab es mehrere Zusammenstöße mit japanischen Vorhuttruppen und auch mit chinesischen Banditen, die in den Kriegswirren auf Beute aus sind.«

»Dann nehmen Sie mich?«

»Wenn Sie möchten, Schwester Amelie, können Sie gleich hierbleiben und anfangen.«

Amelie ging ihre neue Aufgabe mit großem Elan an. Der Umgang mit Schwerverwundeten oder Verstümmelten war nicht immer einfach, aber gerade diese Menschen brauchten Amelies Zuwendung. Ihre Abwesenheit im Laden glich sie mit verkürzten Öffnungszeiten aus, sodass Yukio Tanaka und Jian mit der Arbeit allein fertig wurden. Sie war froh, dass Tanaka in Tsingtau geblieben war, das von seinen eigenen Landsleuten angegriffen wurde. Amelie war mit Erich und Winterkorn bei der Gouvernementsverwaltung gewesen, um sich für ihn zu verbürgen.

Tian hatte erst etwas besorgt ausgesehen, als sie ihm von ihrem Wunsch, als Krankenschwester zu arbeiten, erzählte, aber schließlich war er einverstanden gewesen. Er hatte sie geküsst und gesagt: »Aber eins musst du mir versprechen, Ai: Pass gut auf unser Kind – und auf dich selbst – auf!«

Die Japaner hatten unter Verletzung der chinesischen Neutralität eine Übermacht an Truppen, mehrere zehntausend Mann, angelandet und drängten die deutschen Verteidiger im Hinterland von Tsingtau mehr und mehr zurück, bis sie Ende September den Belagerungsring geschlossen hatten. Fast gleichzeitig begannen die japanischen Großkampfschiffe, Tsingtau zu beschießen. Anfang Oktober fiel die von den Japanern an Land in Stellung gebrachte schwere Belagerungsartillerie in das Feuer ein. Besonders viele Granaten gingen im Hafengebiet nieder.

Tian schloss sich einer Freiwilligentruppe an, die sich um das Bergen von Menschen und das Löschen von Feuern kümmerte. Amelie war gar nicht wohl dabei, dass er im Hagel der Granaten draußen unterwegs war. Aber sie war gleichzeitig auch stolz auf ihn.

In diesen Tagen begann sie, in den wenigen stillen Momenten, wieder zu beten, wie sie es als kleines Kind getan hatte. Sie betete für ihre Familie und für alle Menschen in Tsingtau, betete dafür, dass diese Prüfung für sie alle bald vorbei sein möge.

Großen Anteil nahmen die Belagerten an den Geschehnissen in der Luft, wo *Adler* und *Taube* gegen mehrere japanische Flugmaschinen antraten. Immer wieder warfen japanische Piloten aus der Luft Bomben auf Tsingtau. Sie starteten von einem sogenannten Flugzeugmutterschiff und waren schon allein durch ihre Zahl, sechs oder acht waren es wohl, überlegen. Die deutschen Piloten vermieden befehlsgemäß jede direkte Auseinandersetzung mit ihren japanischen Kontrahenten. Es wäre aussichtslos gewesen, die großen feindlichen Doppeldecker, die oft drei Mann Besatzung an Bord hatten, bezwingen zu wollen. Zu wertvoll waren die beiden deutschen Maschinen für die Aufklärung: um die Truppenbewegungen der Belagerer zu melden und ihre Absichten vorauszusehen.

Vielleicht war es einfach die fliegerische Kühnheit Erichs, Winterkorns und Plüschows, die den Menschen Mut machte. Jedes Mal, wenn am Himmel das Dröhnen der Flugzeugmotoren ertönte, blickte Amelie hinauf, und wenn sie den *Adler* erkannte, verfolgte sie das Geschehen mit großer Sorge um Jakob Winterkorn und noch mehr um Erich.

Bis eines Tages im Oktober, als Amelie auf dem Weg zur Nachmittagsschicht ins Lazarett noch kurz im Laden nach dem Rechten sah, Jian mit bekümmerter Miene sagte: »Haben Sie schon gehört, Frau Liu? Der *Adler* wurde abgeschossen.«

Amelie hatte es noch nicht gehört, und sie erstarrte bei den Worten des jungen Chinesen. Der Gedanke, nach all den schlimmen Ereignissen der Vergangenheit noch jemanden zu verlieren, der ihr nahestand, war ihr unerträglich. Vielleicht lag es an der nervlichen Anspannung der letzten Wochen, dass sie zu zittern begann.

»Wann ist das geschehen, Jian?«, fragte sie, als sie sich wieder einigermaßen gefasst hatte.

»Heute Vormittag, glaube ich. Schrapnellgeschosse haben den *Adler* getroffen, und er ist im Norden an der Stadtgrenze abgestürzt.«

»Was ist mit dem Piloten?«

»Manche sagen, er ist verletzt. Andere sagen, er ist tot.«

»Wer hat den *Adler* geflogen, Erich Schweiger oder Jakob Winterkorn?«

Jian wusste die Antwort nicht. War es Erich gewesen? Und war auch er jetzt tot? Am liebsten hätte sie sich sofort auf den Weg gemacht, um Näheres herauszufinden, aber sie musste zum Dienst. Als sie ihren Weg zum Seemannshaus fortsetzte, blieb ihr nur die Hoffnung, dort etwas in Erfahrung zu bringen.

Kaum hatte sie das Kriegslazarett betreten, kam ihr eine der Nonnen entgegen: »Schwester Amelie, da ist ein Patient im Krankensaal zwei, der Sie offenbar kennt. Er hat nach Ihnen gefragt.«

Eilig suchte sie Saal zwei auf und bahnte sich dabei einen Weg durch Ärzte, Schwestern und Genesende. Wenn es Erich war, dann war er zumindest am Leben.

»Amelie!«, rief eine raue Stimme mit leicht süddeutschem Akzent. »Hier bin ich!«

Am Ende des Saals lag Jakob Winterkorn in einem der vielen Betten und hatte einen Gipsverband um das linke Bein. Amelie ging zu ihm und erkundigte sich nach seinem Zustand.

»Wenn das mit dem Bein nicht wäre, dann ginge es mir gut. Abgesehen davon, dass die Japaner unserem stolzen *Adler* die Flügel gestutzt haben. Jetzt besteht der Vogel aus einer Menge Einzelteilen. Hoffentlich kann Erich ihn wieder zusammensetzen. Ich wünschte, ich könnte ihm helfen.« Offenbar sah er Amelie die Erleichterung darüber an, dass Erich nichts geschehen war, denn er fuhr mit einem breiten Grinsen auf seinem gutmütigen Gesicht fort: »Sie sind wohl froh, dass es nicht Erich erwischt hat, was?«

»Ich bin froh, dass Sie beide am Leben sind«, sagte sie. »Aber ich gestehe ein, dass mein erster Gedanke Erich galt, als ich von dem Abschuss des *Adlers* hörte.«

»Verständlich, ich bin Ihnen deshalb nicht böse. Schließlich hatte ich nicht das Vergnügen, mit Ihnen verlobt zu sein.«

Von einem Schub guter Laune darüber, dass der Absturz des *Adlers* glimpflich abgelaufen war, getragen, sagte sie keck: »Was nicht ist, kann ja noch werden.«

»Oho, darf ich mir Hoffnungen machen?« Winterkorns riesiger Schnauzbart zitterte vor Erheiterung. »Da müssen wir uns nur noch überlegen, wie wir die Angelegenheit Ihrem werten Gemahl beibringen.«

»Kommt Zeit, kommt Rat«, flötete Amelie. »Erst einmal werden Sie gesund, Jakob! Oder glauben Sie, dass ich mich mit einem Halbinvaliden abgebe?«

»Wenn das kein Ansporn ist, schnell wieder auf die Beine zu kommen, dann weiß ich nicht!«, lachte Winterkorn derart laut, dass sich ihnen fast sämtliche Gesichter im Saal zuwandten.

Eigentlich war Amelie für Krankensaal drei eingeteilt, aber sooft es ihre Zeit erlaubte, stattete sie Winterkorn einen Besuch ab und brachte ihm Lektüre oder frisches Obst vorbei. Das hielt ihn bei Laune, und auch ihr machten die zwanglosen Gespräche mit ihm Spaß. Es war eine angenehme Abwechslung zu ihrem selbst gewählten, gleichwohl anstrengenden Schwesterndienst, zu dem Weinen und Stammeln der Verwundeten, zu dem schweren Gemenge aus menschlichen Ausdünstungen und Desinfektionsmitteln, das sie mit jedem Atemzug in sich aufnahm. Vierzehn Tage nach seiner Einlieferung aber setzte Winterkorn ein ernstes Gesicht auf, als Amelie auf sein Bett zuging.

»Endlich kommen Sie, Amelie, ich warte schon seit Stunden auf Sie.«

Ihr war sofort klar, dass es um etwas Schwerwiegendes ging, und ihr Herz begann, wild zu pochen. »Warum? Ist etwas mit Erich? Ist er etwa auch abgestürzt?«

»Nein, der *Adler* ist noch gar nicht wieder flugfähig. Erich hat mich gestern besucht und mir erzählt, dass es noch eine Weile dauert, bis sich der *Adler* wieder in die Lüfte erhebt. Nein, es geht nicht um ihn, sondern um Helene.«

Erst glaubte Amelie, sie hätte sich verhört. »Helene? Wieso? Sie ist schon lange tot.«

»Das eben ist die Frage«, sagte Winterkorn und deutete auf das Bett zu seiner Rechten. »Der junge Seesoldat da mit dem verbrannten Gesicht ist erst heute in das Bett gekommen. Erinnern Sie sich an den langen Holsteiner mit dem Granatsplitter in der Brust, der sonst dort lag?«

»Ja«, sagte Amelie und dachte an den großen, schlanken Mann, der kaum ein Wort gesprochen hatte, obwohl sie ihn immer mit einem freundlichen Lächeln bedacht hatte. »Ist er …«

Winterkorn nickte. »Gegen Morgen hat er aufgehört zu atmen. Als man ihn wegbrachte und seine wenigen Sachen zusammensuchte, ist mir etwas aufgefallen, das ich mir sofort unter den Nagel gerissen habe. Hier, das meine ich.«

Er nahm etwas von dem kleinen Bord neben dem Bett und drückte es in Amelies Hand. Es war ein kleiner Anhänger aus Jade, eine sehr schöne Arbeit. Ein Hund.

»Genau so einen hatte Helene«, sagte Amelie überrascht. »Sie hat ihn immer getragen, seitdem sie als Erichs Frau nach Tsingtau zurückgekehrt ist.«

»Ich weiß, ich habe ihn oft an ihr gesehen.«

»Aber weshalb …«

»Drehen Sie ihn um, Amelie!«

Zögernd wendete Amelie den Anhänger und las halblaut den eingravierten Namen auf der Rückseite: »Helene!«

Der Anhänger fühlte sich für sie auf einmal an wie ein heißes Eisen, und erschrocken ließ sie ihn los. Er fiel auf die Bettdecke. Dort lag der kleine Hund aus Jade und schien sie auffordernd anzustarren.

»Das glaube ich nicht«, sagte sie fast tonlos. »Das kann nicht sein!«

In den Tagen nach Helenes Sturz von den Klippen hatte sie sich eingeredet, ihre Schwester könne irgendwie überlebt haben, sei vielleicht von Fischern aufgenommen worden, die kein Deutsch sprachen, und würde sich quietschfidel wieder einfinden. Dann hatte sie sich allmählich mit dem Gedanken vertraut gemacht, dass sie Helene für immer verloren hatte.

Jetzt wusste sie nicht, ob sie sich über das Auftauchen

des Anhängers freuen sollte. Hieß das nicht zuallererst, dass die Qual der Ungewissheit von Neuem begann?

Winterkorn schien ihre Zweifel zu bemerken. Er räusperte sich und sagte: »Ich bin mir sicher, es ist Helenes Anhänger. Die Gravur lässt keinen anderen Schluss zu. Bleibt die Frage, wie er in den Besitz des Holsteiners gelangt ist.«

»Er muss ihn nicht von Helene haben. Vielleicht hat ein Fischer auf Schui ling schan den Anhänger gefunden und an einen Besucher der Insel verkauft, zum Beispiel an diesen Soldaten.«

»Mag sein. Aber was ist, wenn er ihn doch von Helene hat? Ich weiß nicht viel von dem Toten. Er hat in den Bergen gegen die Japaner gekämpft und ist dabei verwundet worden. Erst hat man sich in einer Missionsstation um ihn gekümmert, dann kam er mit einem Verwundetentransport nach Tsingtau. Das ist auch schon alles.«

»Du meinst, Lene ist noch am Leben? Sie ist in der Missionsstation gewesen, und der verwundete Soldat hatte den Anhänger daher?«

Das fragte Erich, als er abends mit Amelie auf einer kleinen Bank hinter dem Seemannshaus saß. Er war gekommen, um nach seinem Freund Jakob zu sehen. Amelie hatte schon auf ihn gewartet und ihn gebeten, mit ihr nach draußen zu gehen, um in Ruhe über die Sache zu reden. Zurzeit schwiegen die japanischen Geschütze, und die Einwohner Tsingtaus genossen einen selten gewordenen Augenblick des Friedens. Der Jadehund wirkte in Erichs großer Hand noch kleiner. Immer wieder schloss er die Augen, als glaubte er, er würde gleich aus einem Traum erwachen.

»Ich wollte es erst auch nicht glauben«, sagte Amelie. »Aber es ist zumindest eine Möglichkeit.«

»Ist es das wirklich? Ich meine, du hast die steilen Klippen selbst gesehen. Wie soll ein Mensch einen solchen Sturz überlebt haben?«

»Vielleicht mit Gottes Hilfe.«

»Gott? Was hat der damit zu tun?«

Amelie zuckte mit den Schultern. »Ehrlich gesagt, ich weiß es nicht. Aber seit aus unserer Stadt ein Schlachtfeld geworden ist, beneide ich alle Menschen, die Trost und Antworten bei ihm finden.«

»Suchst du das auch bei Gott, Trost und Antworten?«

»Lange Zeit habe ich gar nichts bei ihm gesucht. Aber seit die Menschen hier einander töten, als sei ein Leben nicht mehr wert als ein paar Silberdollar, seitdem bete ich wieder.«

Erichs Blick ruhte auf dem Anhänger und ging dann in jene Richtung, wo weit entfernt auf See die kleine Insel Schui ling schan lag. »Ich habe so viel an Lene wiedergutzumachen. Wenn es das doch gäbe, eine zweite Chance!«

12

Als Amelie spätabends nach Hause kam, erzählte sie Tian und Emi von dem Anhänger, und auch sie konnten es kaum glauben.

»Hast du ihn mitgebracht?«, fragte Tian.

»Nein, ich habe ihn Erich überlassen. Schließlich war – oder ist – Helene seine Frau.«

Tian legte die Stirn in Falten. »Glaubst du wirklich, dass sie noch lebt?«

»Ich weiß, es klingt unglaublich. Aber denk an die Legende von den beiden Liebenden, die erst sterben mussten, um, wiedergeboren als Schmetterlinge, auf ewig zusammen zu sein. Vielleicht musste auch Helene erst sterben, um ein zweites, glücklicheres Leben führen zu können.«

Mit einem leichten Nicken sagte Tian: »Dann hoffen wir einfach, dass es so ist.«

In das Ende seines Satzes mischte sich das Läuten der Türglocke, und er ging nachsehen, wer so spät noch etwas von ihnen wollte. Als er zurückkam, war er in Begleitung von zwei Personen: Yukio Tanaka, mit einem großen Koffer, und eine Japanerin in den Vierzigern, die westliche Kleidung trug. Eine schmale, schüchtern wirkende Frau. Tanakas Frau, das wusste Amelie sofort, auch wenn sie ihr noch nie begegnet war und auch noch kein Bild von ihr gesehen hatte.

»Ich habe Herrn Tanaka und seiner Frau gesagt, sie können bei uns wohnen«, sagte Tian in einem Tonfall, als sei die Angelegenheit damit erklärt.

Der Japaner blickte in die Runde und verneigte sich vor Tian, vor Amelie und schließlich vor Emi. »Ich bin Ihnen allen sehr dankbar. Es ist mir wirklich unangenehm, Sie zu behelligen. Aber ich habe mir Sorgen um die Sicherheit meiner Frau gemacht und wusste nicht, wohin.«

Amelie erhob sich vom Tisch und trat zu ihm. »Wenn Freunde in Not sind, hilft man ihnen. Und Sie, Herr Tanaka, gehören zu den besten Freunden, die ich in Tsingtau habe. Ich werde für Sie und Ihre Frau das Zimmer vorbereiten, in dem meine Mutter gelebt hat. Es ist ein ruhiges, helles Zimmer, und es wird Ihnen hoffentlich gefallen.«

»Ich mache das schon«, sagte Emi und stand ebenfalls auf. »Kommen Sie doch gleich mit, Herr und Frau Tanaka. Ich habe wirklich schon lange nicht mehr mit Landsleuten geplaudert.«

Als Emi mit den ebenso späten wie unerwarteten Gästen verschwunden war, sagte Tian wütend: »Es ist wegen Fritz. Ich weiß, ich sollte so etwas nicht sagen. Aber manchmal denke ich, man sollte deinen Bruder einfach erschlagen wie einen tollwütigen Hund!«

»Was hat Fritz getan?«

»Erich hat uns doch erzählt, dass man ihn bei der Landwehr abgelehnt hat.«

»Ja, und?«

»Offenbar spielt er jetzt trotzdem Soldat oder Polizist, wie immer man es nennen will. Er hat einen Trupp Männer um sich geschart, Bewaffnete, und sie machen Jagd auf alle Japaner, die in Tsingtau geblieben sind. Wir müssen vorsichtig sein. Sie könnten auch hierherkommen. Nicht nur wegen der Tanakas, auch wegen meiner Mutter.«

»Jagd auf Japaner? Wozu? Alle, die in der Stadt geblieben sind, lieben Tsingtau. Sie sind Bürger dieser Stadt, keine feindlichen Soldaten.«

»Das scheinen die Männer um Fritz anders zu sehen. Sie nennen sich Freitrupp Tsingtau oder so ähnlich und behaupten, alle Japaner in der Stadt seien Spione. Ich weiß nicht, was sie mit den Japanern vorhaben, ob sie sie umbringen wollen. Tanaka wurde zum Glück von seinem chinesischen Vermieter gewarnt und konnte sich mit seiner Frau noch rechtzeitig absetzen.«

»Wir müssen die Polizei einschalten«, schlug Amelie vor.

»Das hat Tanaka getan. Er war heute Abend bei der Polizei, bevor er zu uns kam. Die hat ihm aber nicht so recht geglaubt und alles für reichlich übertrieben gehalten. Sie haben ihm gesagt, sie hätten derzeit genug zu tun und könnten sich nicht um ein paar vermutlich harmlose Randalierer kümmern. Er und seine Frau sollten doch bei Freunden übernachten oder sich ein Zimmer im Hotel nehmen, wenn sie sich zu Hause nicht wohlfühlten.«

»Dann hatte Erich also recht, als er mich auf Mutters Beerdigung vor Fritz gewarnt hat. Damals habe ich es auf die leichte Schulter genommen, aber jetzt habe ich plötzlich Angst.«

Es überkam Amelie einfach: ein starkes Zittern, das durch ihren ganzen Körper lief und erst nachließ, als Tian sie an sich zog und sanft streichelte. Obwohl sie sich bei ihm geborgen fühlte, blieb tief in ihr die Angst vor etwas Bösem bestehen. Die Angst vor Fritz.

Tian ging nicht zu Bett. Er blieb im Salon und hielt Wache für den Fall, dass Fritz und seine Komplizen – für Amelie waren sie nichts anderes als Verbrecher – versuchen sollten, in ihr Haus einzudringen. Amelie setzte sich zu ihm, wollte ihm Gesellschaft leisten, aber der Tag war anstrengend gewesen, und die Müdigkeit überwältigte sie. Im Traum sah sie Helene, die ihr fröhlich zuwinkte. Amelie wollte zu ihr gehen, aber da drehte sie sich um und lief davon. Auch Amelie begann zu laufen. Plötzlich verwandelte sich Helene in ein Tier, in einen grünen Hund, und der rannte so schnell, dass er kleiner und kleiner wurde.

»Sie sollten schlafen gehen, Sie beide.« Yukio Tanaka stand vor Amelie und Tian. »Es ist schon weit nach Mitternacht. Ich werde den Rest der Wache übernehmen.«

Amelie rieb sich die Augen und fragte benommen: »Wie geht es Ihrer Frau?«

»Sie schläft jetzt, aber es hat lange gedauert. Ich danke Ihnen nochmals für Ihre Hilfe. Der Krieg macht die Menschen zu Bestien, glauben Sie mir. Ich weiß, wovon ich spreche. Im Krieg gegen Russland, zehn Jahre ist das jetzt her, bin ich Hauptmann gewesen. Wir hatten ein koreanisches Dorf eingenommen, deren Bewohner mit den Russen sympathisiert hatten. Mehr nicht. Keiner der Dörfler hatte auch nur eine Hand gegen unsere Truppen erhoben. Trotzdem erhielt ich den Befehl, sie allesamt zu erschießen, Männer wie Frauen, Greise wie Kinder.«

»Was haben Sie getan?«, fragte Amelie, von seinen Worten gleichermaßen gebannt und erschrocken.

»Ich habe den Befehl verweigert und wäre deshalb fast selbst erschossen worden. Nur meinen Auszeichnungen hatte ich zu verdanken, dass aus der Todesstrafe eine unehrenhafte Entlassung aus der Armee wurde. Meine Frau und ich sind dann nach Tsingtau gegangen, um hier ein neues Leben anzufangen. Unser Sohn hat auch die Offizierslaufbahn eingeschlagen, war damals Offiziersanwärter. Er verleugnet uns seitdem. Die Schande, wissen Sie.«

»Und was geschah mit den Dorfbewohnern?«

»Sie wurden erschossen, ohne Ausnahme.« Tanaka schien in die Vergangenheit zu blicken, ruckte dann mit dem Kopf zu ihnen herum und sagte: »Jetzt kennen Sie meine Geschichte und wissen, weshalb meine Frau und ich uns Sorgen machen. Gehen Sie zu Bett, ich halte jetzt Wache.«

Dankbar für die Ablösung legten sich Tian und Amelie zu Bett. Auch wenn sie in Gefahr waren, in Tians Armen fühlte sie sich behütet, und bald fielen ihr erneut die Augen zu.

Diesmal träumte sie von einem schweren Gewittersturm, der über Tsingtau tobte. Aber es war kein Traum: Sie wurde wach, und der schwere Donner ließ nicht nach. Als ihre Hände nach Tian tasteten, fanden sie das Bett leer vor. Da sah sie ihren Mann. Er stand am Fenster, hatte die Läden ein Stück geöffnet und blickte hinaus in die frühe Morgendämmerung.

»Tian, was tust du da?«

»Ich beobachte die Einschläge«, antwortete er, ohne sich umzudrehen. »Noch liegen sie hauptsächlich im Hafengebiet, aber sie kommen näher. Wir sollten uns im Keller verstecken, bis das Bombardement vorüber ist.«

Amelie war mit einem Mal hellwach, schlüpfte aus dem Bett und eilte an Tians Seite. Deutlich sah man in der Dunkelheit das gelbrote Aufblitzen der schweren Schiffsgeschütze draußen auf See und der Artillerie in dem Belagerungsring, der sich immer enger um die Stadt zusammenzog. Wenn sie sich etwas vorbeugte, konnte sie die Explosionen in der Hafengegend erkennen und auch mehrere Feuer, die dort aufloderten. Tian hatte recht: Die Einschläge kamen langsam näher an Tapautau heran.

»Der Tenno feiert Geburtstag«, sagte Tian leise. »Sieht ganz so aus, als wollten seine Soldaten ihm Tsingtau als Präsent überreichen.«

Eilig zogen sie sich an und benachrichtigten Emi, die Tanakas und die Bediensteten, und keine halbe Stunde später stiegen sie in den Keller hinab, der ihnen, so hofften sie, ein Mindestmaß an Sicherheit bot. Tian und der Boy holten einige Nachbarn herbei, die über keinen Keller verfügten, bis es eng zu werden begann.

Im Keller der Familie Liu drängten sich die Menschen ängstlich zusammen, als zum wiederholten Mal innerhalb weniger Minuten ein schweres, bedrohliches Pfeifen ertönte. Zum Glück flog die Granate über sie hinweg, aber der Einschlag erfolgte nicht weit entfernt, irgendwo in Tapautau. Als das elektrische Licht flackerte, die Wände erzitterten und der Putz von der Decke rieselte, fingen ein paar Kinder an zu weinen, und Amelie drückte noch fester Tians Hand. Er strich über ihr Haar, sanft, beruhigend, und sie gab sich der Vorstellung hin, dass ihr in seinen Armen nichts passieren könne.

Eine helle Stimme und das Läuten der Türglocken waren plötzlich zu hören, und Tian schaute nach oben. »Da will jemand ins Haus.«

Als er aufstehen wollte, hielt Amelie ihn fest. »Solange

Tapautau unter schwerem Beschuss liegt, ist es zu gefährlich, den Keller zu verlassen.«

Wieder drangen lautes Klopfen und verzweifelte Schreie an ihre Ohren.

»Das ist Chinesisch, eine Frau«, sagte Tian und löste sich sanft, aber bestimmt von ihr. »Sie fleht um Einlass. Wir können sie nicht draußen auf der Straße lassen, wo sie dem Artilleriefeuer schutzlos ausgeliefert ist.«

»Du hast recht, Tian, aber ich komme mit.«

Er las in ihren Augen, dass Widerspruch zwecklos war, und nickte. Während sie beide die Treppe hinaufstiegen, zog Tians Mutter die weinenden Kinder an sich und sang ihnen leise etwas vor. Es klang fröhlich, ein Kinderlied, und das Weinen ließ nach.

Oben hörten Amelie und Tian es viel deutlicher: eine Frauenstimme, die um Einlass für sich und ihr kleines Kind bat. Tian öffnete eilig die Tür. Davor stand eine Chinesin, nicht mehr ganz jung, und ihr rundes Gesicht war ein einziger Ausdruck von Panik. Aber sie hatte kein Kind bei sich, und sie traf auch keine Anstalten hereinzukommen. Fünf Männer, allesamt Weiße, standen bei ihr und bedrohten sie mit ihren Waffen.

Eine Falle!, durchfuhr es Amelie, aber die Erkenntnis kam zu spät.

»Verschwinde, Weibsstück!«, herrschte eine vertraute Stimme die Chinesin an, und Fritz stieß sie brutal beiseite. Sie stolperte, fiel hin, rappelte sich wieder hoch und lief so schnell die Schantungstraße hinab, wie es ihr die nach alter chinesischer Sitte verkrüppelten Füße erlaubten.

Die Männer vor der Tür waren keine Soldaten und trugen keine Uniformen, nur Armbinden in Schwarz, Weiß und Rot, den Farben des Deutschen Reiches. Die Freitruppe Tsingtau, so hatte Tian sie genannt. Eigentlich ein klägliches Häuflein, aber doch höchst gefährlich, dachte Amelie, als die Männer die Mündungen von Pistolen und Karabinern auf sie und Tian richteten.

Sie drängten herein und schoben Amelie zur Seite. Tian, der sich schützend vor sie stellen wollte, wurde durch den schweren Hieb eines Karabinerkolbens niedergestreckt. Er fiel rücklings gegen eine Wand, und Blut rann aus einer Platzwunde an der Stirn sein Gesicht hinunter.

Besorgt ließ Amelie sich neben ihm nieder. »Tian, ist es sehr schlimm?«

»Nein, es geht schon«, sagte er mit belegter Stimme und sah die Eindringlinge zornig an.

Sie umstanden Amelie und Tian in einem Halbkreis. Fritz, eine Pistole in der Faust, führte das Kommando, und in seinen Augen lag nicht das geringste Mitgefühl. Wie ein vollkommen Fremder kam Amelie der Mann vor, der doch ihr Bruder war. Er sah zum Fürchten aus, nur noch Haut und Knochen, ein wandelnder Geist. Aber irgendetwas hielt ihn am Leben und trieb ihn an, als sei ein Dämon in seinen Körper gefahren, um ihn für seine bösen Zwecke zu benutzen.

»Was wollt ihr hier?«, fragte Amelie und schaffte es, dass die Furcht, die von ihr Besitz ergriffen hatte, nicht in ihrer Stimme mitschwang. »Wenn ihr Unterschlupf vor der Kanonade sucht, seid ihr willkommen. Ihr müsst keine Gewalt anwenden, um bei uns Hilfe zu finden.«

»Hilfe?« Fritz lachte rau. »Wir helfen uns schon selbst. Wir werden dieses Verräternest ausräuchern, wie wir es auch mit den anderen getan haben. Wenn die Japse keine geheimen Signale aus der Stadt mehr erhalten, wird ihr Feuer weit weniger genau sein.«

»Wovon sprichst du, Fritz? Wir sind keine Verräter.«

»Ach nein? Wo steckt denn die Mutter von deinem Tian? Wahrscheinlich gibt die schlitzäugige Japshure dem Feind in diesem Augenblick versteckte Zeichen. Zusammen mit diesem Tanaka, der sich zu euch geflüchtet haben soll. Dem habe ich schon nicht getraut, als er noch für uns gearbeitet hat. War ja mal Offizier im Dienst des Tenno. Wahrscheinlich ist er es immer noch.«

»Ich gebe keine Zeichen und bin auch kein Offizier mehr«, kam es in dem fehlerfreien, harten Deutsch, das Yukio Tanaka sprach, aus dem hinteren Teil des Hauses, wo der Kellereingang lag. Der Japaner trat aus dem Halbdunkel und blieb wenige Schritte vor den Eindringlingen stehen. »Ich bin kein Verräter.«

»Du lügst doch, wenn du das Maul aufmachst, Schlitzauge!« Während Fritz noch sprach, hieb er mit einer schnellen Bewegung den Lauf seiner Pistole auf Tanakas Hinterkopf.

Der Japaner stöhnte auf und sackte zu Boden.

Tian wischte mit dem Ärmel das Blut aus seinem Gesicht und spannte seine Muskeln an, bereit, sich im nächsten Moment auf Fritz zu stürzen. Augenblicklich legten zwei der Bewaffneten ihre Karabiner auf ihn an.

»Nicht«, sagte Amelie leise, aber eindringlich zu Tian.

Tian schluckte seine Wut hinunter, und Amelie beugte sich über Tanaka, um nach ihm zu sehen. Stöhnend richtete er sich mit ihrer Hilfe so weit auf, dass er sich mit dem Rücken gegen die Wand lehnen konnte. Er und Tian hockten dicht beieinander.

Mit einem breiten Grinsen richtete Fritz seine Waffe auf sie. »Sehr schön, da können wir die beiden Gelben auf einen Streich erledigen.«

»Nicht, Fritz!«, schrie Amelie auf. »Bitte, schieß nicht! Willst du, dass dein Neffe ohne Vater aufwächst?«

»Mein Neffe?«, wiederholte er zögernd. »Wovon sprichst du?«

»Ich ...« Sie schluckte. »Ich erwarte ein Kind.«

»Ein Kind von dem da?« Erst ungläubig, dann verächtlich blickte Fritz auf Tian hinab. Hinter seiner Stirn schien es zu arbeiten. Langsam drehte er sich zu seiner Schwester um, und die schwarze Mündung der Pistole zeigte auf ihren Leib. »Diese verdammten Mischlingskinder. Erst Vater und jetzt du.« Er schüttelte den Kopf und wirkte dabei fast traurig. »Dir ist nicht zu helfen, Amelie. Am besten erschieße ich dich auch, bevor du das Balg zur Welt bringst!«

Sie erkannte an seinen vor Hass verzerrten Zügen, dass er es ernst meinte, und legte in einer nutzlosen Geste schützend die Hände vor ihren Bauch. Verzweifelt suchte sie nach einem Ausweg – vergebens. Tians Blick traf den ihren, und sie las in seinen Augen dieselbe Verzweiflung und dazu die Scham, nichts für sie und das Kind, das in ihr heranwuchs, tun zu können. Das Gefühl der Geborgenheit vorhin im Keller, als sie in seinen Armen gelegen hatte, war tatsächlich nur eine Illusion gewesen: Er konnte sie nicht beschützen, nicht vor Fritz, der nichts anderes mehr kannte als seinen unbändigen Hass.

Stimmte es, dass im Augenblick des Todes das Leben rückwärts an einem vorüberzog? Amelie kam es so vor, und sie dachte zurück an jene jetzt so ferne Zeit, als Tsingtau eine friedliche, blühende Stadt gewesen war. Damals hatte alles begonnen. Damals, als die Luft noch nicht nach Brand und Tod gerochen hatte, sondern geheimnisvoll und verlockend, süß wie Honig. Die Worte des alten Chinesen, der ihr kurz nach ihrer Ankunft aus der Hand gelesen hatte, kamen ihr wieder in den Sinn: »Aber sei auf der Hut, Tochter des Affen. Der helle Tag ist nicht ohne die finstere Nacht, der warme Sommer ist nicht ohne den kalten Winter, und die Glück bringende Liebe ist nicht ohne den Verderben bringenden Hass. Sei auf der Hut vor dem Hass, denn er wird dich verfolgen!«

Der Hass hatte sie eingeholt. Aber damals hatte sie nicht geahnt, dass der alte Mann von ihrem eigenen Bruder gesprochen hatte. Sie blickte ihn an und dann seine Gefährten. Alle hatten ihre Waffen auf sie, Tian und Tanaka gerichtet, aber nur Fritz' Augen glühten vor unbändigem Hass. Seine Komplizen wirkten unsicher und schienen sich nicht recht wohl in ihrer Haut zu fühlen.

»Warum nur, Fritz?«, fragte sie. »Ich kann dich nicht verstehen.«

»Du hast das Unglück über unsere Familie gebracht, als du dich mit deinem Gelbgesicht eingelassen hast. Dabei hättest du Erich Schweiger heiraten können. Damit wären all unsere Probleme gelöst gewesen.«

»Du meinst deine Probleme. Deine Geldnöte. Die Spielschulden und alles, was du für Opium und Frauen wie Dorothea Eppler ausgegeben hast. Ihren Mann hast du in den Tod getrieben, Vater ebenso und letztlich auch Mutter. Aber du suchst die Schuld nur bei anderen, Fritz, weil du im Grunde deines Herzens ein Feigling bist.«

»Dann betrachte dies als die Tat eines Feiglings, Chinesenhure!«

Fritz zielte mit der Pistole auf Amelies Brust und krümmte den Zeigefinger um den Abzug. Als die Schussdetonation erfolgte, zeigte sich Verwunderung auf seinem Totengesicht. Seine Rechte öffnete sich, und die Waffe fiel heraus. Fritz vollführte eine halbe Drehung um die eigene Achse und sackte dabei zu Boden. In seinem Rücken klaffte ein Einschussloch, und der Jackenstoff darum herum zeigte einen roten Fleck, der langsam größer wurde.

»Erich!«

Amelie stieß diesen Ruf aus, als Erich, in Uniform und mit einem Karabiner in Händen, durch die offene Haustür trat. Er wirkte erregt und atmete stoßartig, als habe er sich sehr beeilt.

Die Männer von der Freitruppe Tsingtau sahen erst ihn und dann ihren von Erich niedergeschossenen Anführer betreten an. Sie wirkten jetzt noch unentschlossener als zuvor.

»Fritz Kindler dürfte tot sein, bei einem Schuss aus der Entfernung«, sagte Erich kalt. »Ihr solltet dieses Haus jetzt verlassen, sonst überlege ich mir, ob ich euch der Polizei übergebe. Tsingtau steht unter Kriegsrecht, und euer Eindringen hier macht euch zu Anwärtern auf das Erschießungskommando.«

»Wir wollten das alles nicht«, sagte einer von ihnen mit krächzender Stimme. »Es war Fritz, er hat gesagt, wir müssen die Japse …«

»Schnauze halten und raus!«, sagte Erich scharf. »Aber eure Waffen legt ihr vorher ganz langsam auf den Boden. Sollte eine eurer Bewegungen mich aufregen, drücke ich ohne Warnung ab.«

Sie befolgten seine Anweisung und schlichen sich dann

wie geprügelte Hunde aus dem Haus. Erich verfolgte jede ihrer Bewegungen aufmerksam und hielt den Karabiner schussbereit im Anschlag.

Amelie sah ihn dankbar an und kniete sich dann neben Fritz nieder, um seinen Puls zu fühlen.

»Tot?«, fragte Erich, und als Amelie nickte, sagte er: »Gut so.«

Amelie sah ihn traurig an. »Aber Erich, wie kannst du so etwas sagen? Es war bestimmt das Opium, das ihn dazu getrieben hat.«

»Deine Bruderliebe in Ehren, Amelie, aber Fritz hat sie nicht verdient. Er war durch und durch verkommen, mit oder ohne Opium.«

»Vielleicht ist es so«, seufzte Amelie. »Wie kommt es, dass du gerade noch rechtzeitig erschienen bist?«

Erich deutete auf den jungen Chinesen, der hinter ihm das Haus betrat. »Bedankt euch bei Jian. Er war auf dem Weg zu eurem Ladengeschäft, als er Fritz und seine Kumpane sah und hörte, wie sie sich nach euch und nach Tanaka erkundigten. Und weil er ein blitzgescheiter Bursche ist, hat er mich geholt.«

Tian hatte sich erhoben, trat zu Erich und verneigte sich tief vor ihm. »Jetzt haben Sie mich schon ein zweites Mal gerettet, mich und meine Frau. Ich stehe tief in Ihrer Schuld, Erich. Was kann ich tun, um diese Schuld zu begleichen?«

Tanaka sagte: »Auch für mich trifft das zu, Herr Schweiger.«

»Was Amelie betrifft, auch sie hat mir einmal das Leben gerettet. Das Konto ist also ausgeglichen. Ihre Schulden bei mir, Tian und Herr Tanaka, werde ich zu gegebener Zeit eintreiben.« Erich deutete zur der Kellerluke, wo Emis Kopf sichtbar war. »Jetzt sollten Sie alle zurück in den Keller gehen, da ist es sicherer.«

Wie zur Bestätigung seiner Worte schlug in diesem Augenblick ganz in der Nähe eine Granate ein, und der Boden unter ihnen bebte leicht.

»Und du, Erich?«, fragte Amelie.

»Ich muss zurück. Wir rechnen stündlich mit einem großen Sturmangriff. Jian wird sich zu euch gesellen. Aber vorher werde ich mit seiner Hilfe die Leiche beseitigen.«

»Wieso?«

»Es dürfte einiger Aufwand sein, den Toten in diesen unruhigen Tagen den Behörden zu erklären. Besser, man findet ihn irgendwo unter den Bombentrümmern.«

»Mit einer Kugel im Rücken?«, zweifelte Tian.

»Es könnte die Kugel eines japanischen Stoßtrupps sein. Niemand wird danach fragen.«

13

Der Sturmangriff der Japaner wurde von den Verteidigern zurückgeschlagen, aber wenige Tage später fiel Tsingtau dem Tenno dennoch zu. Die Reserven der Deutschen waren erschöpft, ihre Munition verschossen. Der Marineflieger Plüschow hatte die Stadt mit seiner *Taube* in Richtung neutrales China verlassen, um das Kriegstagebuch und wichtige Geheimpapiere den deutschen Diplomaten dort zu übergeben. Über dem Signalberg wehte die weiße Flagge, und Gouverneur Meyer-Waldeck leitete die Kapitulationsverhandlungen ein.

Erich kam am Abend des siebten November bei Amelie und Tian vorbei und unterrichtete sie, Emi und die Tanakas über den letzten Stand der Dinge. Die Tanakas wohnten noch im Haus der Lius, weil sich Frau Tanaka in der eigenen Wohnung nicht sicher fühlte.

»Morgen oder übermorgen wird die offizielle Übergabe der Stadt an die Japaner stattfinden«, schloss Erich seinen Bericht. »Aber dann werde ich hoffentlich schon nicht mehr hier sein.«

»Nicht mehr hier?«, wiederholte Amelie. »Wieso nicht?«

»Man munkelt, alle Kriegsgefangenen sollen nach Japan verschifft und dort interniert werden.« Erich schüttelte entschlossen den Kopf. »Nicht mit mir, ich habe anderes zu tun. Deshalb werde ich es machen wie Plüschow.«

»Du willst mit dem *Adler* fliehen? Ist er denn wieder flugtauglich?«

»Ich hoffe es, ich habe jede freie Minute an ihm gearbeitet. Leider hatte ich keine Gelegenheit, ihn zu erproben. Das werde ich heute Nacht nachholen.«

»Du willst im Dunkeln starten?«

»Nur so kann ich es schaffen, ohne dass man mich hindert oder in der Luft abschießt. Aber ich brauche Hilfe beim Start.«

»Die haben Sie, Erich«, versprach Tian.

»Sogar von japanischer Seite, wenn Sie das so sehen wollen«, fügte Yukio Tanaka hinzu. »Ich bin froh, meine Schuld bei Ihnen so rasch begleichen zu können.«

»Du lässt deine Eltern hier zurück«, gab Amelie zu bedenken.

Erich wirkte für einen Augenblick bekümmert. »Ich wäre in diesen schweren Tagen gern bei ihnen, aber es geht nicht anders. Außerdem wäre ich ihnen als japanischer Kriegsgefangener auch keine Hilfe. Ich habe ihnen einen Brief geschrieben, der alles erklärt.«

»Und was dann, Erich?«, fragte Amelie. »Was hast du vor?«

Erich zog den kleinen Hund aus Jade aus einer Tasche seiner Uniformbluse und hielt ihn hoch. »Auch ich habe eine Schuld zu begleichen.«

»Glaubst du wirklich, du hast eine Chance, Helene zu finden? Falls sie überhaupt noch lebt.«

Entschlossen ballte Erich die Hand um den Jadehund. »Ich fühle, dass sie lebt, und ich werde sie finden!«

Ein paar Stunden später, gegen Mitternacht, bewegte sich

eine kleine Menschengruppe in Richtung Iltisplatz: Erich, Tian, Yukio Tanaka, Jian und zwei chinesische Nachbarn der Lius, die in ihrem Keller Unterschlupf gefunden hatten. Amelie war ebenfalls dabei, obwohl alle auf sie eingeredet hatten, sie möge zu Hause bleiben. Aber sie wollte unbedingt dabei sein. Es gab ihr das Gefühl, etwas für Erich zu tun, der ihr so oft beigestanden hatte, und für Helene.

Noch waren die Japaner nicht die offiziellen Herren der Stadt, und die von Erich angeführte Gruppe musste sich nur zweimal vor deutschen Wachen verstecken. Auf dem Iltisplatz schien es gar keine Wache zu geben.

»Wie kommt das?«, fragte Tanaka skeptisch, als sie am Rand des Platzes in einem Gebüsch kauerten.

»Ich bin die Wache«, sagte Erich. »Ich habe etwas getan, was man beim Militär niemals tun soll: Ich habe mich freiwillig gemeldet.«

Sie holten den *Adler* aus seinem Schuppen, und Amelie fragte Erich besorgt: »Glaubst du wirklich, der Start bei Dunkelheit wird glücken?«

»Ich bin hier so oft gestartet und gelandet, dass ich jeden Grashalm kenne. Zudem gibt es hier seit Kriegsausbruch sogar eine Startbahn aus Holzdielen, fast komfortabel. Keine Sorge, Amelie. Aber du kannst mir einen Gefallen tun. Sag Jakob, es täte mir leid, ihm den *Adler*, der ihm ja zur Hälfte gehört, zu entführen. Aber besser so, als dass unser Prachtstück dem Feind als Beute in die Hände fällt.«

»Ich werde es ihm ausrichten«, versprach Amelie. »Tust du mir auch einen Gefallen, Erich?«

»Gern, wenn ich kann.«

»Sag Helene, dass ich viel an sie denke und dass ich sie liebe.«

»Das werde ich.«

Erich verabschiedete sich von allen, zuletzt mit einem Kuss auf die Stirn von Amelie, und kletterte auf den Pilotensitz. Tanaka warf den Propeller an, der stotterte einige Male und verstummte wieder. Ein neuer Versuch, ein erneutes Stottern, dann aber lief der Motor rund. Amelie sah zu, wie die Männer das Flugzeug anschoben, bis es an Fahrt gewann, über die Holzpiste ratterte und sich in die Lüfte erhob. Bald waren Erich und der *Adler* nur noch ein dunkler Fleck am Nachthimmel, dann waren sie ganz verschwunden.

14

Der Krieg war vorbei, verloren für Deutschland und seine Verbündeten, und selbst das lange Zeit neutrale China hatte auf Druck der Feindmächte im August 1917 dem Deutschen Reich den Krieg erklärt. Ob die Japaner, die Tsingtau inzwischen zu ihrer Stadt gemacht und neue Straßenzüge und Fabriken gebaut hatten, ihre Eroberung jemals herausgeben würden, an die Deutschen oder die Chinesen, erschien Amelie mehr als fraglich. Man schrieb den März 1919, und die Sieger hatten fast alle Deutschen ausgewiesen. Britische und französische Schiffe sollten sie aus ihrer verlorenen Heimat Tsingtau in die alte Heimat Deutschland bringen.

Amelie war es schwer ums Herz, aber sie hatte zum Glück ihren Mann und ihren Sohn bei sich. Emi war im vorletzten Winter an einer Lungenentzündung gestorben, ein großer Verlust.

Langsam, in Trippelschritten, bewegte sich die Menschenschlange voran, bewacht von japanischen Soldaten mit strengen Mienen. Yukio Tanaka und seine Frau waren zum Hafen gekommen, um sich von ihnen zu verabschieden. Er bekleidete inzwischen einen hohen Posten in der Stadtverwaltung und hatte während der Besatzungszeit stets seine schützende Hand über Amelies Familie gehalten. Für Tanaka war seine neue Position so etwas wie eine späte Genugtuung, und er stand seit Kurzem sogar in Briefverkehr mit seinem Sohn.

Auch Jian war mit seiner jungen Frau, mit der er eine kleine Wäscherei betrieb, gekommen und verabschiedete sich herzlich. Amelie war Tanaka und Jian zutiefst dankbar und dachte gern an die Zeit zurück, als alle drei in ihrem Laden gearbeitet hatten. Amelie und Tian hatten ihre Geschäfte unter japanischer Herrschaft lange fortführen können, wenn auch unter eingeschränkten Bedingungen. Aber das war jetzt vorbei. Die Japaner hatten sie enteignet. Fünfundsiebzig Kilogramm Gepäck pro Person, mehr blieb ihnen nicht von ihrem alten Leben.

Die Tanakas sowie Jian und seine Frau waren längst gegangen, und die kleine Familie Liu kam dem Abfertigungsposten für die Einschiffung immer näher, als ganz in ihrer Nähe eine helle, seltsam singende Stimme rief: »Eine milde Gabe für einen armen alten Mann! Bitte, eine milde Gabe!«

Ein graubärtiger Chinese stand zwischen den Schaulustigen und den japanischen Wachen und streckte seine knöchrige Hand bittend aus. Seine Gestalt war vom Alter gebeugt, sein Gesicht ein Meer von Falten, seine Kleidung zwar sauber, aber von unzähligen Flicken übersät. Amelie hatte Mitleid mit ihm und kramte in ihrer Manteltasche. Dort fand sie einen Silberdollar, den sie ihm in die Hand drückte.

Der Alte sagte mit seiner eigentümlichen Stimme: »Ich danke dir, Tochter des Affen, für alles. Du wirst dieses Land nun verlassen, aber für immer im Herzen behalten.«

Amelie, die bereits weitergegangen war, blieb stehen, tastete nach dem kleinen Affen aus Jade, der unter ihrem Mantel verborgen war, und sah sich nach dem Chinesen um, aber er war bereits in der Menge verschwunden.

Der kleine Erich Cheng, gerade erst vier Jahre alt, zog an ihrem Mantel und sah zu ihr auf. »Wer war der Mann, Mama?«

Amelie sah ihren Sohn an, Tränen in den Augen, und antwortete: »Vielleicht ein alter Freund, vielleicht auch nur die Erinnerung an ein verlorenes Leben.«

Epilog

Sonntag, 13. Juni 1954.

»Verstehst du jetzt, warum Großvater Tian so wütend war, Christa?«, fragte ihre Großmutter.

»Weil der Schmetterling rot ist? Wie das Haar von Erich?«

Großmutter nickte.

»Heißt das, die Seele von Erich ist in diesem Schmetterling?«

»Das wäre möglich. Viele Menschen in Japan und China glauben daran.«

Christa nickte und sagte: »Mein Vater heißt auch Erich.«

»Erich Cheng. Wir haben ihn nach dem anderen Erich benannt, weil der so viel für uns getan hat. Und nach dem Vater deines Großvaters.«

Christa rieb nachdenklich über ihre Stirn. Der Streit mit Großvater war längst vergessen, sosehr hatte Großmutters Geschichte sie in den Bann gezogen.

»Was ist aus eurem Erich geworden? Hat er Helene gefunden? Hat sie noch gelebt?«

»Wir haben von ihm und auch von Helene nie wieder etwas gehört. Wir sind auch nie wieder nach Tsingtau zurückgekommen, das erst den Japanern gehörte und dann den Chinesen zurückgegeben wurde. Erichs Eltern blieben bis zur Ausweisung nach dem Krieg in Tsingtau, und in der Zeit der japanischen Besetzung sprachen wir gelegentlich miteinander, aber sie hatten keine Nachricht von ihrem Sohn. Sie verließen Tsingtau auf einem anderen Schiff als dein Vater, dein Großvater und ich, und wir haben sie danach aus den Augen verloren. Mit Jakob Winterkorn hatten wir eine Zeitlang Briefverkehr, als er in japanischer Kriegsgefangenschaft war und auch später noch. Aber auch er wusste nichts über Erichs weiteres Schicksal.« Großmutter sah Christa tief in die Augen und lächelte. »Aber ich glaube ganz fest, dass Helene noch am Leben war und dass Erich sie gefunden hat.«

»Hat er sie denn auch lieb gehabt, ganz wirklich?«

Großmutter lächelte. »Wie hat doch Erich gesagt? Ein Weg entsteht, wenn man ihn geht.« Sie streichelte Christas Wange. »Und jetzt, mein Schatz, was machen wir mit dem Schmetterling?«

Christa rutschte von Großmutters Schoß und lief zu Großvater, der in seinem lichtdurchfluteten Atelier stand und an einem seiner Tuschegemälde arbeitete. Es zeigte, wie so oft, Schmetterlinge. Diese hier flogen über eine weite Wasserfläche in ein scheinbar fernes Land, als seien sie Zugvögel. Christa hatte gehört, dass Großvater Tian mit seinen Bildern viel Geld verdient hatte, genug für dieses Haus.

Sie hielt ihm das Marmeladenglas hin. Vorsichtig nahm er es an sich, ging mit ihr hinaus in den Garten, schraubte den Deckel ab und hielt das Glas schräg. Der rote Schmetterling wartete eine kleine Weile, dann flog er heraus, tanzte vor ihren Gesichtern in der Luft und flatterte schließlich davon.

»Tschüss, Erich«, rief Christa ihm nach. »Flieg schnell zu Helene!«

Großmutter Amelie war neben sie getreten und streichelte sie. »Das war sehr lieb von dir, Christa. Als Belohnung schenke ich dir das. Du musst es aber auch tragen, zur Erinnerung an die Heimat deines Großvaters.«

Staunend sah Christa auf die Silberkette mit dem grünen Affen, die Großmutter ihr umlegte. Dann strahlte sie über das ganze Gesicht, als der Affe an ihrem Hals hing.

Sonntag, 9. September 2012.

»So ein kleiner Affe und so eine lange Geschichte, was?« Christa legte eine Hand unter den Anhänger, den sie trug, und betrachtete den grünen Affen. »Ich hoffe, Bernhard, du verstehst jetzt meinen Wunsch, mein Vermögen diesem Schmetterlingspark zu vererben. Und selbst wenn nicht die Seelen unserer Lieben in den Schmetterlingen weiterleben, so bereiten sie allein durch ihren Anblick den Menschen sehr viel Freude.«

Bernhard benötigte einige Zeit, um wieder ins Hier und Jetzt hineinzufinden, sosehr hatte ihn Christas Erzählung über das alte Tsingtau gefangen genommen. Er hatte zwar hin und wieder etwas über seinen chinesischen Urgroßvater gehört, aber das waren nur Bruchstücke gewesen. Tian und Amelie waren vor seiner Geburt verstorben. Tian, soweit er sich erinnerte, irgendwann in den 1960er-Jahren und Amelie zehn Jahre später, kurz nach ihrem neunzigsten Geburtstag. Er dachte an die vielen Schmetterlinge, die sie bei ihrem Gang durch die große Halle gesehen hatten, und fragte sich unwillkürlich, ob Amelie und Tian darunter sein mochten.

»Bernhard, bist du noch da?«, fragte Christa, als er ihr nicht antwortete. »Ich sprach von meinem Geld und den Schmetterlingen hier.«

»Ich sehe die Schmetterlinge jetzt mit ganz neuen Augen«, sagte er und nickte. »Keine Sorge, Christa, ich werde ein Testament aufsetzen, das ganz deinen Wünschen entspricht.«

»Fein, dann kann ich unbesorgt meine Reise antreten.« Als sie sein betroffenes Gesicht sah, sagte sie schnell: »Nein, *die* Reise meine ich jetzt nicht. Ich spreche von einer Flugreise.«

Noch immer mit seinen Gedanken bei Christas Erzählung, fragte Bernhard schwerfällig: »Eine Flugreise, wohin?«

»Wohin wohl? Nach Tsingtau natürlich. Oder Qingdao, wie es die Chinesen nennen. Ich habe es ein ganzes Leben lang vor mir hergeschoben, jetzt wird es Zeit.«

Nachwort

Die Schreibweise chinesischer Bezeichnungen in diesem Roman folgt in der Regel der zur Zeit der Handlung in Deutschland üblichen, also Tsingtau statt Qingdao, Kiautschou statt Jiaozhou, Schantung statt Shandong und so weiter.

Die Beschreibung Tsingtaus und der dortigen Gegebenheiten entspricht im Wesentlichen den historischen Tatsachen. Die erstaunlich gute Infrastruktur (zum Beispiel Elektrizität, fließendes Wasser, medizinische Versorgung, Schulen) ist darauf zurückzuführen, dass man in Deutschland bestrebt war, aus Tsingtau eine ›Musterkolonie‹ zu machen (wie es ähnlich die Japaner während ihrer Besatzungszeit hielten). Der Begriff ›Kolonie‹ ist dabei nicht im engeren Sinne zu verstehen, war Tsingtau doch als Handels- und Flottenstützpunkt konzipiert und nicht als Siedlungsgebiet für deutsche Auswanderer. Es unterstand daher auch nicht dem Reichskolonial-, sondern dem Reichsmarineamt, weshalb sämtliche fünf Gouverneure höhere Seeoffiziere waren. Wenn hin und wieder in Details von der Historie abgewichen wird, dann deshalb, weil ein Roman eigenen Gesetzen folgt.

So sind die Flugpioniertaten von Erich Schweiger und Jakob Winterkorn zwar ebenso Fiktion wie die beiden selbst, aber tatsächlich gab es in Tsingtau einen Flugpionier namens Franz Oster, der in vielerlei Hinsicht für Jakob Winterkorn Pate gestanden hat. Oster wurde, wie Winterkorn, von Prinz Heinrich von Preußen gefördert, war Schmied und Maschinenbauer, besaß eine Fabrik am Kleinen Hafen von Tsingtau, stürzte während der japanischen Belagerung mit seiner Flugmaschine ab und geriet in japanische Gefangenschaft.

Der Flug, den Erich Schweiger mit Amelie im September 1908 unternimmt, dürfte, hätte er wirklich stattgefunden, trotz des unrühmlichen Ausgangs als flugtechnische Pionierleistung gelten. Wegen der schwierigen Windverhältnisse vor Ort, der räumlichen Enge auf dem für einen Flugplatz sehr kleinen Iltisplatz und der damals noch schwachen Motorleistung haben sowohl Franz Oster als auch der 1914 nach Tsingtau versetzte Marineflieger Gunther Plüschow in der Regel keine Passagiere an Bord genommen. Zwei Ausnahmen soll es gegeben haben, einen Flug Osters mit seiner Frau und einen Plüschows mit einem Fräulein Hanna Wolf.

Auch sind Erich und Jakob mit einer derart flugfähigen Maschine im Jahre 1908 anderen Flugpionieren weit voraus. Franz Oster führte seinen ersten Schauflug in Tsingtau erst im Juli 1913 durch. Schon 1911 hatte ein Franzose namens Vallon in Schanghai Schauflüge veranstaltet, war dabei aber zu Tode gekommen. Wer sich fragt, warum die Welt von Erichs und Amelies Flug nichts gehört hat, mag eben jenen unrühmlichen Ausgang als Erklärung nehmen – oder den Umstand, dass dieser Flug und der *Adler von Tsingtau* schriftstellerischer Phantasie entsprungen sind.

Die Legende von den Schmetterlingsliebenden, die Tian

seiner Amelie erzählt, entstammt der chinesischen Folklore und hat verschiedene künstlerische Bearbeitungen erfahren. Wer sich musikalisch in die Welt des Romans versetzen lassen will, dem sei das Violinkonzert *Das Schmetterlingsliebespaar/The Butterfly Lovers* von He Zhan-hao und Chen Gang empfohlen.

V.L.

Zeittafel

1840–1842
Im ersten Opiumkrieg zwischen Großbritannien und China setzt sich die siegreiche europäische Großmacht für die britischen Handelsinteressen ein, nicht zuletzt für die Überschwemmung Chinas mit aus Indien importiertem Opium. China tritt Hongkong als Kronkolonie an die Briten ab und verspricht, fünf Häfen für den internationalen Handel zu öffnen.

1851
Der Taiping-Aufstand, entfacht von der christlichen Taiping-Sekte, beginnt. Er erschüttert China schwer und fordert letztlich zwischen zwanzig und dreißig Millionen Tote.

1857–1860
Nach bewaffneten Auseinandersetzungen mit Großbritannien, Frankreich, Russland und den USA (zweiter Opiumkrieg) muss China weitere Häfen öffnen, Gebiete abtreten und Reparationszahlungen leisten.

1860–1864
Großbritannien und Frankreich helfen der chinesischen Regierung mit ihren Truppen bei der Niederschlagung des Taiping-Aufstands und festigen dadurch die eigene Position in China.

1861
Eine preußische Gesandtschaft schließt in Peking einen Handelsvertrag mit China ab.

1868–1872
Der schlesische Geologe und Geograf Ferdinand von Richthofen erkundet China in mehreren Reisen, über die er später ein mehrbändiges Werk schreibt, um das Land in Deutschland bekannt zu machen. Ein besonderes Interesse gilt dem Kiautschou-Gebiet, das mit seinen Steinkohlevorkommen als Flottenstützpunkt geeignet erscheint, zumal sich die Bucht außerhalb der Taifunzonen befindet und, obwohl relativ weit nördlich gelegen, im Winter eisfrei bleibt.

1869
Der Norddeutsche Bund unter preußischer Führung stationiert mit Billigung Großbritanniens zwei Korvetten zum Schutz deutscher Handelsinteressen in Singapur. Damit beginnt eine dauerhafte Anwesenheit deutscher Kriegsschiffe in Ostasien.

1881
Die katholische Steyler Mission beginnt als erste deutsche Mission ihre Tätigkeit in der Provinz Schantung.

1885
China tritt Annam (Indochina) an Frankreich ab und verzichtet zugunsten Japans auf das Protektorat Korea.

1886
China tritt Birma an Großbritannien ab.

1894/95
Niederlage Chinas im Ersten Japanisch-Chinesischen Krieg. China tritt Formosa (heute Taiwan) sowie die Pescadores-Inseln an Japan ab und erkennt Koreas Unabhängigkeit an.

1896
Im Auftrag des Vizeadmirals Alfred von Tirpitz wird die Kiautschou-Bucht in Anlehnung an von Richthofens Veröffentlichungen daraufhin untersucht, ob sie als deutscher Flottenstützpunkt geeignet ist. Das Ergebnis fällt positiv aus, und in Deutschland wartet man auf eine Gelegenheit, sich das Gebiet anzueignen.

1897
Im November werden zwei Missionare der Steyler Mission in der Provinz Schantung von Mitgliedern der chinesischen ›Messer-Sekte‹ ermordet. Das bietet deutschen Marinetruppen den Vorwand, die Kiautschou-Bucht noch im selben Monat kampflos zu besetzen.

1898
Im März schließen das Deutsche Reich und China einen Pachtvertrag mit einer Laufzeit von neunundneunzig Jahren über das Gebiet an der Kiautschou-Bucht ab. Kapitän zur See Carl Rosendahl wird der erste Gouverneur. – Im Mai besucht Prinz Heinrich von Preußen, jüngerer Bruder Kaiser Wihelms II., Tsingtau.

1898–1900
Die chinesische Vereinigung der ›Faustkämpfer für Gerechtigkeit und sozialen Frieden‹ (Boxer) beginnt einen

Aufstand gegen die Ausländer in China, dem sich schließlich das chinesische Kaiserhaus anschließt, das den ausländischen Mächten den Krieg erklärt. Diese schlagen den ›Boxeraufstand‹ nieder.

1899
Im Februar wird Kapitän zur See Paul Jaeschke zweiter Gouverneur des deutschen Pachtgebiets.

1901
Im Januar wird Kapitän zur See Max Rollmann dritter Gouverneur des deutschen Pachtgebiets. – Im Juni wird Vizeadmiral Oskar von Truppel vierter Gouverneur des deutschen Pachtgebiets. Seine zehnjährige Amtszeit markiert die Blütezeit Tsingtaus.

1904/05
Japan siegt im Russisch-Japanischen Krieg um die Vorherrschaft in Korea und in der Mandschurei.

1911
Im August wird Kapitän zur See Alfred Meyer-Waldeck fünfter und letzter Gouverneur des deutschen Pachtgebiets.

1911/12
Im Oktober 1911 beginnt ein erfolgreicher Aufstand gegen die seit Jahrhunderten in China regierende Qing-Dynastie, die ›Republik China‹ wird gebildet. – Im Februar 1912 dankt der letzte Kaiser der Qing-Dynastie ab, der erst fünfjährige Pu Yi.

1912
Im September und Oktober erneuter Besuch Prinz Heinrichs in Tsingtau.

1914
Nach dem Ausbruch des Ersten Weltkriegs im August erklärt Japan dem Deutschen Reich den Krieg und fordert die Übergabe von Tsingtau, was Deutschland ablehnt. – Ende September schließen die Japaner den Belagerungsring um Tsingtau, und japanische Großkampfschiffe beschießen die Stadt. – Ende Oktober beginnen die Japaner die pausenlose Beschießung Tsingtaus von See und Land aus. – Am 30. Oktober schlagen die deutschen Verteidiger einen Sturmangriff der Japaner zurück, die Tsingtau ihrem Tenno als Geburtstagsgeschenk überreichen wollen. – Am 6. November verlässt der deutsche Marineflieger Gunther Plüschow Tsingtau in seiner *Taube*, um wichtige Dokumente vor den Japanern in Sicherheit zu bringen. – Am 7. November kapitulieren die Verteidiger und übergeben Tsingtau am 9. November an die Japaner.

1917
Auf Druck der gegen Deutschland und seine Verbündeten kämpfenden Mächte bricht China im März die diplomatischen Beziehungen zu Deutschland ab und erklärt dem Deutschen Reich im August den Krieg.

1918
Nach Abschluss des Waffenstillstands im November werden die deutschen Liegenschaften in Tsingtau enteignet und fast sämtliche deutsche Firmen liquidiert.

1919

Im März werden die noch in Tsingtau lebenden Deutschen von den Siegermächten nach Deutschland ausgewiesen. – Im Vertrag von Versailles muss das besiegte Deutschland alle Rechte am Kiautschou-Gebiet ohne Entschädigung an Japan abtreten.

1920

Rückkehr der Verteidiger Tsingtaus aus japanischer Kriegsgefangenschaft nach Deutschland.

1922

Japan gibt Kiautschou und Tsingtau, besonders auf Druck der am Chinahandel interessierten USA, an China zurück.